UN AMI DE PASSAGE

Né en 1933 à Dakar, Claude Courchay, romancier et journaliste, a notamment publié La Soupe chinoise *(Gallimard),* Les Matins célibataires *(Gallimard),* Les Américains sont de grands enfants *(Flammarion),* Demain la veille *(Denoël),* Un ami de passage *(Belfond),* Le Chemin de repentance *(Belfond). Son roman* Retour à Malaveil *(Belfond) a obtenu le Prix RTL Grand Public 1982.*

Qu'il fait bon vivre au milieu des champs de lavande, sous le soleil des Basses-Alpes... Le paradis sur terre. Depuis des années, c'est là que Pierre, entre deux reportages, vient passer quelques mois, près de Claire.
Et c'est là qu'un beau matin Pierre est retrouvé mort. Un accident, une négligence...
Qu'il est triste de mourir au milieu des champs de lavande, sous le soleil des Basses-Alpes. Le paradis sur terre.
Avec un arrière-goût d'enfer.

Paru dans Le Livre de Poche :

RETOUR À MALAVEIL.

CLAUDE COURCHAY

Un ami
de passage

PIERRE BELFOND

A nos petites sœurs des pauvres, nos amies des mauvais jours, celles qui n'y sont pour rien quand tout va bien, que l'on rend responsables quand ça marche mal, et qui pourtant sont toujours là pour nous tenir la main et le moral...

A Annick, Claudine, Anne, Anne II, Chantal, Pia, Micheline, Françoise, Viviane, Marianne, Claude, Martine, Florence, Marie-Laure, Catherine, Calypso...

A toutes celles qui laissent leur temps et leur cœur pour le roi de Prusse et le dernier des métiers.

Aux attachées de presse. Merci.

« Toute vie est bien entendu un processus de démolition... »

F. Scott Fitzgerald,
La Fêlure.

Bien sûr, j'étais réveillé. Je traînassais au lit. Je traînasse, à Paris, à cause de la lumière. Ou plutôt, de l'absence de lumière. Pas la peine de tirer les rideaux, il fera aussi gris dehors que dedans.

Le téléphone. J'ai décroché. J'ai reconnu la voix de Max :

« Jean, je te réveille? »

Les types vous posent toujours la question *après*.

« Pourquoi, c'est quelle heure?

— Neuf heures.

— Tu as un bon coup à m'annoncer?

— Pas vraiment... C'est pour te dire... Enfin, voilà. Pierre est mort.

— Arrête. C'est pas drôle.

— On vient de recevoir un coup de fil à l'agence.

— Qu'est-ce que tu racontes? Je l'ai vu il y a huit jours, il partait se reposer.

— D'accord. Dans les Alpes. C'est de là qu'on a téléphoné.

— Doucement... »

J'ai répété : doucement. J'étais sonné. Je ne parvenais pas à encaisser. Ils m'avaient déjà fait le coup voici trois ou quatre ans, je ne sais plus. Pareil. Un matin. Pour me dire : le Pape est mort.

Cette blague, il était mort depuis deux semaines.

Pourtant, c'était vrai, il venait de remourir, je veux dire le pape tout neuf avait cassé sa... Enfin, ils sont faits pour, vu leur âge. Mais Pierre, non.

« Tu rêves? »

Ah! c'est vrai, Max...

« Non. Merci d'avoir appelé. Pacha veut quelque chose? »

Pacha, c'est le fondateur de l'agence. On l'a appelé ainsi pour des tas de raisons. Quand un nouveau s'amène, il finit forcément par dire, frappé par le côté bon papa du boss :

« Pacha, il est pas chien. »

Ce jour-là, il a intérêt à payer sa tournée.

Max s'est raclé la gorge. J'ai éloigné l'écouteur :

« Non, rien. Si ça t'amuse, tu peux descendre représenter l'agence. »

N'importe quoi. D'abord, leur agence, ce n'est pas mon agence. C'est une agence photo. Elle s'appelle Blitz... Il ne faut pas s'étonner de se retrouver chocolat, avec un nom pareil, comme disait Pierre. Moi, mon travail, c'est le reportage écrit. Personne n'est parfait. Je n'avais pas le cœur à discuter. J'ai dit salut, merci.

Au bout d'un moment, une musiquette mélancolique m'a... Le combiné. J'avais oublié de raccrocher. J'ai reposé le bijou sur son présentoir, et rrran, ça a remis ça. Seigneur... Une voix de fille :

« Guy, écoute, je vais t'expliquer pour hier... »

J'ai écouté un moment. Ça se tenait, dans l'ensemble. Je ne m'appelle pas Guy. Pas encore. J'ai tapoté discrètement l'ébonite, de l'ongle. Silence dans les rangs. J'ai raccroché.

Pierre... Qu'est-ce qui lui prenait de me faire ça? Mort de quoi, comment? On ne va pas dans les Alpes pour mourir. Ce ne sont pas les occasions qui manquent. Pierre, c'est mon copain depuis... Machinalement, j'ai rectifié : C'était...

La mort, c'est quand on parle de quelqu'un à l'imparfait.

Je n'ai plus pu me supporter dans cette chambre. Je me suis levé, j'ai avalé un bol de thé. Je me sentais en porte à faux. Je n'arrivais pas à vivre cette mort. Avec Pierre, nous nous connaissions depuis... Dix ans? Pas plus? Non. Tous mes chouettes coups, le Laos, Cuba, c'était avec lui. Il y a des moments qui pèsent plusieurs vies.

Je suis sorti. J'ai suivi mes pas. C'était calme. Cette blague, c'est dimanche matin. J'habite rue Royer-Collard, sur cour. J'ai fait un crochet par la rue Malebranche. Mon vieux clochard était déjà là, d'attaque, le litre à la main. Il vieillit. Plus il vieillit, plus il est hilare. Rue Paillet, toujours ce graffito : « LES MORBACKS. » Un groupe de rock. Fini, les beaux badigeons politiques : « LIBÉREZ HENRI MARTIN », « PAIX EN INDOCHINE », « PAIX EN ALGÉRIE », « OAS AMITIÉ »... A présent, les groupes rock annexent les murs. L'un d'eux s'appelait : « STALINGRAD. »

J'ai traversé la rue Soufflot. Le Panthéon était toujours là. Merci d'avoir tenu bon. Et plein de drapeaux tricolores. L'anniversaire de Trafalgar? Pas tout à fait. C'est bientôt le 11 novembre. Ah! c'est vrai, Gravelotte, Vaucouleurs... Vive Napoléon, vive le saucisson!

Place de la Sorbonne, j'ai traversé la patinoire centrale. Deux fliquettes déposaient des cartons verts sur les pare-brise. Une vieille tradition. L'une en pervenche, l'autre en cuir noir, avec brassard de la PP. La pervenche veillait sur les débuts de l'autre oisillonne. C'était cocasse, cette jeune loubarde en tandem avec la mamie-blue. Pierre aurait pris quatre clichés, en rafale.

Il faisait un temps vif, assez froid. Des lambeaux de nuages déchiquetés dérivaient bon train. J'ai descendu la rue Champo.

Une dame et son chien la remontaient. Toujours étonnant, le mimétisme des maîtres par rapport aux bestioles. J'ai cru entendre le déclic du Canon de Pierre. Il m'aurait dit en jubilant :

« Ils étaient sympas, hein? Elles sont sympas, ces vieilles... »

Pourtant, il en avait pris, des visages. Des milliers et des milliers. Il les trouvait toujours sympas. Si l'on veut... Parfois, nous tombions sur de ces trognes... Pierre avait une telle façon de sourire aux gens que c'est vrai qu'ils devenaient sympathiques. Le temps d'un cliché.

Beau titre pour une nécro, ça.

J'ai slalomé à temps. Paris est tapissé de crottes de chiens. Apprenez-leur la gouttière, le caniveau, ça ne marche pas vraiment.

Aux Noctambules, on jouait *Cabaret*. Et rue des Ecoles, *L'Amérique interdite.* Sur l'affiche, la statue de la Liberté, de dos, fesses à l'air. Nous avions vu ce sommet à San Salvador, avec Pierre. Non, c'était au Guatemala. Il y avait eu cette manif, avec des flics et leurs casques allemands, peints en bleu clair. Et des soldats, en tenue camouflée, avec le casque israélien. Ils avaient balancé des lacrymos. Leurs grenades, c'étaient carrément des boîtes de soupe. Et leurs gaz, extra. Du chlore pure. Rien qu'à y penser, j'en ai les gencives qui saignent. Pierre s'était noué un foulard sur le visage, vieux réflexe soixante-huitard. Moi pas. Je ne pense pas assez au détail.

Au café, à l'angle de Saint-Michel et de la rue des Ecoles, un type lisait *Libé*. Qui titrait : « A L'EST, DU NOUVEAU. » Si on veut... Cela va faire vingt ans qu'on l'enterrait trois fois par mois, Brejnev. Comme dit Pierre : « Ça ne vaut pas un clou... »

Le pape, oui. Avec sa manie des bains de foule, il cherche le martyre. Pierre était juste là quand le curé fou s'était jeté sur lui, au Portugal. Un coup de chance.

Il valait mieux ne pas lui parler de chance. Il répondait : « La presse, c'est un métier. »

J'ai traversé Saint-Germain pour prendre la rue de la Harpe. C'est piéton. Il y a quatre petits arbres mignons comme tout. Et Belmondo dans *L'As des as.*

Pont Saint-Michel. La Seine a toujours cette couleur improbable de fruit de la Passion mort dans les souffrances. Coup de vent. Un friselis sur l'eau.

J'ai pris la berge. Ça ne passait pas. Ça servait à quoi, la mort de Pierre? Je n'en avais pas des masses, des copains...

Je me suis dirigé vers le Pont-Neuf. Sur bâbord, trois grosses péniches, bien noires, amarrées côte à côte, portaient le deuil. On voyait l'envers des boîtes des bouquinistes, sur la rive d'en face. Une masse de déchets s'était accumulée entre les coques des péniches. Un canot à moteur a dérapé en rugissant, sur le plan d'eau, à la pointe du Vert-Galant. Des mouettes se sont livré un combat tournoyant, en poussant des cris aigres.

Toujours cette empreinte en creux. Il m'a bien eu, Pierre. Il était plus jeune que moi. Pas tellement : deux ans. Cela lui faisait combien, au juste? Trente-huit ans, je crois. Une feuille jaune se détachait sur l'eau plombée. Une feuille morte, bien sûr. C'est la saison.

Dix heures sonnaient quand je suis passé sous le Pont-Neuf. Des passerelles de fer barraient le fleuve, un peu plus loin. Ils refaisaient le pont des Arts.

Square du Vert-Galant. Personne. Avec ce froid, les clochards recherchent les bouches de chaleur. Après tout, nous sommes en novembre. A droite, la termitière du Louvre. La vedette a remonté le courant, une vedette marquée « POLICE », avec deux moteurs hors-bord. Des vagues ont clapoté. Pierre aurait dit quelque chose. Il disait toujours quelque chose. Le pire, c'est qu'il ne se répétait pas. En face, près du poste des pompiers, un type en blouson kaki brûlait des morceaux de planches dans un brasero de fortune.

A gauche, deux filles venaient de s'installer avec un appareil sur trépied. Pierre se servait d'une pince, c'est moins encombrant. A Hong Kong, en dessous du pic Victoria, il avait passé toute une soirée à prendre le coucher de soleil sur la rade. Peu à peu, nous avions vu s'allumer les feux des deux rives. Aucune pub ne clignote, pour ne pas gêner les avions qui se posent en pleine agglomération.

Cette fois-là, nous n'avions pas pu faire la Birmanie. Nous devions y retourner, rien ne pressait. La Birmanie n'allait pas mettre la clef sous la porte... La Birmanie, non...

Mes yeux se sont mouillés. J'ai laissé mes mains dans les poches de mon cuir. Ça veut dire quoi, un copain? Ça veut dire les mêmes chambres pourries dans des hôtels pourris dans des pays pourris. Ou les mêmes palaces, avec piscines et larbins en surnombre. C'est pareil. Et ces journées à attendre un visa qui ne vient pas, encore heureux quand on a un bon livre. Et un bain turc pour le lire. Toutes ces heures à mijoter en avion, en mangeant trop, parce qu'il n'y a rien d'autre à faire.

J'ai du mal à en parler, de Pierre. Je n'ai pas de recul. C'était un chic type. Il allait au charbon. Il connaissait les risques, il ne s'exposait pas pour la frime. Mais il ne lui fallait pas une demi-seconde pour démarrer, en cas de besoin. Courageux? Dans ce genre de job, pas le temps de se poser la question. Le courage, c'est comme le vertige, on l'a ou on ne l'a pas.

Il n'était pas chien. Il n'hésitait pas à aider les copains. En général, les types refuseraient de t'indiquer l'emplacement du pôle magnétique. Concurrence avant tout. Pierre n'était pas comme ça. Il avait assez

16

confiance en lui pour ne pas être mesquin. C'était un pro. Ça va. Arrête ta moulinette.

J'ai fait demi-tour.

Je suis repassé devant l'ancien. « Tout va bien », un bar qui a disparu, à l'angle Harpe-Saint-Séverin. Sa façade était tapissée d'affiches de Tino. Il faisait déjà un malheur en 26, Tino. Bouche entrebâillée sur un parapet de dents toutes neuves. Un œil ouvert, l'autre à demi clos, comme s'il visait.

Avec Pierre, nous aurions lancé des vannes. Nous aurions ri comme des bossus. Nous n'étions pas difficiles.

Nous nous complétions. Lui les photos, moi le texte. Il trimbalait trente kilos d'appareils, sans compter la pellicule. Et moi un feutre. Mais lui, c'était clac-clac, terminé... Il me fallait ramer davantage. Je commençais quand il avait fini.

Il lui restait un stock pas possible d'énergie à déployer, ce qui n'arrangeait pas son économie libidinale. Dès qu'il n'avait rien à faire, il tombait amoureux comme un fou de la première petite chatte comestible qui passait. Et allons-y. Il faisait même des projets. Il se voyait s'installant à demeure à Bangkok. Ou au Salvador...

Il n'y a qu'un coin où il est resté froid : les îles Kerguelen. Les femmes y sont verboten. Pourtant, les demoiselles éléphantes de mer ne sont pas si mal : deux tonnes de tendresse, ça vaut le voyage. Sans compter les pingouines. Pierre n'était pas vraiment libéré. Il lui fallait des anthropoïdes.

Ça m'a frappé : je n'avais pas demandé à Max de quoi il était mort. S'il l'avait su, il me l'aurait dit. Max, ce n'est pas le genre cachottier. De quoi peut-on mourir, dans ces espèces d'Alpes ? Pierre ne pouvait pas encaisser le nouveau nom du département. Avant, cela s'appelait les Basses-Alpes. Logique, il y avait les Hautes, juste au-dessus. Puis le gouvernement s'est mis à tout réévaluer. Tout ce qui était inférieur est devenu supérieur, ou maritime. Ces braves Basses-Alpes se sont retrouvées Alpes de Haute-Provence.

Pierre y descendait fréquemment se mettre au vert. Je crois qu'il avait une amourette avec une fille, là-bas. Elle s'appelait comment? Claire. J'ai dû noter son adresse. Il ne m'a jamais invité à y aller. Il racontait qu'il n'y avait rien de spécial. Culture du mouton, c'est tout. Et de la lavande. Rien de mortel...

Un accident de voiture? Sa vieille 204 tenait le coup. Le coup, oui. Pas forcément le choc.

Enfin, quoi, on ne meurt pas dans les Basses-Alpes, ça se saurait.

Plus j'y pensais, plus ce décès me restait en travers. La mort n'entrait pas dans les projets de Pierre. Ça marchait, pour lui. Surtout, il aimait la vie et c'était réciproque.

Ces derniers temps, pourtant, il... Bon, il lui arrivait de ne pas tourner très rond. Nous en sommes tous là.

D'un coup, j'ai pris ma décision. D'accord, on y va. Où ça? Dans les Alpes.

Le temps de retrouver l'adresse de sa copine... Il me faudrait faire le ménage dans ce carnet. Des tas de noms ne riment plus à rien. Voyons... Claire Durouve. Saint-Javier, par Le Clapas. Tu parles d'un bled... Par Digne, 04.

Renseignements S.N.C.F.? Je voudrais un train pour Digne, 04. Oui. Un train de nuit? Parfait, je vous remercie.

La poésie des trains. A six, la nuit, dans un seul sarcophage, c'est juste un peu juste. Ces tarés éteignent le plus vite possible, et ils calfeutrent. Je m'installe dans le couloir à lire. Quant je n'en peux plus, j'avale trois ou quatre Valium, et allons-y. En apnée. Les gens, à part d'exister, je ne leur reproche rien.

Le train m'a largué à Veynes-en-Dévoluy. Il faisait encore nuit. Il neigeait. Ça ne tenait pas vraiment, mais l'intention y était. Un car attendait. Le chauffeur a mis la radio. Quand tu l'écoutes, tu as l'impression que ce pays est pavé de ministres. Et de chanteuses.

Le paysage n'était pas très réveillé. Nous sommes passés par des coins plutôt sauvages, pour ce qu'on en devinait. J'ai fini par m'assoupir.

J'ai ouvert les yeux. Nous foncions sur une ligne droite. Dans l'air d'un bleu léger se détachait la masse d'une montagne boisée, vert sombre et roux, au sommet incurvé comme une selle monstrueuse. Sur la droite, des collines, entaillées de vallées, couvertes de la rouille des chênes verts. A gauche, une chapelle, un petit cimetière clos d'un mur, un obélisque, surmonté d'une étoile. La gelée blanche poudrait les prés. Sur un éperon rocheux, les ruines d'un village. Calme et clarté.

Nous nous sommes posés à Digne, un gros village.

Le car nous a laissés sur un parking. J'ai demandé le centre au chauffeur :

« Le centre? C'est pas compliqué. Vous prenez la rue là-bas en face, vous voyez? Vous passerez devant la poste. Et puis vous verrez des platanes. C'est là. C'est le Gassendi. »

J'ai pris. J'ai longé. J'ai vu. Un boulevard, avec des platanes, et des bouts de tôle, en forme de papillons, suspendus entre les candélabres. Pas très large, pas très long. D'un bout, un monument aux Morts, une rivière, une colline. De l'autre, une place, avec la statue d'un évêque. Gassendi. Ce nom ne me disait rien.

Ça valait le voyage, non? Des magasins, comme partout. Un Codec, un Prisu et à suivre, mais enchâssés dans de vieilles baraques bien grises. On devinait sur quelques façades des inscriptions d'avant le déluge : AUBERGE ET A CHEVAL... Remises...D'un coup, ça m'est revenu, Digne... *Les Misérables,* tudieu... Le coin n'avait pas dû être ravalé depuis que le bon évêque Mirabelle... Le bout du monde...

Les passants paraissaient différents, plus lents, le visage plus coloré, une autre dégaine. C'est le bon air, ne te frappe pas. Respire.

Je suis entré dans un café, vers la place. J'ai pris un grand crème, le journal local et deux croissants. J'ai feuilleté. Il y avait des nouvelles de Forcalquier, de Sisteron, des gendarmes mutants avec vin d'honneur, de la battue aux sangliers. Pas de Clapas. J'ai fait signe au garçon :

« Dites, j'ai un copain qui... Il a eu un accident. Il habitait au Clapas. »

Je n'ai pas eu besoin d'en dire davantage. Le garçon a hoché la tête :

« Ah! oui... Le pauvre, c'est pas de chance quand même... Ils l'enterrent aujourd'hui à Saint-Javier.

– C'est où?

– Oh! à trois kilomètres du Clapas. C'est la même commune.

20

– Il est mort de quoi?

– Vous ne savez pas? Une fuite de gaz. C'était dans le journal avant-hier.

– Qui se charge de l'enterrement?

– Là, je ne peux pas vous répondre. Attendez, je vais demander à la patronne. Elle doit savoir. Elle sait tout, Mme Adèle. »

Je l'ai accompagné. Mme Adèle, une vraie fausse brune, accorte et posée, savait. Ce monsieur louait une ferme à une dame.

« Elle, ça fait un brave moment qu'elle est dans le coin. Vous ne pouvez pas la manquer. Vous traversez le village et, du côté du monument aux Morts, vous verrez une cour, avec une grande maison. C'est le château. Elle habite là. Elle vous renseignera.

– C'est loin?

– Oh! une douzaine de kilomètres. Pourquoi, vous n'avez pas de voiture?

– Non. J'arrive par le train.

– C'est qu'il n'y a pas de car... Comment nous faisons? Je vais vous arranger ça. »

Elle a balayé la salle du regard, et a fait signe à un bonhomme, en blouson molletonné noir et casquette à oreillettes, qui jouait au billard électronique.

« Dis, Michou, tu la fais où, ta tournée, ce matin?

– Je vais vers Mezel.

– Ça ne t'ennuie pas de déposer ce monsieur au Clapas? Ça te fait pas le gros détour.

– Pour toi, ma belle, un seul détour me suffirait. Quand tu veux.

– Sois un peu sérieux, Michou, si ta femme t'entendait...

– Ma femme? Tu sais ce qu'elle fait de son côté, toi? Ecoute, sers-moi un café, et j'y vais. Justement, il me faut y passer. Je dois livrer un paquet de filtres chez Tavernier. »

J'ai offert la tournée, et en route.

Michou livrait des fournitures pour bar dans la région. Nous avons pris le boulevard Gassendi, traversé un grand pont, puis un autre. La camionnette a tourné à droite. En contrebas, sur la berge, des vieux jouaient aux boules. Corpulents, en casquette, visages marqués. La rivière roulait sur ses galets, peu profonde. En face, les vieilles molaires des collines s'arrondissaient sous un soleil tout neuf, tachetées par l'or des peupliers, le rouge des sumacs.

Michou conduisait avec concentration, suivant la technique du choc différé. C'est-à-dire qu'il fonçait sur tout ce qui se trouvait devant lui, et tirait un coup de patin au dernier moment. Je me suis demandé à quoi il jouait... Au flipper. Grandeur nature.

Nous étions sur la route de Nice. Nous l'avons quittée pour un petit chemin goudronné. A gauche, toujours cette montagne imposante, vue par le travers cette fois. Je l'ai montrée du doigt :

« C'est quoi?

– Ça? C'est le Cousson. »

Il n'arrêtait pas de faire des signes aux véhicules qu'il croisait. Des pies sautillaient dans les prés, par couples, comme des jouets mécaniques. Un vol de corneilles s'est abattu sur un labour, noires sur les mottes brunes. Notre route longeait une voie ferrée. De temps en temps, elle s'écartait, passait dessous, puis la retrouvait plus loin. Une voie unique. Nous avons même croisé le train qui fonçait à grands coups de sifflet, une micheline avec remorque.

« Et ce bolide?

– C'est l'autorail de Nice. Ici, on l'appelle le train des pignes parce qu'il passe dans les collines, dans les bois de pins. Vous allez où, au Clapas?

– Au château.

– Ah! chez Mme Gaubert? C'est quelqu'un, cette femme... »

Il a répété : « C'est quelqu'un. »

Nous avons pilé devant un petit village. Vieux murs

en galets. De curieux greniers, ajourés. Sans doute des séchoirs. Un clocher pointu, recouvert de zinc. Michou a constaté :

« Je me gare là parce que c'est trop étroit. Venez avec moi. »

Il a pris un carton, et en avant. La rue n'était pas large. Pas un chat. Une épicerie, dont la peinture remontait au Second Empire.

« Je m'arrête ici. Votre château est à deux cents mètres sur la gauche, vous ne pouvez pas le rater.

— Merci beaucoup.

— De rien. A un de ces jours... »

J'ai fini de traverser le village. Quelques cheminées fumaient. Une vieille est venue secouer son tablier sur le pas de sa porte. Ça, pour m'enregistrer, elle m'a enregistré. Ce doit être difficile de jouer l'homme invisible, dans le secteur.

La rue prenait fin. C'était là, une place irrégulière. Deux bancs. Un type lisait son journal au soleil. A côté, un arrêt de car. Ou de soucoupe volante, puisqu'il n'y a pas de car. Enfin, un abri couvert. De l'autre côté de la route, un pré avec des chevaux. Juste en face des bancs, le monument aux Morts, flanqué d'un cyprès trapu. Une douzaine de noms sur une stèle, décorée de drapeaux croisés. Le Clapas avait échappé à la symbolique Victoire dépoitraillée brandissant ses palmes au-dessus d'un poilu morfondu pour la Patrie.

C'est tout? Presque. Je me suis retourné. J'ai trouvé un lavoir encadré par de rustiques W-C, à la porte de bois trouée d'un cœur, et par une fontaine. L'eau courante chantait.

De l'autre côté de la rue, un haut mur, percé d'une ouverture sans portail. Une cour. Un bâtiment massif, à un étage, en forme de L, flanqué de deux tours carrées. Sur la façade, une vieille porte en chêne. Quelques poules tournaient autour d'une 4 L.

J'étais rendu. Qu'est-ce qu'une femme seule pouvait bien faire dans un endroit pareil?

Bon. Et pour s'annoncer? J'ai vu un marteau, en forme de poing fermé, au mitan de la porte. J'ai heurté. Une fois. Puis deux, pour mieux jouir de la sonorité.

J'ai entendu une cavalcade, la porte s'est ouverte :

« Oui? Et alors? »

Une femme m'interpellait. Solide. En jeans de velours marron et pull de marin. Blonde. Une coupe courte, à la diable. Des yeux très clairs, le regard vif. La quarantaine. Et pas l'air commode.

« Madeleine Gaubert?

— Aucun doute.

— Jean Voire. Je suis... J'étais un ami de Pierre, et... »

Dix secondes plus tard, je me suis retrouvé, un whisky à la main, dans un fauteuil de cuir convenablement effondré, en train d'écouter cette Madeleine, en regardant un feu de souches de chêne. Ce que c'est beau, un feu... De petites flammes bleues fusaient de l'extrémité d'un des morceaux, avec un léger sifflement. J'ai décroché... Sans doute la chaleur, après ce froid vif.

Je me suis tourné vers Madeleine. Elle me fixait :

« Excusez-moi, j'ai eu un passage à vide... Vous disiez? »

Elle a repris. Pierre habitait à la sortie du Clapas, dans une ferme qu'elle lui louait. Ces derniers temps, il avait du mal à dormir, il prenait du Valium. Il buvait aussi. Le soir, avant de se mettre au lit, il avait l'habitude de se faire une infusion de thym. Il faut le cueillir en mai, quand il est en fleur. Surtout le faire sécher à l'ombre. Avec ça, vous pouvez passer tout l'hiver sans une grippe. »

Elle n'avait pas tort. Question grippe, Pierre ne risquait plus rien.

« Mardi dernier, vers midi, je me suis dit c'est

étrange, Pierre ne s'est pas levé. Je n'ai pas voulu le déranger. Après tout, il avait peut-être veillé tard. Il lisait beaucoup, vous savez. A une heure, quand j'ai vu que sa 204 était toujours là, je me suis décidée. C'était fermé. J'ai frappé. Pas de réponse. Allons bon... il était sans doute parti se promener à pied. Je me suis quand même inquiétée. Je suis retournée chez moi prendre un double des clefs. J'ai ouvert... L'odeur du gaz m'a fait reculer. J'ai mis un mouchoir sur mon nez, je suis allée ouvrir la fenêtre. Il était allongé sur son lit, tout habillé. On aurait dit qu'il venait juste de lâcher son livre. J'ai touché son front. Il était froid... J'ai fermé le gaz. Il y avait une casserole, sur le réchaud, presque vide, avec des branches de thym. Il a dû s'endormir. Sa lampe de chevet était encore allumée. L'eau a bouilli, elle a débordé, soulevé le couvercle, éteint le gaz. Il venait de placer des bourrelets autour de la porte, parce que la nuit, ça commence à pincer. Vous voyez? »

J'ai fait signe que oui. C'était bien ce que m'avait dit le garçon de café ce matin. Une banale histoire d'asphyxie. Ça cadrait. Pierre s'endormait d'un coup, quand ça lui prenait. La lumière ne le gênait pas. Je l'enviais.

Madeleine a repris :

« Je suis allée téléphoner à la police. Ils sont venus. Le docteur Morel s'est déplacé. C'est lui qui délivre les permis d'inhumer, dans ces cas-là. Nous l'enterrons cet après-midi, à quinze heures. »

J'étais arrivé pile. La presse, c'est un métier. Dommage, il allait rater son enterrement... Qu'est-ce que je raconte?

« Vous l'enterrez où?

– A Saint-Javier, c'est un coin qu'il adorait. Il n'avait plus de famille, juste une sœur à l'étranger, nous n'avons pas pu la joindre. Son amie dispose d'une concession à perpétuité. »

Pierre dans un cimetière. Ce n'était pas pensable...

Je me souviens d'un jour, nous roulions vers Kaboul. La route longeait un champ de pierres levées, plantées dans le désert. Pas un nom. Rien. La terre qui vous boit. C'est vrai, c'était beau.

Madeleine s'est dressée :

« Je parle, je parle... Déjà midi. Vous restez avec moi, je nous prépare quelque chose. Pommes de terre sautées, omelette au jambon, ça vous va? Vous goûterez de nos chèvres, vous verrez. »

Nos chèvres?Ah! oui, les fromages. C'est une zone propice à la biquette, Pierre m'avait expliqué ça.

Dis donc, cette fille, une tornade blonde. Le repas a été prêt en un clin d'œil. Nous nous sommes installés devant le feu, sur une petite table roulante. Qu'il n'était pas question de rouler à cause des dalles, énormes, crevassées, fissurées. J'ai aidé Madeleine à porter la table. J'ai remarqué :

« Votre maison ne doit pas dater d'hier...

– En effet. Début XVIᵉ, pour la partie la plus ancienne.

– Mais pourquoi tout...

– Vous voulez dire tout cet espace? Oh! j'y stocke de vieux meubles, le bric-à-brac que je ramasse à droite à gauche. Un jour, j'en aurai assez de la vie au grand air.

– Vous comptez ouvrir un magasin d'antiquités?

– Sait-on jamais? Il faut toujours se ménager une issue. »

Nous avons mangé en silence. J'ai regardé le feu. Je pensais à Pierre. Il aurait pu être à ma place. Le repas terminé, Madeleine nous a servi un vieil alcool de poire. Le café était en train de passer. Elle a remis du bois dans le feu. Elle ne parlait pas. Cette lumière creusait ses joues, accusait ses méplats, son front bombé. Son visage possède une belle ossature. J'ai eu envie d'en sentir le modelé sous mes doigts. Ce genre de chose ne se fait pas. Sauf au cinéma. Tout doit tenir en une heure et demie, départ arrêté. Les longues fiançailles, c'est râpé.

Elle est restée un moment immobile, à fixer les braises. Je me suis demandé si Pierre... Mais non, sa compagnonne, c'était Claire, si j'avais bien compris.

Seigneur, cette poire... Au diable, l'avarice, je me suis resservi. J'ai savouré une lampée, puis j'ai dit :

« Pierre m'avait parlé d'une amie à lui. Elle s'appelait Claire. »

Madeleine a pris le tisonnier. Elle a ravivé le feu :

« C'est aussi la mienne. Vous la verrez à l'enterrement. C'est elle qui lui prête sa concession. »

Elle s'est installée dans son fauteuil, s'est roulé une cigarette. Elle puisait son tabac dans une blague de caoutchouc rouge.

« Dites-moi, vous repartez quand?

– Je ne sais pas. J'ai envie de rester quelques jours. Un peu de repos ne me ferait pas de mal. J'aimerais comprendre ce que Pierre trouvait à ce pays... »

Elle a souri, puis allumé sa cigarette avec un briquet en forme de jerricane. Pierre avait acheté le même à Hong Kong l'an passé. Quand un objet lui plaisait, il en prenait une série. Pour ses groupies. Pour le plaisir d'offrir. Zoé en a sûrement un.

Madeleine fumait du gris. Elle a tiré une bouffée profonde, puis m'a dit :

« Si vous voulez, vous pouvez vous installer dans la ferme. Disons demain. Cela vous permettrait de faire un tri dans les affaires de votre ami. Enfin, comme vous voulez. A moins que ça vous gêne... »

Me gêner? Pourquoi donc? La mort faisait partie de notre travail. Nous étions payés pour en parler. Ce n'est pas elle qui vous fait mal. C'est la douleur des vivants.

J'ai dit :

« Merci, ne vous inquiétez pas, ça ira. Au contraire, ça me fait plaisir de... »

Au diable les mots, Madeleine a enchaîné :

« De partager? Je comprends. Ce soir, je vous conduirai en ville, à l'hôtel. Je passerai vous chercher demain matin. Ça vous va? »

Parfait. J'ai emprunté son tabac. Nous avons fumé un moment devant le feu. Elle a consulté sa montre :

« Il est temps. »

Comme j'allais me dresser, quelque chose de noir a bondi sur mes genoux, renversé mon verre. J'ai réussi à ne pas crier. Un chat. Un monstre, oui. Une bestiole énorme, à la tête massive, qui a entrepris de carder mon pull avec une concentration farouche.

« Vous avez de la chance, il vous a adopté.

– C'est à vous, ce lion?

– C'est Vévéo-Nanar, mon chat. Avec tout mon débarras, sans lui, ce serait envahi par les souris.

– Je vais sentir la poire.

– C'est de l'alcool, ça ne tache pas. Allons, Vévé, laisse le monsieur, ou gare à ta peau. »

Le matou a daigné me quitter. Il s'est éloigné avec insolence, sans nous jeter un regard. Madeleine a remarqué :

« Il ne pouvait pas sentir Pierre. »

Nous sommes sortis. Dehors, la lumière avait changé. Une brume laiteuse voilait le paysage.

Nous avons pris la 4 L. L'engin était froid et puait l'essence. Démarrage en trombe. Madeleine a quitté sa cour sans rien regarder. Elle m'a rassuré :

« Ne vous inquiétez pas, on entend arriver les voitures. »

Ce serait drôle de... Pierre se pousserait, voilà tout. Dingue, cette fille. Elle conduisait comme elle aurait conduit un tracteur, à grands coups brusques. Elle a constaté :

« Je n'ai ni freins, ni phares, mais ça roule encore pas mal. »

Intéressant. J'ai dit :

« On ne peut pas tout avoir. »

Par moments, ma facilité de repartie me scie.

Nous avons retraversé le village. Toujours personne. J'ai demandé :

« Et les indigènes ?

— L'hiver, il n'y a jamais grand monde. Je vais vous montrer la ferme. Vous voyez ce chemin, à gauche ? Il double la route que vous avez prise pour venir. Il la rejoint au carrefour de Mezel, un peu plus loin. C'est la seule voie d'accès. »

Pas large, son chemin. Nous sommes passés devant un hangar, flanqué d'une cheminée. Un moulon de fanes grises s'entassait.

« Et ça?

– C'est une distillerie à lavande. Ils en faisaient énormément, par ici. Pour Grasse. Et puis la sauge est en train de prendre le meilleur.

– La sauge?

– C'est une base pour les parfums. Tout part à Grasse. »

Nous nous sommes payé un dos-d'âne monstrueux.

« Voilà la ferme. »

Un grand pré, planté de pommiers. Un bâtiment s'adossait à un talus, flanqué d'un hangar, devant lequel j'ai reconnu la 204 de Pierre. Un petit balcon s'accrochait à la façade, crépie de frais. Tout de suite après la ferme, un second dos-d'âne s'est présenté. Impossible de voir ce qui venait en face. Madeleine l'a abordé sans ralentir, et a donné un brusque coup de volant pour éviter une minuscule petite vieille, toute sèche, toute menue, qui traversait plan-plan sans broncher. J'ai dit :

« Elle a du sang-froid, la vieille dame.

– C'est surtout qu'elle est complètement sourde. Elle habite en face, vous voyez, cette ferme déglinguée. Pierre l'appelait le Viet-Cong, parce qu'elle n'arrête pas de trotter toute la sainte journée.

– Ces dos-d'âne servent à quoi?

– A l'irrigation, le canal passe en dessous. Ils les ont laissés parce que presque personne ne passe par là. »

Un tracteur retournait une pièce de terre, suivi par une blanche écharpe de mouettes. Nous avons rejoint la route de Digne et pris vers Mezel, puis viré à l'embranchement de Saint-Javier. Cette fois, nous nous dirigions droit sur la base du Cousson en suivant une crête rocheuse, de grandes lames écailleuses plantées dans le sol, comme l'échine d'un saurien préhistorique. Encore des virages. Enfin, à l'extrémité d'une courbe, une poignée de maisons au pied d'une colline couverte de pins.

Nous avons pilé sur une place triangulaire. A la base, côté plaine, un grand corps de bâtiment. Côté village, l'inévitable monument aux Morts, contre une haie. Pour finir, un joli groupe, l'école, minuscule, et un bijou de chapelle. Madeleine a klaxonné deux fois.

« L'école est désaffectée, Claire habite là. »

Une fille est sortie, en jupe et veste de laine. Une blonde aussi, jeune, mince. Madeleine m'a présenté : « Jean, un ami de Pierre. »

Claire m'a tendu la main, une main tiède, ferme : « Il m'avait parlé de vous. »

On dit toujours ça. Je l'ai regardée. Jésus, cet air gentil, sans défense... Dieu nous protège. J'ai reconnu cette race de victimes qui attire les coups comme un clocher la foudre. Elle était jolie, dans la mesure où un accoutrement d'hiver permet d'en juger, avec un visage de gosse, aux traits peu marqués, qui gardait quelque chose d'inachevé. Ce qui frappait, c'était ses yeux, d'un bleu presque noir, trop sombres. Des yeux qui se seraient trompés de propriétaire. Je me suis aperçu que je la fixais avec insistance, j'ai détourné le regard.

La vie sentimentale de Pierre correspondait à sa vie professionnelle. Pas question d'avoir sa famille standard, avec mariage et gosses dans la foulée, quand vous jonglez avec les méridiens. Les gilets pare-balles tiennent chaud mais n'ont jamais empêché personne de sauter sur une mine. Pierre passait d'une petite histoire à l'autre, avec une base fixe à Paris, Zoé, une fille complètement naze qui admettait parfaitement ses disparitions. Elle avait autant d'humour qu'une enclume, il adorait se disputer avec elle.

L'autre base, c'était Claire. Bon. Et à part ça, qu'est-ce qu'il pouvait bien faire ici? La cueillette des coléoptères? Le coin paraissait vide. Je ne comprenais pas.

Nous avons attendu cinq minutes sur la placette. Claire ne jouait pas les veuves. Les brassards noirs et la cendre dans les cheveux, ça se perd... D'accord. Mais à la voir, elle aurait pu aussi bien attendre le bus. Elle a parlé, avec Madeleine, des exploits de Vévéo-Nanar, un grand tueur d'oiseaux, paraît-il. Il rapporte ses prises et...

Le fourgon est arrivé. Claire a dit qu'elle allait prévenir les Arnaud. Des voisins. Elle est revenue presque tout de suite avec un couple. La femme, une brunette sèche, de type méridional. Lui, le gauchiste modèle retour au bercail. Plus un jeune frisé comme un astrakan, dont je n'ai pas saisi le statut; il se nommait Denis. Les autres, Moune et Jo. Poignées de main convaincues. C'est ça, les ruraux. On sent qu'ils n'ont pas oublié l'ère de la pompe à bras.

Nous avons suivi le corbillard, une fourgonnette reconvertie, noire comme un scarabée sacré, emprunté un chemin de terre, derrière la place. Longé un potager, clôturé.

Les Arnaud élèvent des chevaux. Des ruches s'abritaient au pied d'un talus, certaines logées dans un tronc d'arbre, d'autres dans des caisses. Un peu plus loin, des golden, en tas, achevaient de pourrir. Pour les abeilles, m'a dit Madeleine.

« Elles n'hibernent pas, en cette saison?

– Ce coin est très bien exposé, quelques-unes sortent encore. »

Toujours cette lumière, ce ciel. Dans les pins, à contre-jour, j'ai vu des boules blanches étincelantes, des nids de chenilles processionnaires. Au printemps, quand les bébés-chenilles sortent, ils dévorent tout. Les pins se changent en guenilles grisâtres.

Le chemin montait. Par-delà les toits, un champ de blé d'hiver s'étalait comme une épaule couverte d'un duvet vert. Deux corbeaux sont passés. Ils nous ont salués d'un cri rauque. A côté du blé, un champ de lavande étirait ses stries gris fer. Un détour du chemin nous a livré une ferme massive, flanquée d'un pigeonnier.

Leurs morts, à Saint-Javier, ils les tiennent à distance... Suivre ce véhicule... J'ai eu un coup de vide, encore, j'ai dit à Pierre : « Tu parles d'une ouverture de route! » Quelqu'un m'a répondu :

« Pardon?

– Rien, j'ai dit. Rien. »

Un moment, je m'étais retrouvé sur la route du littoral, au Salvador, avec lui. La guérilla avait brûlé durant la nuit ses camions habituels. L'armée tardait à se pointer, il devait être dix heures. Un soleil meurtrier. Les soldaditos ont fini par s'amener. Avec une auto blindée, munie de mitrailleuses 12,7, un vrai cadeau de Noël. Les soldats suivaient en file, sages comme des sioucettes. A l'allure où ils allaient, la route d'Usulutan ne serait pas ouverte avant la nuit. Pierre a dit :

« On va voir devant. »

Trois kilomètres plus loin, nous sommes tombés sur des gars du Front. Quatre avec M16, un autre avec une grenade au phosphore. Nous les avons prévenus de l'approche de l'armée. Eux disent : l'ennemi. Pierre a pris des photos. Phosphore souriait en brandissant son jouet, il lui manquait toutes les dents de devant. On a filé. Route vide. Quand il peut y avoir de la casse, c'est toujours comme ça.

Une fois vu qu'il n'y avait rien à voir, hop! demi-tour. Et là, problème. Si Phosphore tient à se payer l'auto blindée, ça risque d'arroser... Ils étaient où, ces Aztèques? Tous ces coins se ressemblent, un semis de cabanes égrenées au long de la route. Ah! oui, nous les avions laissés près d'une petite épicerie, pas très loin. Nous nous sommes arrêtés avant un pont. On attend? Cinq minutes, OK. Au bout de deux minutes, une rafale. Ça, c'est la 12,7. Allons-y.

Pas trop vite, plus l'armée a peur, plus elle est nerveuse. Nous avons retrouvé l'épicerie. Personne. Et vu l'auto blindée qui se pointait, plan-plan. D'un coup, les soldats se mirent à courir vers l'épicerie. Ils ont du flair, ce matin. Nous les suivons. Ils entrent en trombe, se précipitent dans l'arrière-salle, et... se mettent à boire comme des fous dans une grande jarre d'eau. Pierre n'était pas heureux. Ce genre de photo ne valait pas deux sous. Il bossait pour une agence américaine, sur ce coup, ses patrons voulaient des images style Viêt-nam. A défaut de cadavres, un blessé aurait fait l'affaire, parce que les camions rôtis, à force...

La dernière ouverture... Nous sommes arrivés au cimetière. Un tout petit enclos, dix mètres sur dix. Ça n'a pas traîné. Les mercenaires des Pompes ont pris le cercueil. Quatre pas. C'était là, une dalle déplacée, une cavité. Ils ont descendu la caisse avec des cordes, puis ont attendu un moment. Il n'y avait pas de curé, pas de discours. Ni fleurs ni couronnes. Leur chef a interrogé Claire du regard.

Une branche de pin s'offrait, par-dessus le muret. Claire a fait deux pas, a cassé une brindille, l'a jetée doucement dans la fosse. Nous l'avons imitée. Les types ont entrepris de replacer la dalle.

Pas possible. Cette comédie ne tenait pas debout. Pierre n'avait rien à faire dans ce... Pas lui. Pas comme ça... L'air m'a manqué. J'ai ouvert la bouche, je me suis retrouvé en larmes. C'est froid, les larmes, dans les Basses-Alpes, en novembre. Pierre aurait dit :

« L'adieu aux larmes... »

Ça m'a fait rire. Madeleine m'a pris par le bras, m'a mené à l'écart. Je lui ai dit :

« T'as pas un Kleenex? »

Elle avait. Voilà... J'ai regardé le paysage trouble. Un ravin se creusait juste derrière le cimetière. En face, toujours la crête de dinosaure. Au-dessus, l'arrière du Cousson, abrupt. Plus loin, une barre de montagnes bleues.

Seigneur, ce cimetière... Quelques pierres, très vieilles, mangées par la lèpre du temps. Des croix de fonte mutilées. Sur la base de l'une d'elles, une Vierge entre deux joncs. Quelques cœurs de tôle en émail blanc, avec des lettres en noir. Un nom. La date du décès. L'âge. Et puis : « Regrets éternels. » Qui peut bien regretter encore Ernest Fabre, mort en 1896, à l'âge de vingt-deux ans? Il y avait une Léonie, des Berthe, une Joséphine, un Philogène, une Rosalie. Pas mal de monde pour si peu de place...

Quelques chênes verts dépassaient par-dessus le mur. Un cyprès, gris, pas très vaillant, se carrait au centre.

Pierre sera là. Ça pourrait être un coin de Kabylie. Ou des Andes. Il connaissait cet endroit, sans doute. Il était peut-être venu y lire au calme. On voyait de la neige, sur une crête, très loin.

Ç'aurait pu être pire. Il avait conduit sa vie à sa guise, vécu jusqu'au bout cette passion de voir, d'être là partout où quelque chose se passe. De sentir avec sa peau, de saisir l'instant...

Le fourgon est parti. Nous sommes redescendus. Une fois sur la place, les Arnaud nous ont proposé de venir prendre quelque chose. Madeleine a dit :

« Merci, une autre fois. »

J'ai trouvé ça drôle. Avec Claire, elles se sont embrassées. Claire m'a fait un signe de tête. J'ai retrouvé l'odeur d'essence de la 4 L.

Madeleine, c'est simple, son fonctionnement. Elle pense tout haut. Premier temps : « Je vous dépose en ville. »

Second mouvement : « Mais non, suis-je bête, je vais vous laisser les clefs de la 204, je les ai prises chez Pierre, comme ça vous pourrez venir demain matin quand vous voudrez... »

Troisième chapitre :

« Mais si vous désirez rester chez moi ce soir, ce n'est pas la place qui manque. »

J'ai dit :

« Merci, je ne veux pas vous déranger, avec la 204, ce sera parfait. »

J'avais envie de tout, sauf d'entendre quelqu'un. Pas en ce moment. Les gens s'imaginent que tu es sous le choc, qu'il faut être gentil, te tenir la main et tout. Quand comprendront-ils qu'on est bien, seul. Qu'on n'est bien que seul...

Elle a dû le deviner. Elle a cessé son émission, après m'avoir recommandé un hôtel. Est-ce que j'avais besoin de quelque chose? Merci, non.

J'AI attendu qu'ils soient partis, puis je suis revenue chez moi libérer Frocoutas. Je ne l'enferme jamais, d'habitude. Quand je suis entrée, il n'avait pas l'air fier, il ne m'a pas fait fête. Il avait pissé sur le carrelage, dans l'angle de la salle de séjour. C'est bien, mon chien. Non, je ne te battrai pas. Tu peux filer. Oui, tu es un bon chien.

Je me suis assise à la table, sans allumer la suspension. J'ai regardé le gros tas gris de copies. M'y remettre? Rien ne pressait. Si, pourtant... Moune risquait de passer. Je la vois d'ici, avec Jo, en train de se dire : « Cette pauvre Claire, il vaut mieux ne pas la laisser seule. On va l'inviter à souper. »

Je suis ressortie. J'ai repris le chemin du cimetière. Le soir tombait. Les ombres devenaient immenses. Je me sentais légère. Je n'étais pas triste. Ils ne comprennent pas.

Je me suis assise contre le mur. J'ai entendu Denis rentrer les biquettes. Les bruits montent... Puis la voix de Moune :

« Dis, Denis, ça te ferait rien d'aller chercher Claire? »

J'ai souri. Moune se doute que je suis là, mais elle ne viendra pas me déranger.

Le soleil se couchait. Un coup de vent a dressé une

barre de nuages, du côté du plateau de Valensole. Un bref moment, une oriflamme rouge s'est déployée dans le ciel. Peu à peu, elle s'est défaite, tout s'est éboulé au ralenti. Les premières étoiles...

Frocoutas est venu me rejoindre. Il poussait de petits gémissements. Ce chien a toujours faim. C'est Mlle Eymard qui me l'a donné, celle que Pierre appelait le Viet-Cong. Un jour, elle a décidé qu'elle n'en avait plus besoin. Dès qu'elle le lâchait, il lui tuait un poulet. Elle ne lui donnait quasiment rien à manger. Elle disait : « Je n'aime pas les chiens de boucher... »

Quand je l'ai récupéré, il était squelettique. Il a bien repris. Pourtant, il reste boulimique, il a toujours peur de manquer. Il lui arrive d'aller déterrer une charogne, il revient dans un état affreux, on dirait qu'il s'excuse. Moune m'a dit : « Ce chien te ressemble, il n'affirme jamais rien. »

Au bout d'un moment, j'ai senti le froid me gagner. Je n'ai pas bougé. Pierre était là. Il ne partirait plus... Pierre était là. Ma vie lui tenait compagnie.

Je vais bientôt avoir trente ans. Quand je l'ai connu, j'en avais dix... J'étais une petite fille un peu endormie. Je rêvais beaucoup. On disait que j'étais dans la lune. Je n'ai pas changé. Je traînais encore un gros nounours blanc, je l'appelais *Pierrot*. Il lui manquait un œil. Il était très sale, à force, je ne m'en séparais jamais.

Il y avait la maison, papa toujours à la cave, à bricoler. Mon professeur de père fabriquait des meubles à n'en plus finir, pour échapper à ma professeur de mère. Elle n'arrêtait pas de le harceler. J'ai longtemps cru qu'ils ne s'entendaient pas. Ils s'entendaient comme des sourds. Qu'est-ce qu'il y a, Frocoutas? Tu as froid, toi aussi? Viens contre moi, nous nous réchaufferons.

Il y avait Grande Sœur Martine. Elle poursuivait des études à Aix. « Pour poursuivre, elle poursuit, mais de loin », constatait papa. Ses remarques faisaient hurler maman. Elle hurlait sans cesse.

De loin en loin, Martine se laissait raccompagner par un prétendant. Maman rêvait de la marier. Elle s'inquiétait de l'avenir du garçon. Grande Sœur ne cherchait pas si loin.

Les petits amis de Martine m'importaient peu. J'avais mon ours, elle ses poupons. Je préférais ma part. Ses soupirants sortaient tous du même moule, des garçons corrects, un peu effacés, qu'elle dominait. Ils me semblaient interchangeables. Ils l'étaient, puisqu'elle en changeait assez souvent, sans que cela se remarque.

Un jour, j'étais seule, papa venait de partir chercher une souche d'olivier, maman fonctionnait au lycée. On a sonné. J'ai ouvert. J'ai vu un jeune homme en blouson de cuir. Il tenait sa main gauche devant lui, dos en l'air, comme pour voir s'il pleut. Il s'en détachait des gouttes de sang. Le jeune homme souriait :

« Tu n'as pas un peu d'alcool ? »

J'ai été chercher le marc de papa, et un torchon propre. Il a pris la bouteille, a bu une rasade au goulot, puis a aspergé sa main mâchurée. Il a fait la grimace :

« Ça brûle autant dehors que dedans... »

Il a secoué sa main, comme quelqu'un qui fait signe que ça va chauffer. Puis il l'a entortillée dans le torchon. Il a déclaré :

« Toi, c'est Claire, moi, c'est Pierre, et Martine n'est pas là. Je passais déposer ça... »

Il m'a remis deux rouleaux de pellicule.

« Pour ta sœur. »

Il a claqué les talons, fait un salut comique, la main droite en visière au-dessus du front :

« Bon, salut. »

Je le regardais. Je l'ai vu pâlir. Il a dit :

« C'est rien. C'est le choc. Je viens de me viander en moto. Attends... »

Il s'est laissé glisser contre le mur de la maison, en plein soleil. C'était un jour de mai. Il faisait chaud. Nous habitions une villa à l'écart. C'est papa qui l'a construite, en grande partie.

Le garçon s'est assis, jambes allongées. Il a renversé la tête en arrière, fermé les yeux. Je me suis installée à côté de lui. J'ai pris sa main, la pas blessée. J'ai renversé la tête, fermé les yeux. Je sentais la brûlure du soleil sur mon visage. Il m'a serré la main. Puis il a retiré la sienne, m'a passé son bras autour des épaules. Je me suis serrée contre lui. J'ai lâché mon ours. Le temps s'est arrêté. J'étais bien.

Au bout d'un moment, il a soupiré. Il a dit :

« C'est pas tout ça. Bouge pas. »

Il a grimpé le petit raidillon qui mène à la route. C'est là qu'il avait garé sa moto. Il a fouillé dans une sacoche, est revenu avec un appareil photo :

« Prends ta bestiole et pense à l'Angleterre. Tu fais comme si je n'étais pas là. »

J'ai pris Pierrot, je l'ai bercé en fermant les yeux. Je suis partie me promener sur la terrasse. J'entendais le déclic de l'appareil.

Il m'a dit :

« C'est fini. Donne-moi un verre d'eau! »

Nous sommes allés à la cuisine. J'ai apporté une bouteille. Il a encore bu au goulot.

« Maintenant, parle-moi de toi.

– J'ai dix ans.

– Surtout, garde-les. Ne grandis pas. »

Il s'est accroupi, a posé ses mains sur mes épaules :

« Je vais te dire un truc, Claire. Les adultes, c'est tous des tarés. Ne grandis pas.

– Oui.

– Si tu grandis, tu ne comprendras plus rien, et tu feras le malheur d'un ours honnête. »

Il a pris Pierrot, l'a regardé attentivement :

« Il a vécu, ton camarade. Il s'appelle comment?

– Pierrot.

– Bravo, Claire, tu es un chef. Fais-moi la bise. »

Nous nous sommes embrassés sur les joues. Il piquait. Il sentait cette odeur qu'ont les adultes, mais la sienne était agréable. Comme celle du vieux fauteuil en cuir où je passais des heures à lire, Pierrot contre moi.

Il m'a serré les épaules :

« Ne m'oublie pas, Claire. A bientôt. »

Il est parti. Arrivé près de sa moto, il m'a fait signe de sa main, toujours entortillée dans le torchon. Je suis rentrée. Je ne voulais pas le voir s'éloigner. J'ai entendu le bruit du moteur. J'ai pressé Pierrot contre moi très fort.

Il m'avait dit : « A bientôt... » Je l'ai retrouvé huit ans plus tard.

La lune est apparue. C'est une vieille amie. J'ai passé des heures à la regarder. Des nuits. Des jours aussi, quand elle n'est qu'un mince croissant délavé. Je me disais que peut-être Pierre la regardait, au même moment, d'un autre continent.

Ne t'inquiète pas, mon chien, nous allons redescendre. Je ne veux pas que Moune se fasse du souci pour moi. Ni Madeleine. Les gens qui vous aiment sont terribles. Ils veulent vous défendre contre tout. Ils ne comprennent pas. Ils n'ont jamais rien compris.

Pierre n'était pas quelqu'un qu'on enferme. Son métier, ce n'était pas la famille, mais la photo. Je le savais. Je l'avais accepté. Je n'attendais rien de lui. J'étais contente qu'il soit là, quand il le voulait. Il revenait parce que je n'exigeais pas davantage. Il n'y avait rien à négocier. Je l'acceptais.

Je me suis retrouvée dans ma cuisine. Je n'ai pas envie de te faire cuire du riz ce soir, Frocoutas. Tu sais que tu as un fichu nom? Quand je le faisais remarquer à Mlle Eymard, elle répondait toujours que tu n'étais pas très bon pour la garde, mais que tu étais brave. C'est vrai, tu es un brave chien. Ne te jette pas sur ta pâtée comme ça, personne ne te la prendra.

C'est tante Edmée la sœur de papa, qui m'a laissé cette maison. Elle s'était installée à Saint-Javier, à la mort de son colonel de mari. Elle voulait voir son frère, sans fréquenter pour autant sa belle-sœur, qu'elle n'appréciait guère. Papa ne souhaitait pas d'histoires avec maman. Il ne se dérangeait pas souvent pour rendre visiter à Edmée.

Ma tante adorait planifier. Quand elle s'est installée ici, elle a pensé à se nantir d'une concession au cimetière. Au bout de deux ans, je devais en avoir quinze à l'époque, elle est retournée à Paris. C'était en 68, après les événements, elle voulait vérifier par elle-même l'étendue des dégâts. Elle était persuadée qu'Ils avaient brûlé la ville. Rassurée, elle ne l'a plus quittée.

Pour elle, Grande Sœur était tout le portrait de sa mère. A sa mort, elle m'a laissé Saint-Javier.

J'ai fermé les yeux. J'ai revu le sourire de Pierre. Il avait un sourire de petit garçon, désarmé, confiant. D'un coup, cette impression de vide est revenue. Un manque physique, comme si mon ventre était creux. Une absence plus forte que la faim... C'est une sensation familière. Pour moi, c'est celle de l'amour. Tant que je la ressentirai, il ne mourra pas. L'amour est une empreinte en creux. La mort aussi peut-être.

Un jour, nous parlions, avec Madeleine. Je lui ai dit que pour moi, l'amour, ou tout au moins son signe, c'était ce vide. Elle m'a répondu que je lui décrivais l'angoisse...

Pierre voulait très fort les choses. Il concevait sa vie comme une grande bagarre. Son regret, c'était de ne pouvoir être partout à la fois. Pourtant, il me semble qu'il n'a pas voulu sa vie. Il ne la décidait pas. Les événements décidaient pour lui. Quand l'actualité se passait en Pologne, il s'y rendait. Les gens croient que tout se produit par surprise. Ce n'est pas vrai. Le calendrier est prêt à l'avance, comme celui d'un artificier, en fonction des anniversaires, des élections, de quelques ressorts aussi prévisibles que les marées d'équinoxe.

Les choses existent si l'on en parle. Parfois, pendant deux mois, trois, une petite guerre faisait la une de tous les journaux, la couverture de tous les magazines. Pierre y était. Ses photos paraissaient. Ensuite, la presse passait à autre chose. A une compétition de football. A une course transatlantique... La petite guerre continuait son train-train dans son coin, plus personne n'en parlait.

Pierre devinait l'actualité à l'avance. Elle lui faisait penser aux plaisanteries de l'almanach Vermot. Il n'a pas deviné sa mort...

Pourtant, il en parlait. Il disait qu'il s'écraserait en avion, on n'a le temps de se rendre compte de rien. Pas de soucis à vous faire pour le cimetière. Il ne reste de vous qu'une date, un nom sur une liste de passagers. Il adorait plaisanter sur ce genre de sujet.

Les autres, je les entends d'ici : « Cette pauvre Claire, que va-t-elle devenir? » Ils ne comprennent pas que rien n'a changé. Ils n'ont que leur modèle en tête. Il aurait fallu que Pierre m'épouse, et que nous allions vivre dans un F 3 à Aix. Ou à Paris. Pierre n'en voulait pas, de vos F 3. Moi non plus.

Ils vont me surveiller. Ils ont peur que je fasse des bêtises. Ils sont fous. Je n'en ai nulle envie, à présent que Pierre est là. Pour la première fois, il ne risque plus rien. Je n'ai qu'un regret, c'est que ce cimetière soit vraiment froid, l'hiver. Si je le disais, ils me prendraient pour une folle.

Je les sentais m'observer, pendant la mise en terre. Ils attendaient que je craque. J'aurais dû crier, pleurer, me comporter comme dans un film? Pourquoi? Je n'étais pas triste. Pierre avait eu une fin très douce. Nous serons voisins, à présent, jusqu'à ce que la mort nous réunisse.

J'ai eu faim. Je me suis fait un café, très fort, et une tartine de miel. Il vient des ruches des Arnaud. Il est sombre, un peu âcre. Au printemps, je planterai des jonquilles au cimetière. Les amis de Pierre sont dispersés un peu partout dans le monde. La nouvelle de sa disparition ne les atteindra peut-être jamais. Pour eux aussi, il continue à vivre.

Les Arnaud l'aimaient bien. Sa vie leur paraissait bizarre. Passer son temps à prendre des risques pour des images, pour eux, c'est de la folie. Leur monde, c'est la terre qu'ils ont sous leurs semelles. Pour Pierre, c'était la terre entière. Il était curieux de tout, des autres, de la vie. Il ne pouvait se contenter d'amasser douze biquettes entre trois collines. A ses yeux, posséder, c'était se faire posséder. La photo restait un prétexte, un alibi, et le risque un assaisonnement. Il recherchait le plus de contacts possible. Il ne s'installait nulle part parce qu'il était chez lui partout.

Madeleine a été discrète. Je sais que Pierre l'inquiétait. Elle l'acceptait, mais elle acceptait mal qu'on puisse me... Elle non plus n'a pas compris qu'aucun mal ne pouvait me venir de lui, malgré les apparences.

De temps en temps, je dis à Madeleine, comme si c'était une plaisanterie, que j'ai déjà une mère. Il faudrait avoir plusieurs vies, une pour chacune des personnes qui vous veulent du bien, hélas! Et une pour soi.

J'ai repris une tasse de café. Je ne dormirai pas. J'ai sorti la boîte où je garde les cartes postales qu'il m'envoyait, quelques épreuves de photos d'agence aussi. Ce sont deux mondes différents, c'est pourtant le même.

Les cartes montrent le côté lanterne magique pour touristes, avec les fleurs, les monuments, tout ce décor de carton. Les photos montrent la vie. Un sourire de vieux très vieux. Une petite fille au visage grave qui serre un soldat en plastique contre elle. Des cadavres allongés. Une femme, les bras au ciel. La résignation, la douleur, la violence. Et pourtant, elles ne sont pas tristes. Je comprenais Pierre lorsqu'il me disait qu'il les trouvait toniques. C'est vrai. Elles parlent d'espoir, de lutte malgré tout, de... Nous, nous sommes un pays trop riche, en dehors de tout, m'expliquait-il. Mais il y a des endroits où le simple fait de te réveiller est déjà une victoire.

Pierre m'avait souvent parlé de Jean. Il ne l'avait jamais amené ici. Il disait que c'était le hasard, que Jean ne ne trouvait jamais libre au bon moment, que ce pays ne lui plairait pas. Je pense qu'il voulait se ménager un domaine à lui, à l'écart.

La disponibilité de Jean lui plaisait. C'est rare, plus qu'on ne l'imagine. Il le trouvait caractériel. Leurs folies fonctionnaient sur la même longueur d'ondes. Ils possédaient la même curiosité, et ce don du mouvement que les gens rassis appellent instabilité.

Jean ne lui ressemble pas. Il m'a l'air plus fermé, plus brusque. Pourtant, ils se ressemblent, cette façon de se tenir, d'occuper l'espace, d'être attentif. On sent qu'ils sont de la même espèce.

C'est lui qui a craqué. J'ai vu Madeleine l'entraîner. Quand il s'est retourné, il n'a pas cherché à cacher ses larmes.

Je n'ai pas pleuré. Pierre n'était ni mon père, ni mon frère, ni mon camarade, ni mon amant. C'était mon horizon, pas ma terre promise. Je n'attendais rien de lui. Je n'en attends toujours rien. Je ne lui demandais que d'être là, quand il voulait. Il était en moi. Il ne m'a jamais quittée, depuis cet après-midi, voici vingt ans, quand la petite fille que j'étais l'a vu apparaître avec son cuir éraflé et sa main sanglante. Pierre m'habitait. Je n'ai pas changé. Sa mort ne me changera pas. Je l'aimais. Je l'aime toujours. Il ne m'aimait pas. Il ne faisait pas semblant. Il ne m'a pas fait cadeau de sa pitié, je l'en remercie. Je ne sais pas s'il en aimait une autre. Je n'ai pas cherché à le savoir.

J'ai sa présence, ses absences n'y faisaient rien. Sa mort ne changera rien.

Je voulais qu'il soit heureux. Il l'était, à sa façon, selon sa folie. Mon bonheur, c'était le sien. Il y avait assez de trouble dans sa vie pour que moi, au moins, je lui apporte un peu de repos...

CURIEUX comme on s'habitue vite. J'avais déjà l'impression de me retrouver chez moi, à Digne. Les papillons en tôle ornaient toujours le Gassendi.

Mon hôtel, sur la place, était loin d'être vide. Il faisait restaurant. Je suis monté me passer le visage sous l'eau, puis j'ai gagné la salle à manger.

Allons, bon, qu'est-ce que c'était que ce gag? Il n'y avait que des troisième âge, comme on dit à présent, et en goguette, en plus. Faut lire la presse locale, camarade. C'est peut-être un congrès d'Anciens Combattants.

Le 3e régiment aéroporté de chasseurs de papillons? A en juger par les accents, ils n'étaient pas du coin. Plutôt du Nord. J'ai interrogé la serveuse. Elle m'a expliqué discrètement que c'étaient des curistes. Digne est une ville thermale, et contribue donc, dans la mesure de ses moyens, au déficit de notre Sécurité sociale. Thermale ou pas, ils réservaient soigneusement l'eau pour l'usage externe.

La serveuse trottinait comme une souris mécanique. Elle m'a demandé :

« Fromage ou dessert?

– Ni l'un ni l'autre. Vous mettrez l'addition sur ma note. »

Je suis ressorti, prendre le pouls de la vie nocturne.

Personne, pas la queue d'un chat. C'est pourtant une préfecture? Sur le papier, oui. Peut-être que les gens ont peur des papillons de nuit.

Certains vides paraissent plus vides que d'autres. Certes. C'est comme l'égalité. Dans le cas de Digne, ça devait venir de ce boulevard, du style tunnel, sous ses platanes. Percé entre rien et pas grand-chose. Il suffirait de peu pour l'aimer. Par exemple, un porte-avions, toutes voiles dehors, en train de remonter l'avenue.

Le froid pinçait. La température tombe sec, la nuit. Elle n'a que ça à faire.

Je suis rentré me coucher. Naturellement, le sommier était effondré au mitan. J'ai viré le matelas sur le plancher, pris deux valium, et tchao.

Un joyeux brouhaha m'a réveillé. Tudieu, les Cosaques... C'est fait, ils se sont décidés. Ils viennent jusque dans nos Basses-Alpes faire une cure, et leurs chevaux vont se gorger d'eau thermale.

J'ai ouvert les volets. Raté. C'était la rumeur du marché, sur la place.

Magnifique. Ah! les marchés de Provence, le thym, la sarriette, et... Et ta 204. Tu vois ce que je vois? Un flic est en train de butiner autour. Tu lui expliques qu'elle n'est pas vendre? Ça y est, il a glissé son papier vert... .

Je m'approche, je lui fais un sourire. Il attaque :

« Elle est à vous, cette voiture, monsieur?

– Oui, pourquoi?

– Parce qu'elle n'a rien à faire là. Si tout le monde faisait pareil, que voulez-vous, il faut être raisonnable...

– Je suis un peu distrait. Ne vous inquiétez pas, je dégage. »

Je l'ai scié. Il croyait que j'allais me rouler à ses pieds pour le supplier de me retirer son souvenir. Il a remarqué :

« Vous, au moins, vous le prenez bien.

– On n'en meurt pas. »

J'aimerais voir sa tête quand son amende lui reviendra. Pour cause de décès. Garer n'est pas évident. Autant hier c'était désert, autant ce matin, ça pullule. J'en déduis que le Bas-Alpin est une créature diurne. J'arrive à me loger sur une autre place, pas très loin.

Tiens, qu'est-ce qui se passe? Contre un mur, un petit tas de feuilles mortes. Trois malabars en bleu-de-chauffe l'entourent. Aucun doute, ils viennent de les faire prisonnières. Ils ont un camion, avec remorque, et mettent en batterie un énorme tuyau noir. Zoom, ils branchent un moteur. Bruit de soufflerie. Un des gars promène le tuyau sur les feuilles. L'aspiration n'est pas assez puissante. Un autre les déplace du bout de sa pelle, sans conviction. Celui-là, c'est la conscience malheureuse sartrienne. Il sait qu'il est payé à ne rien faire, et il en souffre. Le troisième supervise l'opération. Ça dure. C'est fascinant. En deux coups de pelle, c'était liquidé. Ces modestes héros sont parvenus à créer du travail à partir de rien.

Il ne sera pas dit que je ne l'aurai pas vu, ce marché. J'y retourne. D'un côté de la place, c'est la fripe. De l'autre, les comestibles. Quelques camions venus d'ailleurs proposent du poisson, de la charcuterie, ou des fromages. Il suffit d'abaisser une des parois, et vous avez la boutique toute chaude à l'intérieur, avec une soubrette sobrement potelée.

Aucun intérêt. Reste l'infanterie. Des paysans proposent ce qu'ils ont glané, quelques petits tas de légumes, du gibier, même. Je vois des aubergines étonnantes, d'un blanc crémeux de porcelaine, ou jaune pâle. Des lapins dans des caisses grillagées. Des poules vivantes, ahuries. Ça vous a un côté kolkhoze. Les types sont âgés dans l'ensemble, la face rougie par l'air, la tête rentrée dans les épaules. Beaucoup de casquettes aussi. Des bérets. De là, entre les branches dégarnies des platanes, on aperçoit les toits de la vieille ville. Des fumées pâles montent droit dans l'air froid. Au fait, si je prenais une bouteille pour Madeleine?

J'évite le boulevard. Par-derrière, les maisons sont restées en l'état depuis l'an Jésus. Au moins. Le crépi s'écaille et laisse apparaître les galets des murs. De vieux volets à la peinture rongée. Du linge sèche aux fenêtres. Des Nord-Africains déambulent. Les rues grimpent vers une espèce de cathédrale au style improbable, au terre-plein défoncé. De là, les montagnes te regardent, à deux pas. Quelle idée a eue cette ville de s'enterrer de la sorte? Justement. Ici, tu es sûr que personne ne viendra te déranger.

Je redescends. Je trouve des tas de petits magasins. J'entre dans une épicerie. Une seule cliente. Elle prend des blettes. L'épicière lui dit :

« Un kilo trois cents, ça vous va?

– Oui. »

Au moment de les mettre dans son sac, le remords la saisit.

« C'est-à-dire que non, vous comprenez, elles ne tiendraient pas dans ma cocotte-minute. »

Retour vers la balance.

« Un kilo tout rond, ça vous va? »

Cette fois, oui. Après, elle prend des dattes en branches, et c'est reparti. Ce n'est pas qu'elle souhaite un paquet-cadeau, c'est qu'elle se demande si elle ne ferait pas mieux d'investir dans des abricots secs. Je prends la porte, je craque.

Bon, on fait quoi? Je reste un peu. Le temps de voir ce que Pierre a laissé... De voir aussi... Voir quoi? Tout est correct. L'accident bête. Si tu m'en trouves des futés, mets-moi un petit de côté.

Je réintègre le cockpit de la 204. Il fait beau. Si je comprends bien, Digne-ville, c'est la glacière. En plus froid. Mais Digne-plage, impeccable. Une joie que de rouler dans tout ce bleu. Oui. Ne décolle quand même pas.

Arrivé au carrefour de Mezel, je prends mon petit chemin. Et je fais bien. Devant la ferme, je vois la 4 L de Madeleine. Elle m'attend là, au soleil, dans une chaise longue, manches retroussées. Elle est bronzée. Pas de ce bronze au forcing et à l'huile. Un vrai, en profondeur. Sur ses genoux, la tache rouge de sa blague. Un vrai bûcheron canadien, cette jeune dame.

Elle met une main en écran devant ses yeux, me toise, se lève.

« Que je vous montre... »

Ce n'est pas compliqué. La cuisine est en bas, terriblement froide. Pierre préférait se débrouiller avec son petit réchaud, dans sa chambre. Nous prenons l'escalier extérieur. La porte-fenêtre du balcon est ouverte, le soleil entre. C'est propre, c'est clair, et cette vue sur les champs... Bon. Les affaires de Pierre sont là, dans une valise. L'autre porte donne sur un couloir. En face, un cabinet de toilette avec douche et chauffage électrique. Je cherche :

« Et la bouteille de gaz?

– Sous le hangar. Venez voir. »

Nous redescendons. C'est un de ces sous-marins de poche, gris, comme on en trouve partout. Je demande :

« C'est ouvert?

– Je crois. Attendez. »

Elle s'accroupit :

« Vous voyez? C'est là. »

Un petit plaisantin pouvait lui couper son gaz, à l'ami Pierre. Ou le lui remettre. C'est ce qu'on appelait naguère l'indépendance dans l'inter-dépendance.

Nous faisons quelques pas dans le pré.

« Madeleine, je voulais vous porter du champagne, mais je n'ai pas eu la patience d'attendre.

– Il y avait du monde?

– Non. Juste une cliente. »

Je lui raconte. Elle rit.

« Vous savez, les gens prennent le temps de vivre, ici. »

Et de mourir. Ah! j'allais oublier :

« Et le chauffage?

– Il y a un radiateur électrique. Si ça vous dit, il doit rester un fond de whisky. »

Nous remontons. Vu pour le radiateur. Le whisky, c'est du duty-free, une bonne marque. Nous trinquons. Elle s'accoude au balcon. Je la regarde. Elle est dans la position « Clair de lune à Ouagadougou ». Mais... J'y suis. Son allure est détendue. Pas elle. On dirait qu'elle va bondir. Qu'est-ce qu'elle peut bien faire de toute son énergie, au Clapas?

J'allais lui poser la question. Je me retiens. Ce qu'elle fait, tu le verras. Rien ne presse.

Elle finit son verre, d'un coup. Se retourne. Elle a une façon de vous fixer, on reculerait presque :

« Voilà, Jean. S'il vous manque quelque chose...

– Je ne pense pas.

– Je vais déjeuner cher Claire, dans un moment. Vous voulez vous joindre à nous?

– Non, merci. Pas tout de suite. Il faut que je m'installe.

– Vous avez une épicerie, au village. Ils ferment vers une heure. Le bar, à la sortie, fait restaurant. Ils tiennent la cabine téléphonique..

– Je vous remercie. »

J'entends la 4 L s'éloigner. Je prends un vieux fauteuil d'osier, je m'installe sur le balcon, les pieds contre les barreaux. Un pari que Pierre... Je vérifie. Gagné. Il y a des traces de boue, exactement là où j'ai posé mes pieds. Bravo, vous avez droit à un carambar géant. Quitte ou double? Double.

C'est donc là qu'il vivait. En pointillé, mais c'est tout de même là qu'il revenait. Je commence à voir... C'est calme. Pas la peine de zoner à Manille ou Bangkok pour s'en apercevoir. C'est frais. Il y a de l'air. Et c'est à l'écart, très...

Attends... Digne, ça me dit quelque chose... Impossible de... Ça doit pourtant avoir un rapport avec l'actualité. ça me reviendra.

Aucun doute, quand tu as pris ta bonne dose d'amibes, de transpiration, de gaz d'échappement et de bain de foules, c'est le coin rêvé. Entre deux femmes. Parce que Claire, pour y accéder, il doit falloir passer sur le corps de Madeleine... Package deal. C'était déjà ça, pendant la guerre. A ce qu'on m'a dit. Si tu voulais un kilo de pommes de terre, il fallait acheter trois kilos de topinambours.

Ça me revient. J'en ai vu, tout à l'heure, au marché. J'ai demandé au paysan si c'étaient des topinambours ou des rutabagas. Il m'a répondu que c'était la même chose. Deux noms pour un tubercule, et j'ai passé ma vie à croire qu'il y a deux espèces...

Je suis rentré. Je n'avais pas faim. Le soleil m'avait étourdi. J'ai ouvert la valise, une de ces vieilles valises moches qui, dans les temps anciens, peuplaient le sommet poussiéreux des armoires. J'ai découvert un pull, des T-shirts, des jeans, le tout proprement plié. J'ai reconnu les fameuses Lacoste. En Asie, ils vous vendent ça comme des fous, les trottoirs sont couverts de crocodiles. Pierre adorait en acheter. Bon. Du linge. Et au fond, une chemise de carton.

Je me demande quand même si ce paysan ne s'est pas foutu de moi, avec ses rutanambours. A vérifier.

J'ai ouvert la chemise. Des photos, des planches de contacts, le tout dans le désordre. J'ai regardé. Je savais ce que j'allais trouver. Le passé de Pierre m'a sauté à la gueule. C'était aussi le mien, en partie. J'ai reconnu ce Boeing écrasé, en Guadeloupe. C'est là que nous nous étions rencontrés, et qu'il avait collé le virus au petit prof que j'étais alors. Et puis des visages, devenus des noms d'affaires : Baader, Ben Barka... Et cette foule? Bobigny... Ces morts? Septembre Noir... Ces types aux traits tirés? Buffet, Bontemps... Les œillets du Portugal... Beyrouth... Sadate à Jérusalem...

L'Iran, avec ses mollahs et ses tchadors... Les go-go girls de Pat Pong. Et un éléphant de mer qui ouvre une gueule somptueuse. Dans l'angle, on devine une jambe : la mienne. La sale bête ne voulait pas déployer son clapet. J'ai été obligé de lui stimuler la nageoire caudale à coups de boots.

Ce ne sont que des photos. En face de chacune, il y avait Pierre. Vivant...

Je me suis resservi une lichette de whisky. Deux pies sont venues s'abattre sur mon pommier, puis sont descendues faire un peu de footing dans mon pré. Pierre avait dû les voir.

J'étais stupéfait de tant de lumière. Ce n'est pas tellement la clarté, c'est sa qualité. Parce qu'il y a un malentendu provenant, entre autres, des affiches couleur des clubs de vacances. Les gens s'imaginent que les tropiques c'est le soleil. Vas-y voir. Les tropiques, c'est la flotte, plus la chaleur, ce qui signifie de la vapeur d'eau en solution ou en suspension dans l'air. En permanence. Le soleil dans un autocuiseur.

Ici, on dirait le premier matin du monde. La clarté n'éblouit pas, elle rapproche. Elle n'assomme pas, elle rend tout léger, et vous avec. Ce salaud de Pierre aurait pu m'en parler...

Tu sais bien que vous ne vous parliez pas. C'est vrai, on se vannait comme des bêtes. C'est tout. Question de pudeur, j'imagine. Si, pourtant, une fois... J'avais dû lui dire :

« Tu retournes encore dans tes Basses-Alpes? Qu'est-ce qu'on y fait de spécial? » Il m'avait répondu :

« On n'y fait rien. Il fait clair. »

Comme un imbécile, j'avais rétorqué :

« Justement, ta Claire, tu m'avais dit que tu ne te la faisais pas. »

Je n'en rate pas une. Ce n'était pas si malin, mais nous avions placé nos rapports sur le terrain macho-vulgaris. Ça simplifiait. Nous étions ensemble pour faire un reportage, et basta. Notre suprême plaisir, c'était de tenir d'effroyables conversations sur les bonnes femmes. Comme des gamins, nous sortions des énormités, ravis. La morale, en gros, c'était que les nanas, c'est toutes des salopes, et que c'est déjà beau de les sauter. En plus, elles ne vont pas nous demander d'être traitées comme des personnes humaines? A quelle heure?

Ah! jeunesse! Il y a parfois beaucoup de moments dans une journée. Pas seulement quand vous êtes quelque part à 10 000 bornes en train de vous taper de la piste. Mais aussi bien chez vous. A attendre le bon sujet. Celui qui vous donnera le feu vert. Vert-dollar.

Paris n'est pas plus réel que le reste. C'est le contraire. Chaque fois que nous y revenions, il y avait un sale moment à passer. La réadaptation. C'est dur, Paris, avec les gens qui vous tirent la gueule, qui râlent, qui ne sont jamais contents. Ça ne ratait jamais. La question revenait, toujours la même. Un de nous finissait par lâcher : « Qu'est-ce que je fous là? »

Alors, voilà... De temps en temps, Pierre se débranchait. Il venait ici, au Clapas, Basses-Alpes. Il y est même resté.

Je me sens mal à l'aise. Même mon chat s'en rend compte. Ce feu me fascine. Depuis que je l'ai allumé, je ne lis plus, je ne fais plus rien. Je suis bien, là-devant, avec ce froid dehors.

Décidément, un clou chasse l'autre. A peine le plancher débarrassé du Héros, voici sa doublure. Celui-là, je ne l'attendais pas. Et ma pauvre Claire, toujours dans son rêve éveillé...

Vévéo-Nanar, tu m'ennuies. Tu es déjà sorti voici cinq minutes. Qu'est-ce que tu veux? Tu t'imagines que je n'ai que ça à faire, t'ouvrir la porte? Si tu continues, je te fais couper, tu m'entends? Tueur d'oiseaux. Et si je te reprends à pisser sur mon apidistra, tu vas le sentir passer. Non mais...

Je suis allée me verser un Jack Daniel's, bien tassé. Il faut rester maître des moyens de se détruire.

La page est tournée. Cela fait tout de même... Dix ans pour rien dans la vie de Claire. A condition qu'elle s'éveille... D'un héros vivant, il est permis d'espérer un faux pas. Dieu sait si Pierre les a accumulés. Il vivait n'importe comment. Mais le moyen de se défendre d'un héros mort? La page n'est peut-être pas si tournée, ma chère.

Claire a supporté le choc. Il reste l'onde. Ce qu'elle a pu changer, cette gosse... Quand elle s'est installée à

56

Digne, c'était un cristal. Il suffisait de l'effleurer pour la faire vibrer. Une telle transparence... Surtout lorsqu'on voit ses parents : un ours et une hystérique. Les mystères de l'hérédité sont insondables.

C'était comme si une pellicule invisible la mettait à l'abri. Elle vivait déjà dans son rêve bleu. J'étais ravie. Enfin, quelqu'un à qui parler. Je m'émerveillais de me trouver en accord constant avec elle.

L'image du Héros va s'effriter à la longue comme un totem rongé par les termites. Leur histoire n'avait pas d'avenir, Claire ne peut se contenter d'un passé éternel. Il lui faudrait quelque chose à faire. Ce travail de correction par correspondance ne lui vaut rien, il lui permet de prolonger son isolement. Si nous reprenions des biquettes, à présent?

Je n'avais pas prévu qu'elle ferait enterrer Pierre dans son caveau. Cela ne me plaît pas du tout de le savoir installé à Saint-Javier pour ce qui nous reste d'éternité...

Je me suis roulé une cigarette, bien serrée. Autant tirer fort, quand on fume. Qu'est-ce qu'il y a encore, mon vieux Nanar, nous avons des problèmes? Figure-toi que moi aussi.

J'hésite à m'éloigner, à entreprendre une virée. J'aurais volontiers jeté un coup d'œil à la salle des ventes d'Aix, aujourd'hui. Ce n'est pas le moment de m'éloigner.

Pas question de m'agiter pour rien, je n'en suis pas là. Ni non plus que je m'enferme, ce n'est pas dans mes habitudes. Et nos habitudes, les gens les connaissent ici, hein, Vévé, démon. Sors, toi. Tu n'es pas obligé de rester dans mes pattes.

Claire était faite pour aimer la vie. Elle est tombée sur un amoureux de la mort. Bizarre, la fascination des hommes pour la guerre et la violence. Ils sont si peu sûrs d'exister qu'il leur faut risquer leur misérable vie, ne serait-ce que par procuration. La mort, ils en consomment à toutes les sauces, au ciné, à la télé, dans leurs journaux. Plus ils deviennent mous, plus ils ont besoin de leur ration d'héroïsme et de cadavres. Pierre était un pourvoyeur.

Je vais arroser mes plantes. J'ai transformé mon séjour en serre, depuis que j'ai installé cette loggia à mi-hauteur. Ces pièces sont très hautes. J'y ai placé un matelas, un coffre, une table. Il fait bon, là-haut, il fait chaud. J'y travaille à l'aise, à l'abri des intrus. Toi et ta jungle, comme dit Claire. Il faut que je pense à remettre des bâtons d'engrais. Je n'ouvre pas assez les fenêtres, mes plantations manquent de lumière.

Vévéo-Nanar n'aurait pas demandé mieux que d'essayer ses griffes. J'ai installé des cactus porte-respect.

Au pays, ils me prennent pour une originale, doublée d'une rentière. Je les laisse gamberger. Je ne souhaite pas que ma solitude leur inspire des idées. Je fais régulièrement du tir à la carabine, dans ma cour, sur de vieilles bouteilles, devant leurs gamins. Cela suffit.

Je n'ai pas pris de chien. Ce brave Vénar a un sentiment tout canin de son territoire. Si quelqu'un entrait sans y être convié, il se ferait sauter au visage. Ce chat est un chien. Rien à voir avec le Frocoutas de Claire. Cette bête a tellement besoin d'affection que si un cambrioleur se pointait, elle s'empresserait de lui lécher la pince?

Je rajoute une bûche? Non, il faut que je me remue. Encore un petit moment, rien ne presse...

Reprendre des chèvres, donc? Je ne sais pas si ce serait une bonne chose. Claire adore les garder. Cela cadre à merveille avec son penchant pour la solitude et la rêverie. Il me faudrait trouver mieux... Que je l'oblige à se mêler aux autres.

Si je lui en parlais, elle me répondrait : « Et toi? Tu vis seule, non? » Que si. Je me supporte. Je ne me laisse pas ronger vive par la larve d'un héros mort. Ma vie, je la tiens en main. Claire est hantée.

Alors? Que lui faudrait-il? Un gosse? Elle y a pensé.

Elle attendait en vain que Pierre se décide. La race des héros est stérile. Ces gens-là ne parviennent jamais à l'âge adulte. Ils sont incapables de se reproduire, si ce n'est par cooptation. Je les connais. Ils ne donnent pas la vie, ils la prennent. Pour eux, une Claire sans défense, c'est irrésistible. Ils sont tellement secs et morts qu'ils n'en finissent jamais de boire leurs victimes.

Je flaire les vampires de loin. Et le petit dernier, ce Jean, c'est sans doute la même engeance.

Reste Christian. Le pauvre. Dieu sait s'il tirait la langue après ma Claire! Il n'était pas le seul. Je la lui ai servie sur un plateau. Il n'en a rien su faire. Ce n'est pas l'imagination qui le perdra. Tout ce qu'il trouve à offrir, c'est une vie popote, bien sage. Repas, vaisselle, dodo, vacances, les gosses dans la foulée, en tenant compte du calendrier des primes, je suppose. L'aventure...

Il ne faisait pas le poids, contre le Héros. Je crains qu'il en soit toujours de même, sauf si Claire se décide à faire une fin.

Et si nous partions en voyage? Elle verrait que le monde ne se borne pas à un fond de vallée. Notre voyage tournerait vite au pèlerinage. Sur le mur de sa chambre, elle garde cette grande carte Air-France. Elle a encerclé, en rouge, tous les endroits où Pierre s'est rendu. Sa carte a la scarlatine. Où qu'elle aille, elle cherchait la présence du cher absent. Le monde est petit.

J'oublie un détail. Le nouveau... Eh bien, quoi? Qu'a-t-il de rare? Claire ne l'a même pas regardé. Moins Claire regarde, plus elle contemple. Elle se sert de son cœur, pas de ses yeux.

J'oublie un autre élément. Jean a partagé la vie du Héros. C'est même tout ce qui en reste.

C'est vrai... Et moi qui l'installe... Pourquoi pas? Il n'a pas l'air d'être venu enquêter. L'air, ça n'existe pas. Je m'en moque, il peut chercher, il n'y a rien à trouver. Admettons. Mais Claire peut le trouver, lui.

Ne plaisantons pas. Le cinéma ne va pas recommencer avec cette deuxième mouture? Ce Jean n'est pas là pour courir le guilledou.

Qui sait ce qu'il cherche? S'il est descendu enterrer son copain, c'est fait. Il est peut-être sur un autre coup... Qui plus est, je lui laisse la voiture. Je suis parfaite...

Je me suis levée. J'ai lavé la vaisselle, donné un coup de balai. Je ne me supporte plus, plantée là à ruminer. Je n'ai rien à me reprocher. Il valait mieux être naturelle, je l'ai été.

Ce n'est pas forcément un salaud, lui. Ah! oui? Qui se ressemble s'assemble... Au diable la sagesse des nations. Il n'y a pas de sages. Il n'existe que des fous sans mémoire.

Si je me remettais au travail? Je n'y arrive pas. Pas encore. Impossible de me concentrer sur un sujet. Il me faudrait faire le vide, ce n'est pas le moment.

Pour changer, je devrais me mettre à une histoire se déroulant dans un cadre exotique. Il suffit d'un Guide Bleu. Tu sais, la broderie... J'ai trouvé ma distance, mon genre, mon cadre. Un mélange d'Agatha Christie et de Giono, comme l'a écrit je ne sais quel critique. Je fais dans le polar-terroir. J'ai mes fidèles, ça marche. Si je me lançais dans autre chose, ils ne suivraient pas.

J'ai aéré. Ces pauvres plantes souffrent trop, avec ma manie de la pénombre. Depuis mon accident, j'ai du mal à supporter une lumière trop vive, sauf celle du jour. De toute façon, rien ne traîne. D'accord. Mais je n'ai pas envie de m'éloigner en laissant les volets ouverts; un carreau est vite cassé...

Pauvres plantes. Je ne vais tout de même pas leur tirer une balle dans la nuque? La prochaine fois, j'installerai des caoutchoucs en plastique.

Personne ne m'a jamais dévoilée. J'y veille. Quand mon éditeur m'a parlé de séances de signatures, j'ai refusé. Je veux la paix. Si les gens d'ici apprennent que j'écris, et surtout des histoires policières, ils vont se refermer comme des coquilles Saint-Jacques. Si l'on savait qui je suis, on me montrerait du doigt, sur le cours. Les gens croient se reconnaître pour rien, j'aurais des ennuis à n'en plus finir.

Oh! ces polars les intriguent. Ils tournent, ils virent, ils supputent. Ils soupçonnent en général des profs, tantôt l'un, tantôt l'autre. Je fais très attention. Je n'achète jamais mon papier-machine à Digne, ni mes rubans. Quand je tape, je mets une musique d'ambiance pour masquer le bruit. Cette atmosphère de mystère est bonne pour la vente, mon éditeur a dû en convenir. Les gens ont si peu de distractions, cela les occupe.

Je n'ai pas assez dormi, ces temps derniers. Trop de tension. Je me sens moins vive. D'ordinaire, je possède un flair de chien de chasse. Je devine les gens. Je cultive un côté brave fille spontanée, un peu tête en l'air, qui fait merveille. Il faut que je me récupère. Une surprise reste toujours possible, je suis payée pour le savoir.

Bizarre à quel point ma vie d'avant n'existe plus. Je n'ai pas demandé de pension alimentaire, lorsque j'ai divorcé. Seigneur non! Je voulais être débarrassée de l'oiseau. Qu'il garde tout. Je ne sais même plus pourquoi je me suis mariée. Sans doute pour faire plaisir à ma mère. Elle avait déjà casé mes deux sœurs, il restait un mouton noir.

A l'époque, la pression sociale demeurait grande. Une vieille fille, c'était du laissé-pour-compte. Le mariage restait une des rares façons de quitter le domicile paternel. Papa n'était pourtant pas bien gênant. Il cherchait à se faire oublier, il ne remuait pas un cil sans demander conseil à Madame mère. Je l'aimais bien, le cher homme.

J'avais envie de bouger. Je m'imaginais qu'avec Xavier – Xavier, a-t-on idée –, qu'avec Xavier, donc, je serais tranquille. Lui pensait que la conjugalité lui donnait des droits variés, parasiter mon lit, se comporter avec la dernière familiarité. Sitôt la bague au doigt, je me suis senti une vocation violente pour la solitude. Si l'on a besoin d'affection, on prend un chat, un chien ou un poisson rouge, peut importe. Surtout pas un homme. Ils cherchent toujours à prouver quelque chose. Tout est prouvé depuis toujours. J'avais l'impression d'être devenue une poupée gonflable. Je n'étais pas sur terre pour assurer les extases de ce sous-fifre. Je le lui ai fait comprendre. Il a eu le front de me parler de devoir conjugal. Ce toupet! Son devoir, qu'il aille le conjuguer ailleurs, avec qui il voudrait.

« Pourquoi t'es-tu mariée, dans ces conditions?

– Mon cher, c'était une erreur, pas une vocation. »

J'avais appris par mon gynécologue que je ne pouvais avoir d'enfants. Encore une chance. J'aurais pu, par inadvertance, mettre un petit Xavier en chantier. Nous n'avions plus rien à faire ensemble. Nous avons divorcé, pour incompatibilité d'humeur. Au singulier. J'aurais accepté le pluriel.

Un coup pour rien, donc. Tiens, cela ferait un joli titre...

Traînait alors dans ma famille une histoire de succession compliquée, avec terres, obligations, partages, bref une de ces bouteilles à l'encre comme la bourgeoisie en garde le goût et le monopole. Cela ne m'intéressait guère. Je suis contre l'héritage, contre le chômage, contre tout ce qui, d'une façon ou de l'autre, relève de l'assistance. Il faut réserver les béquilles aux handicapés.

Dans le lot à réclamer se trouvait une maison bas-alpine. Ma mère n'avait pas confiance dans son notaire. C'est viscéral, chez elle, elle craint de se faire avoir, et en général, elle y parvient. Elle m'a proposé de me rendre à Clapas, vérifier s'il s'agissait d'une semi-ruine, comme le faisait entendre le tabellion, ou de quelque chose de valeur.

Je suis venue. J'ai eu le coup de foudre. Enfin un endroit où respirer sans personne, sans contrainte, sans toutes ces choses qu'il nous faut faire ou subir parce que c'est comme ça. J'avais déjà donné. J'ai donc traité avec le notaire. Je confirmerais qu'il s'agissait bien d'une ruine. Je dirais à ma mère que je tâcherais de m'en accommoder. Pas la peine de vendre à perte. Qu'on retire le prix de ce tas de pierres de ma part d'héritage, et qu'on en finisse. Le notaire n'y perdait rien. La morale non plus.

La morale, c'est que chaque chose appartient à qui s'en donne les moyens. Que les autres crèvent. Le tout, c'est de savoir, au départ, ce que l'on veut. Je sais. Je ne veux pas d'histoires, pour pouvoir travailler à l'aise. Ici, c'est parfait. Le cadre est petit, les personnages typés, un régal.

Cela fait quinze ans que j'ai planté ma tente au Clapas, je ne le regrette pas. Par moments, j'ai dû m'accrocher avec les dents. Le Bas-Alpin est d'un naturel amical. Au bout de trente ou quarante générations il n'hésitera pas à vous recevoir au café. J'admets. La terre dure rend l'homme méfiant.

J'ai tenu. Au début, je me suis débattue contre l'écriture. C'est terrible. J'avais tendance à me laisser emporter, à écrire pour me faire plaisir, à bavarder. Il m'a fallu rectifier le tir. Le lecteur n'a rien à faire de votre plaisir. Ce qui l'intéresse, c'est le sien. Il veut que vous lui racontiez une histoire, c'est tout.

Quand j'étais vraiment trop seule, je filais à Paris me payer une cure de temps perdu, de bavardages, de films et de vapeurs d'essence.

J'ai tenu. Claire est arrivée. Je l'attendais comme on attend la pluie après un long été très sec. Parce que c'était elle, pas parce que j'étais seule. Je connais les idées toutes faites. Je ne suis pas une femelle frustrée, si j'avais désiré des gosses, j'en aurais adopté. Claire n'est pas ma fille. Claire, c'est un souffle d'air.

Quand je l'ai vue, je me suis dit, ce n'est pas possible, ils vont me la manger vive. C'était déjà fait. Je ne connaissais pas l'ogre. Elle est discrète, ma Claire. Elle s'était installée là pour y recevoir son Héros. Je n'avais rien contre, au départ, je ne le connaissais pas.

C'est fou, le besoin de sacrifice des filles. Je croyais que Claire aimait la solitude. Avant tout, elle avait préparé un écrin pour le repos du baroudeur. Pierre daignait descendre la voir. Ce cadre lui convenait, après ses rizières en chocolat. Sinon, il ne se serait pas déplacé. Il se moquait bien d'elle. Ne l'intéressait que ce qui le valorisait.

Tout cela, elle ne me l'a jamais avoué. A quoi bon ? Elle rayonnait dès qu'il apparaissait.

J'ai vu l'oiseau rare. C'était en 73, l'année de l'installation de Claire. Le héros possédait une certaine intensité. On ne le remarquait pas, physiquement. Il se fondait dans le paysage. Il sympathisait avec tout le monde, sans efforts.

On trouve des coins sauvages, par ici, des endroits où les touristes ne mettent jamais les pieds. On y rencontre encore de drôles de numéros, de vieilles paysannes farouches. Essayez voir de les photographier, elles vous chasseront à coups de fourche. Pas Pierre. Lui les mettait dans sa poche. Il arrivait à faire sourire leurs vieux masques craquelés. Il rapportait des clichés étonnants. Il était doué. Il aimait son métier. Il n'aimait que ça. Il aurait dû s'en contenter...

Je vais filer en ville faire des courses. Si je dois soutenir un siège, il me faut des munitions. Nanar, garde le château fort, tu entends ?

J'ai bien dormi. On dort toujours mieux quand il fait froid. C'est le calme total, ici.

Hier soir, j'ai regardé la nuit. Toujours ce ciel invraisemblablement clair, clouté d'étoiles, des profusions d'étoiles... Pierre m'a expliqué un jour qu'ils avaient installé l'observatoire de Saint-Michel de Haute-Provence pas très loin d'ici, parce que c'est le ciel le plus pur d'Europe.

C'était. Ils ont planté aussi le complexe agro-alimentaire de Fos-sur-Mer, un peu plus bas. Le ciel le plus pur commence à en prendre un sale coup. Aix est déjà dans la purée.

Une chouette est venue se poser de son vol cotonneux sur un fil électrique. Pierre aurait dit : « Une petite hulotte pour l'hiver. » Nous aurions ri comme des hyènes.

J'ai fini le whisky, et au dodo. Encore un sommier trop mou, trop creux, dans un bois de lit monumental. Je n'arrivais pas à caser le matelas par terre. La rage m'a pris, je me suis colleté avec le monument, j'ai eu sa peau. J'ai tout démantibulé. Du beau travail, des ajustages à sec, sans vis. J'ai descendu le fagot dans la cuisine, j'étais en sueur. L'eau de la douche était frisquette. Je me suis un peu aspergé avant de m'écrouler sur mon matelas. Un sommeil d'enclume, comme je les aime, sans rêve.

Je me suis réveillé tôt. J'ai fait un raid sur la cuisine, il restait un fond de Nescafé, coagulé par l'humidité. Ah! Byzance! J'ai décidé d'aller déjeuner à Digne. J'en profiterai pour voir le docteur Morel, celui qui délivre les certificats de passage. Parce que... Oh! parce qu'il faut toujours vérifier. S'il ne s'agissait que de ma mort, ça me serait égal. Mais pas celle de Pierre.

Madeleine a été sympa. Un Greuze. Nature avec ça. Justement. Si on ne donne pas le Bon Dieu sans confession à un escroc, c'est qu'il ne connaît pas son métier.

Ce qui m'a fait tiquer, c'est cette installation du gaz. Je n'ai pas de soupçons. Je ne sais rien. Je sais simplement que ce cylindre, dehors, n'importe qui pouvait le manipuler. Que Pierre est mort. Et qu'il était seul, comme un moucheron dans sa toile d'araignée.

J'ai pris la 204. Je ne m'y fais pas. Ça me paraît drôle de me trouver au volant. D'habitude, quand nous roulions, avec Pierre, j'occupais toujours la place du mort. C'est la vie... J'ai laissé tourner le moteur un bon moment. La jauge d'essence ne fonctionnait pas. C'était du Pierre tout craché. J'ai jeté un coup d'œil dans le coffre, trouvé un bidon à moitié vide. Ou à moitié plein, ça dépend des écoles. Comme le contenu sentait davantage l'essence que le calva, j'ai collé ça dans le tigre, et roule. J'ai pris mon chemin de terre. Et puis à droite. Ah! c'est vrai, le dos-d'âne... J'y suis allé doucement, et heureusement. Parce qu'au même endroit qu'hier, sur qui je tombe? Sur mon Viet-Cong, tout goguenard.

Elle me fait signe de m'arrêter. Je baisse la vitre. Elle me dit :

« C'est vous, monsieur le professeur. »

Elle n'interroge pas, elle affirme. Je fais signe que oui. Fonctionnaire, ça ne se refuse pas. Elle précise :

« Le professeur d'italien. »

Elle paraît réfléchir. Elle se demande si je ne suis pas provençal. Non, je ne le suis pas. Alors, elle dit : *Le Monde*, si vous voulez. Le monsieur d'avant, il prenait *Le Monde*. C'est pas un mauvais journal, mais il n'y a pas beaucoup de nouvelles locales.

Du coup, je comprends. Elle me demandait de lui rapporter le journal régional. Elle a besoin d'autre chose? Oui, c'est son arthrite. Elle a du mal à scier son bois. Reçu 5/5, mamie. Ton bois, je te le scie, promis juré.

Tu sais qu'elle doit savoir pas mal de choses, ta Viet-Cong? Intéressant. Mais vu qu'elle est sourde comme un bunker, nous aurons du mal à goupiller notre Son et Lumière.

Je reprends mon vol. Des résidences quaternaires commencent hélas! à pousser de bric et de broc. Pourtant, Digne, ce n'est pas la mégapole. Tout est relatif, camarade. Qui te dit qu'il s'agit de Dignois?

Un peu avant la route de Nice, brusque virage à angle droit. La route longe une ferme. A gauche, un chien prend le soleil sur le goudron, et je fonce sur lui, histoire de vérifier s'il est en peluche. Il n'est pas. Il fait un bond et s'enfuit en couinant. Brave bête, ça, bons réflexes... Quand je serai dictateur, je nommerai ce chien ministre des Loisirs.

Nous y voici. Parking. Je vais à la poste consulter le Bottin. Docteur Morel, Philippe Morel. Je donne un coup de fil. La secrétaire m'informe que le docteur reçoit le matin. Ah! bon? Sans doute que l'après-midi, il court la gueuse. C'est à deux pas, rue Prêt-à-Partir... Un nom pareil ne s'invente pas.

Une villa avec jardinet. La soubrette me fait patienter.

Voilà le bon docteur Morel. Je me pince. Il pourrait tourner sans problèmes dans un remake de Pagnol. Lavallière, col dur, barbichette. Les fossiles sont parmi nous. On oublie trop que la France profonde se situe dans le temps, pas dans l'espace.

Il me scrute. Je le rassure, je ne suis pas transsexuel, je ne viens que pour un renseignement. Je lui expose le cas. Il retire ses lunettes, se renverse en arrière, se masse la racine du nez, puis hoche la tête :

« En effet, en effet, c'est une histoire bien classique. Je dirais, mon cher monsieur, bien classique... »

Il se la récite, son histoire, à haute voix et à la troisième personne :

« On se fait son tilleul, que voulez-vous? Une excellente habitude! On s'assoupit... On oublie la casserole sur le feu. L'eau déborde, n'est-ce pas, l'eau déborde... »

Il fait une pause. Vais-je interrompre sa description de l'intox bas-alpine à la casserole? Je me tais. Il reprend :

« Par ailleurs, il semblerait que l'on ne dédaignait pas les tranquillisants. C'est l'époque... »

Il essuie ses verres de lunettes. Il poursuit :

« Et puis un peu d'alcool, n'est-ce pas? Dans ces conditions... »

J'insiste :

« Quels tranquillisants, docteur?

— On a trouvé un tube de Valium, sur la table de nuit, mais à peine entamé.

— Avez-vous procédé à l'autopsie?

— Mon dieu, non, cela ne m'a pas semblé nécessaire. C'est un décès par... distraction, tout au plus. Je n'allais pas charcuter ce brave garçon... Ce pauvre garçon veux-je dire... On abuse de ce procédé. D'autant que, voyez-vous, beaucoup de gens agissent de la sorte. Je ne veux pas dire par là qu'ils se suicident. Mais ils avalent facilement des produits pharmaceutiques et de l'alcool. Autrefois, n'est-ce pas, nous avions les veillées... » Ah! les veillées... Son œil s'embue. Si je comprends bien, il aurait suffi à Pierre de filer pour deux liards de laine au coin du feu. Il se fout de moi ou quoi, le doux docteur? Même pas. Il poursuit son soliloque :

« A tout prendre, l'alcool, ce n'est pas le plus terrible. Mais quand on s'endort en fumant au lit... »

Le voilà qui s'étend sur ce point brûlant. Je ne tirerai rien de l'animal. Qui tout d'un coup se réveille. Il me fixe. Il prend presque un air sévère :

« Qu'attendiez-vous au juste de moi, monsieur?

– Savoir si vous avez constaté quelque chose d'anormal... »

Il paraît soupeser le pour et le contre, il prend son temps. Non, il n'a rien constaté. C'est un accident :

« Parce que, monsieur, on s'imagine trop souvent qu'un accident est lié par nature à une cause mécanique. Nous sommes dans le siècle de l'automobile. Mais il peut y avoir des accidents de toutes sortes. Des accidents alimentaires, par exemple... »

Maman, il va me parler des champignons. Non, il consulte sa montre, une montre de gousset, fixée à une chaîne d'argent niellé quelque part dans les profondeurs de son gilet.

« Voilà, monsieur. Je crois vous avoir tout dit. Vous pensez bien que si j'avais eu le moindre soupçon... Mais en somme, votre ami n'était là que de passage... »

Il ne commente pas cette déclaration, se lève, me reconduit. Me revoici dans la rue Prêt-à-Partir. Alors? Pour autant que je sache, Pierre ne prenait ni tilleul ni Valium. Quant au whisky, il ne l'utilisait pas comme somnifère. Mais ça, c'était dans la vie active. J'ignorais tout de ses habitudes bas-alpines. C'est vrai. J'ignorais que, dans les Basses-Alpes, il avait la manie de se suicider par accident.

Attends, il y a un petit détail. Le toubib a parlé de tilleul, et Madeleine de thym. Quelle importance? L'essentiel, c'est de dormir.

Je me sens furieux. Je fonce vers le parking. Un tic. Il faut que je marche vite. J'oublie la lenteur ambiante, et manque percuter un honnête toutou qui vaque à ses menus plaisirs. La vache grogne en me montrant les dents. Je lui lance :

« Toi, ta gueule. »

Une vieille dame qui discutait sur un pas-de-porte avec une consœur se retourne :

« Monsieur, je ne vous permets pas.

– Je ne me permets pas non plus, madame. »

Je lui souris très largement. Mon cheese number one. Elle en ouvre la bouche, se ressaisit :

« Malotru, grossier personnage... »

Elle brandit un parapluie. Dis donc, pour le contact avec les masses, il va falloir te recycler.

En parlant de masse, n'oublie pas la commission du Viet-Cong. Je remonte le Gassendi vers la Maison de la Presse. Déjà, je reconnais des gens, sur le trottoir. Ne t'affole pas, c'est réciproque. A une nuance près, c'est que toi, tu ne les connais pas. Eux savent parfaitement d'où tu sors et où tu loges? Tu prends le pari?

Je prends le journal. Je jette un œil sur les livres de poche. J'aurais envie d'un vrai grand beau roman, plein d'amour et de tristesse, avec des fraises. Puis non, je n'ai pas la tête à lire. Attends, il y a une planche avec des livres, dans ta chambre. Curieux, tu n'as même pas regardé. C'est vrai, ça, pourquoi? Elémentaire. A cause de la clarté. Dans les pays pourris, on lit, on écrit. Dans les pays clairs, on vit.

Je passe à Codec, faire des courses. C'est vide, c'est calme, personne ne surveille. Tu n'as pas une théorie? Non, j'ai du Nescafé, du sucre, du produit pour la vaisselle, des œufs, du bacon. Et l'envie d'être végétarien, mais je ne sais pas me faire la cuisine. Il ne te reste qu'à épouser une végétarienne.

Et si je demandais au Viet-Cong? Maheureux, ne fais pas ça. Si tu lui commandes des brocolis, elle va te mijoter une daube de marcassin. Le secteur doit être plein de sangliers, avec tous ces bois.

Retour au bercail. Je m'arrête avant le dos-d'âne. La ferme du Viet-Cong est là. Et elle? Je prends le chemin. J'entends un coup sourd. Pas possible... Elle a saisi une hache plus grosse qu'elle à deux mains, près du fer, et elle mâchouille des brindilles avec. Je lui tends son journal. J'écarte le frêle guérillero. Je lui casse un tas de petites branches, à mains nues. Puis je m'attaque aux bûches, avec sa hache. On ne peut pas dire qu'elle a un tranchant fameux. Bah! pour une pièce de musée, elle ne se défend pas trop mal!

Le Viet-Cong me toise de bas en haut. Elle est coincée entre des bottes de caoutchouc noir et un vieux grand bob délavé, comme un ours de Paddington. Mais elle ne porte pas de duffle-coat. Juste un ramassis de vieux lainages, des châles grisâtres, un accoutrement d'épouvantail à corneille. Quand j'ai fini, elle ébauche un sourire :

« Je vous remercie bien. Vous avez raison de faire le professeur. Comme ça, vous ne vous fatiguez pas trop. »

J'opine :

« Bien d'accord, madame du Viet-Cong. Tous les profs sont des fainéants.

– Non, ce n'est pas tellement les dents, c'est mon arthrite, puis... Si j'avais su, j'aurais fait le professeur. La terre, c'est un métier hypocrite. »

J'approuve derechef. Elle poursuit :

« L'autre monsieur, on ne le voyait pas beaucoup. »

J'ai l'impression qu'elle va ajouter quelque chose. Je retiens mon souffle. Elle regarde autour d'elle, vers la route, hausse les épaules, ramasse un peu de petit bois, deux bûches. J'ai dû me faire des idées.

Une fois de retour, je dépose mes achats dans la cuisine. A cause du froid. Puis je gagne la chambre. Qu'est-ce qu'il lisait, le gars Pierre? Voyons voir :

Catch 22, en anglais. Le *Cahier vert*, de Sainte-Beuve. Un cahier Gide, bleu. *Le hussard sur le toit*. Vingt centimètres de « National géo », il était abonné. Un tome du *Journal* d'Amiel. Trente centimètres du *Journal littéraire*, de Léautaud. *L'homme sans qualités*. Une couche de vieux *Time*. *Lulu in Hollywood*, par Louise Brooks...

Je ne lui connaissais pas ce goût pour les journaux intimes. J'ai cru entendre son rire, et sa voix : « Normal, pour un journaliste... »

Quand nous étions ensemble, il ne lisait guère que des polars.

CETTE nuit, j'ai rêvé de Pierre. Il descendait en courant un escalier. J'étais en bas, je lui tendais les bras. L'escalier ne finissait jamais. Oh! mon dieu... J'ai voulu crier, mon cri ne pouvait sortir. Je me suis réveillée, mon cœur battait la chamade.

J'ai éclairé. Frocoutas est venu voir, il dort dans la cuisine. Parfois, la nuit, je l'entends gémir, se gratter, laper bruyamment l'eau de son plat. Je lui ai tapoté la tête. Il m'a regardée de ses yeux à reflets dorés. Il est allé se recoucher.

Cinq heures. J'ai éteint la lumière. Depuis combien de temps est-ce que je porte la même chemise de nuit? Je ne sais plus. L'engourdissement m'a gagnée, mains jointes entre les cuisses, et... Non, il ne faut pas. Je ne veux pas. Je me suis sentie très vide. Le choc m'atteint maintenant, comme une de ces balles perdues dont parlait parfois Pierre.

Je me suis levée. Cette fois, il était plus de six heures. Ce vide... Une sensation physique. Pire que la faim. Je le connais bien. Rien jamais ne pourra le combler.

J'ai allumé la petite lampe de mon bureau. J'ai pris le bloc de papier avion. Parfois, il me donnait une adresse poste restante. Il m'arrivait de recevoir mes

propres lettres six mois plus tard. Entre-temps, Pierre
était déjà reparti, et revenu.

Il fallait que je lui explique. J'ai écrit. Je me suis
relue. Je relis toujours, à cause des lapsus :

« Pierre mon ami... Mon bonheur n'est pas lié au
sexe. Il n'est pas lié à la réussite, ni à la possession. Je
voudrais être quelqu'un de bien.

« C'est là que tu interviens. Tu es quelqu'un de
bien, Pierre. Je te trouve fantastique. Tu as du cœur, et
tout le courage du monde. C'est pour cela que je
t'aime. Tu es la personne que je voudrais être.

« Cette impression de vide que j'ai en face de toi,
parfois c'est cela. Tu es ce qui me manque pour être ce
que je voudrais être.

« Je te remercie d'exister. J'existe aussi grâce à toi.
Tu m'es présent. Je suis ta maison. Tu m'habites. Tu
n'es pas un projet. Tu es là et tu n'es pas là. C'est bien
de t'aimer, Pierre. Cela me fait du bien de pouvoir te
le dire. Je t'embrasse. »

Je me suis habillée. J'ai déjeuné. J'ai pris tout mon
temps. Je n'ai pas emmené Frocoutas, il joue au petit
chien. Il va chercher un bâton, il vous l'apporte, il faut
le lui jeter au loin. Je n'avais pas l'esprit à jouer.

Le hameau dormait. J'ai pris le chemin du cimetière. Le ciel pâlissait derrière la masse opaque du
Cousson. Il faisait encore sombre. Les cailloux se
détachaient, plus clairs, comme un message. Comme
ce message sur le chemin de Pierre que je n'ai pas su
lire...

J'ai tiré vers moi la porte du cimetière. Elle a grincé
légèrement. Rien ne changera plus maintenant, sur ce
coin de colline où il repose. Je me suis assise sur la
dalle. Du bout des doigts, j'ai tâté l'angle. Je pouvais
lire en creux nos initiales enlacées. J'ai commencé à
les graver avec un petit Opinel qu'il m'avait offert. Il
me disait parfois en riant :

« Tu es naïve et sentimentale... »

Il ne me connaissait pas vraiment. Je suis dure. J'ai choisi, c'est tout.

Il était là. Il y était avant moi. La différence n'est pas grande. Une poignée de saisons. Un jour, dans dix ans, dans vingt ans, peut-être, des étrangers passeront par ici. Ils jetteront un regard distrait sur nos noms.

Mais non. Qui pourrait bien s'égarer à Saint-Javier?

J'ai pris la lettre pliée. Je l'ai posée, comme une petite hutte, sur la pierre. J'ai mis le feu au papier. Je l'ai tenu de l'index, pour qu'il ne s'envole pas. La feuille s'est recroquevillée. Une flamme fugitive a jeté un bref éclat. Il n'est plus resté que le morceau en demi-lune sous mon doigt. Je l'ai pris. Je l'ai mâchonné. Mon amour...

A présent, le jour se lève. J'étais bien. De nouveau, le calme m'avait recouverte, comme une eau bienfaisante. Le calme...

Pierre est là, c'est la grande différence. Je ne le perdrai plus. Il n'a jamais été si présent.

Pierre... Quand je l'ai revu, j'avais dix-huit ans. Je n'avais pas pensé à lui au long de ces années. Il avait rompu assez tôt avec Grande Sœur. Elle faisait dans l'absolu. Elle allait d'états d'âme en crises mystiques, voulait entrer au Carmel, se fiançait, échouait à l'agrégation puis finissait par se marier et par mener la vie la plus conventionnelle possible. Du temps de sa splendeur, quand quelqu'un s'attachait à elle, elle lui faisait voir du paysage. Elle jouait au chat et à la souris avec le malheureux. Pierre n'avait pas supporté très longtemps ce rôle ingrat.

J'avais mené des études sans grand éclat. J'hibernais sans le savoir. Les années succédaient aux années, les classes aux classes. Le corps qui me logeait avait changé. Il était comme un vêtement d'emprunt trop grand.

J'écoutais mes camarades de lycée parler de boums et de garçons et de choses inouïes que l'on pouvait faire avec. J'écoutais sans entendre. Nous n'habitions pas la même planète.

Quant à ma famille... Papa continuait à dégrossir ses meubles à la cave. Il gardait l'obstination résignée d'un cheval de mine. Maman me prenait pour une gourde, et ne se privait pas de le proclamer. Elle se demandait de qui je pouvais tenir. Quand elle se posait cette question tout haut, papa ricanait, ce qui la plongeait dans une fureur noire. Elle en a renversé un beau soir tout un plat de soupe à la courge et aux haricots blancs, le régal de papa. Il s'est consolé. Après tout, ce n'étaient jamais que des haricots en boîte. Sa mère à lui prenait le temps de les mettre à tremper.

Cela m'arrangeait d'être une gourde. On me fichait la paix, je n'en demandais pas plus. Je ne tenais pas du tout à entrer dans la ronde. Tripotage et mariage, en espérant les inévitables marmousets, merci bien. Je n'étais pas pressée. Je n'avais pas envie de me comporter comme tout le monde, comme nos aînées, toutes ces fringantes poneytes que nous retrouvions, tôt ou tard, le ventre arrondi, ou une poussette à bout de bras. Le beau miracle... La même rengaine se répétait à l'infini, comme autant de vagues venant mourir sur le rivage. Je regardais le paysage de haut. Ce que j'attendais? Je n'en savais rien. Sans doute des traces sur le sable...

J'ai passé mon bac. Ensuite, tout était possible, paraît-il. Je devais continuer mes études, lettres, langues, socio, me préparer à enseigner ou à travailler, donner mon temps contre de l'argent en essayant d'avoir le meilleur rapport qualité-prix, comme on dit à présent.

Papa souhaitait que j'aille à Aix. On ne trouve pas de fac à Digne. Grenoble est trop loin. Paris, n'en parlons pas. La grande raison, c'est qu'il y avait fait ses études. Il souhaitait retrouver sa jeunesse par fille interposée, cela ne me gênait pas. Je voyais dans l'affaire un nouveau répit, un sursis avant ce que l'on appelle la vie active. Je commençais à comprendre l'attirance du voile de carmélite pour Grande Sœur. Mon trop prévisible avenir ne m'attirait pas.

J'avais dix-huit ans. J'étais sur le cours Mirabeau, à la terrasse du Grillon. L'été commençait. Dieu! qu'il faisait beau... Le Cours avait pris un coup de vieux. Quelques platanes étaient morts. Une maladie, paraît-il. Leur majestueuse perspective s'en trouvait brisée. A cette époque, les arbres mouraient à tour de rôle. Cyprès et ormes s'offraient des épidémies.

Aux autres tables, des jeunes péroraient. Ils parlaient projets, vacances, politique, Californie. A un moment donné, chacun vit la même chose. Je me sentais très vieille. Pire : sans âge. Je souhaitais devenir invisible, et laisser passer le temps. Voir cette comédie se répéter, les modes changer, les existences s'étirer sous le regard de pierre des cariatides de l'hôtel de Saporta, juste en face.

A ma droite, une table s'est libérée. Elles ne restent jamais longtemps vacantes, l'été. Presque aussitôt, quelqu'un est venu s'asseoir. Le garçon s'est approché. Le nouveau venu a commandé un demi, et... Cette voix... Il m'a semblé qu'un écho surgissait de très loin, ridant la surface immobile du temps. J'ai tourné la tête. J'ai reconnu Pierre. Il n'avait pas changé. Il portait toujours son cuir, un peu plus éraflé, peut-être.

J'étais clouée. Un vertige m'a prise. Ma vie recommençait à circuler en moi, comme une rivière qui retrouve son cours. J'avais retrouvé Pierre.

Le garçon lui a apporté son demi. Je me suis dit : pourvu qu'il ne file pas... J'ai saisi un sucre, encore enveloppé dans son papier. Je l'ai jeté vers sa table. Il est tombé dans son verre en provoquant un petit geyser. Il a eu un sursaut. Le verre s'est renversé. J'ai éclaté de rire. Il m'a regardée, furieux. J'ai cru qu'il allait me gifler. Il m'a lancé :

« Bravo. C'est malin. Ça vous prend souvent?

– Tous les huit ans, Pierre. »

J'ai vu son regard se figer, il a eu l'air incrédule. Puis il a souri :

« Ce n'est pas possible... La petite sœur. Dis donc, tu as grandi. Je ne rêve pas, tu t'appelais bien Claire?

– C'est toujours mon nom.

– Bien sûr... Dis donc, si je m'attendais... Comment as-tu fait pour me reconnaître?

– Tu n'as pas changé.

– Toi si. Tu es devenue un beau bébé. Voyez-moi ça... On ne peut même plus tourner le dos... Et ta charmante sœur?

– Mariée, deux enfants.

– Pas possible... On se demande où elles vont chercher ça. Et toi? Fiancée?

– Non.

– Etudiante?

– Presque. »

Il a rapproché sa chaise :

« Tu permets? Pour une fois que je tombe sur une vraie jeune fille, je ne te lâche plus. Raconte-moi ta vie. Attends, d'abord, je commande un autre demi. »

Je l'ai laissé faire. Je regardais ses mains. J'avais envie de les embrasser. J'ai dit :

« Tu sais, il n'y a pas grand-chose à raconter. Parle-moi plutôt de la tienne. »

Il a haussé les épaules :

« Je fais des photos. L'agence voulait m'envoyer faire la tournée des plages. J'ai gueulé. J'ai obtenu les festivals. Ils veulent aussi Marseille by night. Le vice et la drogue comme si vous y étiez. Je crois qu'ils vont trop au cinéma.

– Tu commences quand?

– Qu'est-ce que tu crois? Je travaille. »

Il a ramassé un sac de cuir noir, à ses pieds, en a

sorti un appareil, a mitraillé le garçon, des filles, des passants, très vite. M'a dit :

« Regarde le ciel. »

J'ai renversé la tête en arrière. La lumière filtrait à travers le store, orange et bleu. J'ai entendu plusieurs déclics. Il a remarqué :

« Tu as un beau profil. Tu as même une robe.

– Je ne devrais pas ? »

Il me fixait, comme si j'étais une commode.

« Je veux dire que tu ne portes pas de jeans, comme cette bande d'unisex sous pilule. Ça tombe bien. Tu as un moment ? »

Il a jeté de l'argent sur la table, m'a entraînée.

« Je vais prendre une série. »

Nous avons tourné dans le vieil Aix. Il m'a photographiée partout, devant les fontaines du Cours, devant celle des Quatre-Dauphins, assise sur la margelle. Devant Saint-Jean-de-Malte. Place des Prêcheurs...

De temps en temps, il me recommandait :

« Surtout, ne pose pas. Ne pense à rien.

– A l'Angleterre ? »

Il a froncé le front, un instant :

« Tu as de la mémoire.

– Que comptes-tu tirer de tout ça ?

– Ne t'inquiète pas. Plus c'est tarte, mieux ça se vend.

– Merci. Et à qui ?

– A n'importe qui. Dès qu'il faudra illustrer un papier sur la jeunesse, ou la vie en province, ou n'importe quoi. Nos archives, c'est la Samaritaine. »

Il a fait quatre rouleaux. Puis il a décidé qu'il en avait assez. Il m'a tapoté la joue.

« Merci, jeune fille. Je rentre déposer mon barda à l'hôtel. Tu vas où ?

– Je t'accompagne.

– Allons-y. »

Il demeurait dans un petit hôtel, derrière le palais de

justice. Une chambre sombre, fraîche, à haut plafond, avec un lit en métal cuivré. Une gravure représentait un coucher de soleil sur des ruines. Pierre m'a désigné ce décor d'un geste de la main :

« C'est kitch, hein? »

Il a farfouillé dans ses appareils, l'air concentré. J'ai senti le vide me ronger. Je me suis appuyée contre la cheminée. J'ai fermé les yeux. Une étrange faiblesse me gagnait. Un moment après, j'ai eu ses mains sur mes épaules. Une vague de chaleur m'a envahie. J'ai entendu sa voix, venue de très loin :

« Qu'est-ce que tu as, Claire? Tu es toute pâle. »

J'ai posé ma tête sur sa poitrine. Il s'est raidi. J'ai mis mes bras autour de sa taille.

« Ne bouge pas, Pierre, je t'en prie, ça va aller mieux. »

Il a ri, m'a bercée, comme on berce un bébé.

« Voyez-moi ça. Tu sais que tu m'as fait peur? Qu'est-ce qui se passe? »

J'ai dit tout bas, très bas :

« Je t'attendais, Pierre. »

Il a tenté de plaisanter.

« Tu as lu ça dans *Pif-le-chien*? Jeune fille, vous plaisantez, vous ne me connaissez pas. »

Je l'ai serré plus fort.

« Je t'attendais. »

J'ai levé mon visage vers lui. J'ai murmuré :

« Embrasse-moi. »

Il m'a embrassée. Il s'est pris au jeu. Puis nos lèvres se sont séparées, j'ai caressé son visage. Il paraissait perplexe. J'ai ri :

« Ne fais pas cette tête, Pierre. Je ne vais pas te manger. »

Il a ri aussi.

« Du diable si... »

J'ai commencé à défaire les boutons de sa chemise. Il m'a saisi les poignets.

« Qu'est-ce que tu veux?

– Pourquoi poses-tu des questions pareilles? »

Il a secoué la tête :

« Non, Claire, il ne faut pas.

– Pourquoi? Je ne suis plus vierge. »

Oh! que si... Mais je ne voulais pas l'effrayer.

Il a essayé de plaisanter :

« Ça tombe bien, moi non plus. Ce n'est pas une raison.

– Trouves-en une meilleure.

– Enfin, Claire, tu vas un peu vite. D'abord, tu inverses les rôles. Et puis nous ne nous connaissons que depuis deux heures.

– Non, Pierre. Je t'attends depuis huit ans. »

Il a paru étonné. Sa bouche s'est ouverte. Il a dit :

« Tu parles sérieusement?

– Oui. »

Je me suis dégagée. J'ai posé mes coudes en arrière, sur la cheminée. Cela mettait ma poitrine en valeur. J'ai de jolis seins. Pierre a baissé son regard sur eux. Il a rougi :

« J'ai l'air malin. Sale gosse... »

Il m'a empoignée, m'a secouée pour se soulager les nerfs, puis m'a lâchée. C'était à mon tour de rire :

« Rassure-toi, Pierre, je ne vais pas te violer. Je voulais te dire que je t'aime, c'est tout. »

Il a protesté :

« Comme si c'était si simple...

– Mais c'est simple, Pierre. De quoi as-tu peur? Rien de plus simple. Il faudra bien que tu t'y fasses. »

Il n'a rien dit. J'ai caressé sa joue.

« Je t'aime. Tu vas bien, Pierre? »

Il a soupiré :

« Oui... Non... Ça dépend des jours. Je n'arrête pas. Il y a des moments où je rêve d'un coin tranquille, tu vois? Un pré, quatre pommiers, le calme... »

Il m'a souri, mais ses yeux restaient tristes.

« Ce n'était pas mal, tes Basses-Alpes, finalement, dans le genre... »

Il a haussé les épaules :

« Il vaut mieux ne pas se poser de questions. Pas avec mon métier, ma belle. »

Il s'est penché. J'ai senti un léger baiser sur le bout de mon nez. Mon Dieu, comme il se défendait... J'ai ouvert mon sac, pris un carnet, écrit soigneusement mon adresse sur une feuille :

« Tu vois, je suis toujours à Digne. Fais-moi signe quand tu repasseras dans la région. »

Je lui ai tendu le papier. Je suis partie. Je me sentais légère, heureuse. Oui, heureuse... Je savais qui j'étais. Pierre ne m'aimait pas. Pas encore. C'est fragile, les hommes. Pas besoin de lire *Elle* ou *Marie-Claire* pour l'apprendre chaque mois, il suffit de les regarder respirer.

J'avais le temps. Ma vie commençait. J'avais enfin compris. Je sortais d'une longue grisaille. J'émergeais, le cœur neuf, le corps vivant. Vivant pour Pierre. J'ai pensé : « Il ne m'a pas touchée... Justement. Parce que ce n'est pas un salaud. N'importe qui se serait dit que j'étais un bon coup. Pas lui. Quand nous nous reverrons, il sera plus sûr de lui. Il osera me prendre au sérieux. »

Je me suis arrêtée pile dans mes réflexions. Je venais de m'apercevoir que je n'avais pas son adresse... Mais si. Il t'a dit le nom de son agence. C'est vrai que c'est un nom bizarre, en plus : l'agence Blitz. Tu trouveras l'adresse dans le Bottin.

Je l'attendrai. Il faut savoir attendre. J'apprendrai. J'avais déjà attendu huit ans sans savoir. J'en attendrais mille, s'il le fallait. Comme ce blé, dans les tombes égyptiennes, qui germe quand on le met de nouveau en terre.

En attendant, précisément, je n'étais pas encore inscrite. Une chance, parce qu'il n'était plus question d'Aix. Pierre avait besoin d'un endroit calme. Moi aussi. Il l'aurait. C'est là que je l'attendrais. J'avais assez perdu d'années. Ma vie de chrysalide, s'achevait.

Il me fallait mon indépendance, économique, le plus tôt le mieux. Papa avait gardé quelques relations dans le milieu syndical. Il s'est renseigné. J'ai passé un concours. J'ai fait deux ans de formation professionnelle à l'école normale de Digne. Ensuite, j'ai été nommée institutrice au Clapas. J'ai pu m'installer à Saint-Javier, dans mon héritage.

Au village, j'ai rencontré Madeleine. Elle connaissait bien le coin, elle y vivait depuis un certain temps. Elle m'a aidée à me faire à ma nouvelle vie. Elle m'acceptait. Sa présence m'a soutenue, dans les débuts.

C'était petit, chez moi. J'avais une grande pièce en bas, une autre à l'étage, le tout donnant sur la placette. Je souhaitais autre chose, pour Pierre, un endroit où il serait chez lui.

J'en ai parlé à Madeleine. Un ami passerait me voir un jour, il lui fallait quelque chose en pleine verdure. Justement, elle possédait cette ferme, au Clapas, dont elle ne faisait rien. Elle louait les champs, c'est tout. Elle la mettait à ma disposition. Je suis allée me rendre compte, avec elle. C'était exactement le pré et les pommiers dont rêvait Pierre.

J'avais vingt ans. Le décor planté, la pièce pouvait commencer.

Mon travail ne me pesait pas. Les gosses sont gentils, par chez nous. Ils venaient des fermes environnantes, grâce au ramassage scolaire. J'avais une collègue qui faisait fonction de directrice. C'était une fanatique du code Soleil. Elle me mâchait la besogne.

Saint-Javier est à l'écart. J'ai pris un vélo, cela me suffisait. Je n'avais plus qu'à prier pour que l'effectif des gamins reste stable, nous étions à la limite de la fermeture. Vraiment, l'endroit me convenait.

Je n'ai eu aucune nouvelle de Pierre, durant mon temps d'école normale. Je m'étais gardée de lui faire signe. Je préférais avoir mon jeu en main. Et maintenant, et maintenant... J'allais risquer ma vie sur un coup de dés....

Je lui ai écrit une longue lettre. Les mots ne venaient pas. J'avais l'impression qu'ils s'annulaient les uns les autres... C'était atroce. Je ne pouvais tout de même pas lui raconter ce que je venais d'accomplir, il se serait senti piégé.

J'ai relu ma lettre. Elle était maladroite, lourde... Que de mots pour dire quoi? Je l'ai déchirée, j'ai pris une simple feuille, j'ai écrit :

« Pierre, tes pommiers t'attendent... »

Deux semaines plus tard, il était là.

Le froid m'a engourdie. Frocoutas est venu me tirer de ma léthargie, avec sa truffe humide sur mes mains. Quelqu'un l'avait libéré.

Je n'avais pas vu le temps passer. Une langue de soleil commençait à lécher le haut du cyprès.

Je me suis levée, pour m'étirer. La visite du chien m'annonçait celle de Madeleine. Je ne ferme pas chez moi, il n'y a rien à voler... C'est bien, Pierre aura beau temps aujourd'hui.

Je suis sortie du cimetière, j'ai fait quelques pas. Le soleil venait de franchir le sommet du Cousson, son éclat m'a éblouie, ma peau buvait sa chaleur. Je ne parviens pas à m'enrhumer. Je suis devenue insensible.

J'ai reconnu le pas de Madeleine sur le chemin. Pauvre Madeleine. Je ne suis bonne qu'à lui donner des soucis. Elle m'a demandé :

« Tu comptes prendre racines, Claire? »

Mon dieu non. C'était déjà fait.

JEAN, il faut te secouer. Premièrement, tu ne sais pas ce que tu cherches. Deuxièmement, tu ne sais même pas s'il y a matière à chercher. Secondement, tu es peut-être en train d'enfoncer une porte ouverte. Qui, par ailleurs, peut en cacher une autre. Camarade, il vaudrait mieux profiter de ta jeunesse et du paysage, et voir venir. Si tu attends assez longtemps au bord de la rivière, le cadavre de ton ennemi finira par passer.

J'étais sur mon balcon, au soleil, un livre sur les genoux. Le livre, c'est pour tromper l'ennemi. Ou son cadavre. S'il te voit lire, l'ennemi ne se méfie point. Sinon, le doute aux ailes de chouette vient palpiter sur son cœur.

Ennemie ou pas, Madeleine est passée. Elle m'apportait des pommes, des fromages de chèvre et des cartes d'état-major. Que demande le peuple? Avec une ennemie pareille, pas besoin d'amis.

Elle a quelque chose de pas banal, cette fille, son aptitude à changer. Certains jours, elle semble éteinte, racornie. D'autres jours, elle prend un éclat superbe. Un peu comme une lampe à huile à niveau instable. Ne t'évanouis pas, la plupart des femmes en sont là. Ça dépend de la lune. Ou de la libido, si tu préfères...

Nous avons partagé une reinette. Je ne lui ai pas

posé de questions. Pas la peine. La preuve, elle a pris une des cartes, l'a étalée sur la table. Avec un feutre, elle a entouré lou Clapas.

« Nous sommes ici. »

Puis elle m'a indiqué un mince fil blanc, à côté d'un lacis bleu :

« Ça, c'est la route des Mées, elle longe la Bléone. Vous voyez ce pointillé? Il mène au village abandonné. C'est à deux heures de marche. Si le cœur vous en dit, je vous dépose au pied du sentier qui y mène. Je n'ai pas le temps de vous accompagner. J'ai des courses en ville. Mais vous, ce serait dommage de ne pas profiter de ce beau temps... »

Ah! les marraines de guerre... J'ai demandé :

« Il s'appelle comment, votre tas de ruines?

— Auberouze.

— C'est joli.

— Une fois là-haut, vous pouvez redescendre par la vallée. Il y a un lit de torrent à sec. En cherchant bien, vous trouverez des fossiles.

— Ils ressemblent à quoi? »

Elle a fouillé dans la poche de sa canadienne, en a tiré deux galets bleuâtres, striés d'entailles concentriques :

« A ça. Ce sont des fragments d'ammonite. »

Tiens... J'en avais vu chez Pierre, à Paris.

J'adore qu'on prenne mon destin en main. J'ai obtempéré :

« D'accord. Si à minuit je ne suis pas rentré, prévenez les secours en montagne. Oh! puis non, j'oubliais que l'on meurt dans son lit, chez vous! »

Elle a ri franchement :

« Ne croyez pas ça. Un berger s'est encore suicidé, hier, vers Majastres. D'un coup de fusil dans la tête.

— Pourquoi encore? C'est si fréquent?

— Assez. Les morts violentes ne sont pas rares. En général, c'est au printemps. Il faudra que je vous parle de la violence dans nos régions, un jour. Il y a eu de très beaux assassinats, vous savez.

– On a arrêté les coupables?

– Pensez-vous... Bien sûr que non. Qu'est-ce que vous avez, comme souliers?

– Des Roots. »

Elle leur a jeté un coup d'œil.

« Ça devrait aller, le sol est sec. Vous risquez de les abîmer.

– C'est increvable. Mao a fait la Longue Marche avec. »

Et en voiture... Ce n'est plus du démarrage, c'est du catapultage. Nous avons traversé le Clapas. Toujours le désert, mais en moins peuplé. Un peu plus loin, elle m'a laissé à l'entrée d'un sentier assez raide, juste après une borne kilométrique.

Je me suis incliné :

« Bon, et encore merci d'avoir appelé, Madeleine.

– Vous êtes libre, ce soir?

– Je peux congédier mon harem sans peine.

– Les Arnaud vous invitent. Je passerai vous prendre. Sept heures et demie, ça vous va?

– Ce sera parfait. Tchao. »

Il n'était que deux heures. J'avais déjeuné, à la pointe du couteau, d'une boîte de maquereaux au vin blanc. J'ai toujours subi la fascination de la vie dangereuse. Je m'étais fait ensuite un café, bien acide. Ça, c'est le régime « état d'urgence ». Avant tout, ne pas s'endormir dans les délices des papous. On dit ça, mais je n'aurais pas repoussé une portion de porcelet aux fines herbes.

J'ai entamé le sentier d'un bon pas. Sympa, au fond, Madeleine. Pourquoi prenait-elle soin de toi? Pour t'occuper. Tu occupes le terrain, elle s'occupe de ta personne.

Mon sentier était empierré, assez large, taillé au bull. A tous coups, ils vont planter des pins. Puis il s'est rétréci. J'étais tombé sur la portion ancienne. Il

grimpait en lacets réguliers au milieu des chênes verts.
Pourquoi verts, d'ailleurs? Ils ne sont pas gris, ils sont
roux. Peut-être parce qu'ils ne perdent pas leurs
feuilles de tout l'hiver. Alors, vert au sens de vert-
galant? Probable.

Un lièvre a déboulé d'un tas de feuilles mortes,
oreilles droites. En trois bonds, il a disparu.

Tu crois que Pierre a fait cette balade? Sûr. Ta
Deleine a dû la lui indiquer. Une vraie providence du
naufragé, cette fille.

De loin en loin se détachait un énorme bloc de
pudding, planté à flanc de colline. Vu de près, c'est
comme du ciment garni de petits galets qui s'enlèvent
facilement. Au hasard d'une éclaircie, on apercevait la
Bléone, curieusement limpide pour la saison, parsemée d'îles, noyées sous les racines et les troncs d'arbres. Sur l'autre route, les voitures filaient. On les
entendait nettement. Les bruits montent. Puis la ligne
des collines d'en face.

Ces ruines, ça vient? Ça venait. J'ai fini par arriver
au pied d'une falaise. C'est de là que se détachent tes
blocs. Des pans de murs se dressaient à son sommet.
Un petit raidillon permettait d'accéder à l'ancien
village. Dis donc... Dis donc... Ils s'y rendaient comment, au Clapas? A dos de mulet.

Toujours les mêmes murs de galets pris dans du
ciment sablonneux, un peu ocre. Les ruines s'étiraient
en longueur, en suivant la crête. Quelques poutres
écroulées, mangées des vers, çà et là, comme des
ossements plus sombres. Derrière, le terrain descendait
en pente douce, mais tout de même...

Et ils vivaient de quoi? Ils devaient cultiver le
mouton. Sans compter ces oliviers, envahis par les
broussailles, à tes pieds. Les abeilles, probablement. Et
regarde... La pente était parsemée de troncs morts,
bâtis en spirale. Des amandiers. Et l'eau? On devinait
quelques citernes, à moitié comblées. Mais pas de

cimetière. Tiens, c'est vrai... Ils l'ont sans doute déménagé.

Plus haut, à l'orée d'un bois de pins, une chapelle. Tout au fond, l'affluent à sec de la Bléone, dont avait parlé Madeleine.

Il fallait vraiment s'accrocher. Elle devait avoir quel goût, leur vie, aux indigènes? Un goût de blé dur.

Tu t'imagines, vivre ici? Entre la falaise et les collines? Tu préfères les falaises de Sarcelles? La question ne sera pas posée.

Il soufflait un petit vent frisquet... Je me suis installé à l'abri, contre un mur. Sur la gauche, on apercevait le début de la vallée de Digne. Et derrière, tout de suite, la barre des montagnes. Pour ce qui est de s'isoler, ils ne se sont pas ratés.

J'ai dévalé des éboulis pour rejoindre la vallée. Pas si à sec que ça, il reste un petit filet d'eau. J'ai cherché les fossiles, nez baissé. Moi, je fais où on me dit de faire. Nada... Si, une toute petite empreinte, mais vraiment, il faut avoir l'œil. Drôle de truc. Ça n'a aucun intérêt, ça n'est même pas beau, et c'est absorbant. C'est ça, la drogue.

Deux heures et trois fossiles plus tard, j'ai regagné la route. Je n'avais croisé personne. Fantastique. Un pays complètement mort, pour toi seul, si ça te chante. Juste ces collines âpres.

C'est vrai, ça me chante. C'est le seul endroit où l'on puisse commencer à... Oh! à se retrouver!

En passant par le Clapas, j'ai pris une bouteille de vin doux. Puis j'ai attendu Mado chez moi, en lisant Amiel. Encore un joyeux luron.

Elle s'est amenée vers six heures. La nuit venait de tomber. Elle paraissait perplexe. Elle m'a dit :

« Figurez-vous, Jean, qu'en revenant de Digne, vous voyez ce virage très raide avant la dernière ligne droite? Eh bien, il y a un chien qui s'est jeté sur ma voiture comme un fou, en hurlant. Il a failli passer dessous. Je le connais bien. D'habitude, il fait la sieste tranquillement. »

J'ai dît :

« Je vois, c'est Léon.

– Comment ça, Léon? »

Je lui ai expliqué. Ce chien, chaque fois que je suis retourné en ville, je lui ai fait le coup de lui foncer dessus avec la 204. Il a craqué.

« C'est le syndrome de « J'aurai ta peau, Léon », vous saisissez? »

Elle a fait signe que oui. J'ai précisé :

« Je ne dis pas que c'est malin, mais ils ont collé le Mérite maritime à Pavlov pour moins que ça. »

Elle a haussé les épaules :

« Vous êtes vraiment un gamin.

– Ah! Madeleine, vous venez de découvrir une des plus attachantes facettes de ma fascinante personnalité! »

Elle m'a envoyé un coup de poing dans le thorax, sans crier gare. Un coup de poing amical. Mais elle cogne sec, la copine. Elle a dit :

« Vous êtes prêt? »

J'étais. Nous allâmes voir les Arnaud.

Chapitre XIV, la soirée chez les gauchos. Pierre avait dû en vivre pas mal, des journées du type B.C.G. (balades, culture, gauchistes). Peu importe l'ordre des facteurs. A tout prendre, ce n'était pas désagréable.

Nous sommes allés chercher Claire dans son église. Sa saleté de chien m'a fait truffe froide. Il grondait sournoisement en me reluquant. Je lui aurais volontiers shooté un coup de godasson. Non, mais à quelle heure? Claire m'a dit de ne pas faire attention, qu'il était jaloux des étrangers. Elle avait toujours son air paisible. S'ils l'avaient balancée aux lions, au bon temps des cirques elle aurait jeté un regard sur les caries dentaires des bestioles, je parie. Mais les yeux qu'elle a... Ce bleu sombre, quelle merveille...

Chez les Arnaud, parfait. La pièce, avec grande

cheminée, feu de sarments pour préparer les grillades. Dans un angle, un métier à tisser. Au sol, de grandes dalles, en partie recouvertes par des tapis fabrication locale. Ils étaient tous là, Moune, son Jo, Denis le Frisé, plus quelques groupies plus ou moins bergères ou postières, suivant les saisons, qui me paraissaient sensibles au charme de Jo. Pas mal, dans le genre lonesome cow-boy, Jo.

Nous avons carburé au rouge, et il s'est mis à jouer de la guitare pendant que nous entonnions le folklore rituel. C'était gentillet. Quelques-uns se sont assis sur le canapé, les autres sur des coussins, par terre. Je croyais que c'était fini depuis une bonne douzaine d'années, ce bintz. J'ignorais qu'il existait encore des réserves d'Indiens, sous nos latitudes.

Ça marchait. Un peu le vin, un peu les chants, une émotion réelle sourdait au fil du temps. Sans compter le concret : grillades d'agneau, pommes sautées, salade, chèvres. Et gniole. Jo a repris son instrument. Moune a bourré un shilom. J'étais un peu parti. J'ai dû décrocher. L'extase...

Un courant d'air froid m'a réveillé. Moune venait d'ouvrir pour faire entrer ou sortir un chien ou un chat. Sur le coup, je ne savais plus du tout où j'étais. Puis j'ai reconnu la guitare. Denis parlait biquettes avec l'une des groupies. Claire dormait, la tête sur l'épaule de Madeleine. Qui m'observait.

Je lui ai fait signe de la main. Pas envie de jouer à cache-cache.

Moune a fait circuler de la tisane. La conversation s'est ranimée. Ils ont parlé vie quotidienne, c'est-à-dire argent. Cela vous prend beaucoup plus d'énergie et de temps d'essayer de s'en passer un peu que d'en faire un wagon. Ils ne se débrouillaient pas trop mal. J'étais tombé sur le sous-genre margeo-fonctionnaire. Par exemple, l'une des groupies avait un Roméo berger, mais elle travaillait à la poste. Pareil chez les Arnaud, Moune bosse dans un bahut à Digne, je crois, tandis que lui veille sur le front des biquettes. Contradiction? Pas du tout. On ne profite bien du risque qu'à condition d'avoir un minimum de sécurité. Voir ce cinéma une fois, parfait. Mais pourquoi Pierre avait-il rempilé année après année?

Remarque, ils sont amusants. La groupie-postière, pas celle du berger, l'autre, celle qui ressemble à une Mahalia Jackson albinos, était en train de passer commande de fromages à Jo. Pas possible, elle ne va pas manger six douzaines de banons à elle seule. Note bien, camarade, c'est lui qui va les lui livrer. En attendant, elle le dévorait des yeux. C'est ça, le service après vente. Apparemment, Moune ne voit rien. Pas forcément. Elle est peut-être résignée. Les histoires de couples, c'est la bouteille à l'encre, en plus sombre.

Jo a fini par laisser sa musique. Le silence est retombé sur Stalingrad en ruine. Nouvelle tournée de gniole. Tiens, il me fait un grand sourire. Il souhaite me fourguer des fromages, ou quoi? Non, il veut savoir comment je me trouve ici? Mais très bien. C'est étrange, je dis, on ne s'y sent pas vraiment en France. Ça fait penser par moments au Népal, à cause de la pureté du ciel. Et puis les gens sont plus lents. Enfin, je n'arrive pas bien à préciser...

Jo, si. Il m'explique. Digne, c'est encore le XIXᵉ siècle. Un isolat. C'est loin de la mer et loin de la neige. La région est restée en grande partie à l'écart. On met de Paris plus de temps pour aller à Digne qu'à New York. Ce qui fait que les gens n'ont pas bougé. D'ailleurs, les gouvernements de nos puissantes Républiques ne s'y sont pas trompés. C'est là que le pouvoir expédie ses confinati.

J'ignorais. Mais alors, Pierre était peut-être sur un coup? Depuis le temps, il te l'aurait dit.

J'interroge Jo. Est-ce qu'il y a, en ce moment, des vedettes en résidence ici? Pas à sa connaissance. Et ces derniers temps? Non plus. Le dernier envoi remonte à plusieurs années. Il s'agissait d'un prof, qui n'a pas fait de vieux os. Ah!

La soirée s'est achevée. Les 2 CV et autres ont toussoté dans la nuit glacée. Les fumées bleuâtres des gaz d'échappement se sont élevées vers le ciel pur. Oui. Et toi, tu es en train de t'enfoncer dans l'impasse du siècle. Pierre a eu bien de la chance, tout compte fait. Tout ce qu'on risque ici, c'est de mourir d'ennui.

Je ne dis pas. Pourtant, je ne m'y trouve pas si mal. Les hamsters en cage, on en revient.

Le nouveau prend goût à nos solitudes. Il était ravi de sa promenade à Auberouze. J'ai donc décidé de lui offrir le Cousson. Cette fois, c'est long, je l'accompagnerai. Voici quinze jours qu'il est là. Il se comporte comme s'il n'avait jamais quitté le pays. Les Arnaud sont ravis de le connaître.

« Pour une fois, Madeleine, ton Parisien, il n'est pas mal. Il n'est pas ramenard, on ne l'entend pas. »

D'abord, ce n'est pas *mon* Parisien. Juste comme j'allais partir, Vévéo-Nanar est arrivé, une oreille à moitié emportée. Allons, bon... J'ai regardé. Ça n'avait pas l'air d'un coup de griffe. Plutôt une ronce de barbelé. J'ai saupoudré la déchirure de sulfamides. Il faudrait couper avec des ciseaux, poser un sparadrap. En deux coups de patte, il le ferait tomber. La poisse... Je verrai l'allure que ça aura demain. Selon, je le conduirai chez le vétérinaire. Il faut aussi que j'aille aux Mées, on m'a signalé de vieux meubles.

« Cette fois, tu as gagné, Nanar. Tu ne peux pas te tenir tranquille? »

Le monstre m'a tourné le dos avec mépris, la queue raide. Il est parti s'installer au soleil, dans l'herbe sèche, l'air satisfait.

J'ai pris la petite route de la ferme. De loin, j'ai vu Jean sur son balcon. Il y est fourré en permanence, quitte à s'emmitoufler s'il fait trop froid. Il se tient là, en vigie. De loin, il m'a fait signe. J'ai garé sous le hangar, je l'ai interpellé :

« Dites donc, voisin, cela vous dirait, une promenade ?

– Bien sûr, voisine. Où donc ?

– Au Cousson.

– Hou-là. C'est le gros morceau, non ?

– Trois heures de marche.

– On n'aura jamais le temps avant la nuit.

– Les nuits sont claires...

– Si vous le dites... J'arrive. Vous montez prendre un café ?

– Nous n'avons pas le temps. Couvrez-vous bien, il ne fait pas chaud, là-haut. »

Deux minutes après, il dévalait l'escalier, avec un cuir et une écharpe rouge.

« Vous n'aurez pas froid ?

– Votre sollicitude me tiendra chaud. »

J'ai laissé la voiture sur le trottoir du C.E.S. Gassendi, le sentier commence en face. Nous avons traversé la route et commencé à grimper. Les premiers lacets ne pardonnent pas. Jean marchait régulièrement, sans effort apparent, sans souffler.

« Où est-ce que vous avez appris à marcher comme ça ?

– Vous savez, ma bonne dame, il nous arrive de crapahuter dans le métier. »

Nous pouvions progresser côte à côte. Le rouge des fruits d'aubépine éclatait sur le gris bleuté des buissons. Jean en a cueilli quelques-uns.

« Faites attention, c'est plein de petits poils.

– Je connais. Mais si vous pressez, regardez, on dirait du coulis de tomates. »

Il s'est amusé à en grignoter. Nous sommes arrivés à la hauteur de la ferme abandonnée, avec son grand marronnier tout rond. Elle se dressait en contrebas, massive, l'air intact. Il a proposé :

« On va voir?

– D'accord. »

Cette ferme, je la connais bien. J'ai regardé l'artiste. Il en a fait le tour, l'a jaugée. De loin, elle paraît encore. De près, les murs sont fissurés, en partie éboulés. Il a dit :

« C'est dommage.

– Tout le pays est comme ça.

– On dirait une guerre. Et toutes ces bouses sèches?

– Il y a des bœufs en permanence, l'été. »

Nous avons repris la grimpette. Le sentier s'enfonçait dans un bois de conifères au pelage sombre. Encore une demi-heure, et nous avons atteint la cabane du refuge. D'un coup, le soleil s'est voilé :

« Regardez ce qui s'amène, Madeleine. »

Une énorme masse sombre envahissait le ciel au-dessus du Cousson. Un coup de vent glacé a secoué la cime des arbres. J'ai dit :

« Ça sent la grêle. Nous ferions mieux de rentrer. »

Nous avons dévalé la pente. La foudre est tombée, derrière nous, pas très loin. Jean s'est mis à rire. L'air sentait l'électricité. La poche de grêle a crevé au-dessus de nous. Les branches brisaient l'élan des grêlons qui ricochaient dans tous les sens. De petits chocs glacés nous cinglaient le visage.

Jean jubilait. Il m'a crié :

« Ça, c'est quelque chose. »

Deux minutes plus tard, c'était fini. Par chance, la pluie ne s'est pas mise de la partie. Le soleil est revenu. Nous étions de nouveau à la hauteur de la ferme.

« Ma brave dame, nous sommes revenus pour rien.

– Ça, mon petit monsieur, c'est après qu'on peut le dire. Ici, c'est dégagé, mais il se peut qu'il neige sur le sommet. Regardez. »

Le Cousson disparaissait dans une brume grise. Jean a haussé les épaules.

« Ça ne fait rien, Madeleine, je vous pardonne. Vous venez prendre un verre?

– Volontiers. »

Nous nous sommes retrouvés dans un café tranquille, sur le Gassendi. J'ai commandé des vins chauds à la cannelle. Quelques anciens tapaient le carton. Des lycéens en rupture de bahut, écroulés sur les banquettes, ne cherchaient pas à cacher leur ennui. Jean a remarqué :

« C'est « sombre dimanche » toute la semaine, ici.

– Ça dépend. Si vous voulez mener la même vie qu'ailleurs, ce n'est pas facile. Ces pauvres jeunes gens rêvent des délices de Manosque ou d'Aix. Mais si vous aimez la solitude... »

Il m'a fixée droit dans les yeux :

« A combien? Et si nous parlions pour une fois?

– Volontiers. »

Une fille, que je nomme Louis XIV, parce qu'elle a une tignasse pire qu'une perruque, a mis un juke-box en marche.

Les banquettes forment compartiments, il y a une machine à bruit par refuge. C'est pratique. Nous avons eu droit à *La danse des canards*. Jean a râlé :

« Manquait plus que ça. »

Je l'ai remis sur rails :

« Vous voulez parler de quoi?

– De vous. Vous êtes veuve, pas vrai? Rassurez-vous, je n'ai rien eu à demander. Il suffit d'acheter un paquet de biscuits pour qu'on vous dise : « Ah! oui... « Vous êtes chez la veuve. »

– Mais, Jean, il se trouve que je suis divorcée.

– Ça change quoi? Vous avez quitté votre homme dans tous les cas, non? »

Sa violence et sa mauvaise foi m'amusaient. Je l'ai laissé dire :

« Vous aviez un mari jaloux, imbécile, odieux, je présume. Vous avez découvert les charmes de la solitude. Par un hasard quelconque vous vous êtes installée ici. D'une façon ou de l'autre, il vous tombe assez d'argent pour vivre. C'est correct jusqu'ici?

– A peu près. »

Il faisait tourner son verre entre ses mains.

« Est-ce que je peux vous parler brutalement?

– Ne vous en privez pas.

– Voilà, Madeleine, ce que j'aimerais savoir, c'est qui joue à quoi? Il y a vous. Il y a votre vierge prolongée que vous protégez...

– Vous voulez dire Claire?

– Exact. Et il y avait Pierre. Votre petit jeu ne me gêne pas. Mais Pierre y a laissé sa peau. »

Enfin, nous y étions... J'ai posé mes coudes sur la table, ma tête entre mes poings :

« Mon petit Jean, vous avez bien fait de lâcher ce que vous aviez sur le cœur. D'autant qu'il n'y a rien à cacher. Vous m'excuserez de commencer par moi, mais j'étais sur le terrain la première. Je vivais tranquillement ici, comme vous l'avez si bien dit. Puis Claire est venue s'installer. Je ne vous cache pas que j'éprouve de l'attachement pour elle. Comme je suis plus âgée, je la considère un peu comme ma jeune sœur, pour simplifier. Vous me suivez. »

Il tournait toujours son verre dans ses mains, sans me regarder. Il a fait signe que oui. Je lui ai touché le bras :

« Redemandez donc un vin chaud, Jean. Claire était amoureuse de votre ami Pierre. Lui, je pense, n'était pas pressé de... s'engager. Mais il ne voyait aucun inconvénient à prendre ses invalides chez elle, entre deux campagnes. Vous me suivez toujours? »

Il n'a rien dit. Il a posé son verre, hoché la tête, l'air buté. Le garçon a apporté les consommations. J'ai attendu qu'il s'éloigne. Puis j'ai repris :

« A part ça, Claire n'était nullement la vierge que

vous imaginez, prolongée ou pas. Elle a un petit ami, ici. Comme elle n'est pas mesquine, elle m'avait demandé de continuer à héberger votre Pierre. Vous suivez? »

Nouveau signe de tête.

« Je crois que tout le monde trouvait son compte, plus ou moins, dans la situation telle qu'elle était. J'insiste : plus ou moins. Enfin, il y a eu cet accident, c'est vrai. Pierre est mort. Nous en sommes tous désolés. Mais si vous, Jean, vous pensez qu'il s'agit d'autre chose, si vous vous imaginez que quelqu'un a tué votre ami, n'attendez pas. Portez plainte. Mais cessez vos sous-entendus. »

Il a pâli, respiré un grand coup, puis a planté son regard dans le mien :

« Je vous prie de m'excuser, Madeleine, j'ai été odieux. Je vous remercie de votre franchise. Pierre était mon ami, vous comprenez? Vous me pardonnez? »

Il semblait secoué. J'ai pris sa main, je l'ai serrée :

« Je comprends, Jean, je ne vous en veux pas. Au contraire, il valait mieux parler. »

Il m'a souri. Il sourit rarement, son sourire lui va bien. Il lui donne un air d'enfance. Il a dit :

« Ça va mieux. Si on fêtait ça? On passe chez Claire?

– D'accord, Jean, très bonne idée. ça lui fera plaisir. »

D'un coup, je me suis sentie vidée. Il y a des moments où je me surprends. J'aurais dû faire du théâtre...

Jusqu'ici je flottais. Je suis né les yeux ouverts. Même si je baisse les paupières, je vois au travers, dit-il en repoussant son feutre de ratine d'un geste majestueux. Remarque, je me dis ça, et je finis toujours par me faire avoir. Comme tout le monde.

Là, pas question. Il s'agit de la mort de Pierre. Cette explication avec Madeleine a mis les choses au point. Elle m'a convaincu. C'est une nature, cette fille. J'ai vu le moment où elle m'envoyait son vin chaud dans la figure. Elle est sympa. Plutôt, oui. Pierre vient faire de la planche à voiles dans ses plates-bandes, et zap, elle le loge. Je m'amène fouiner en tirant la gueule, même chose. A sa place, hou-là... J'aurais fait le vide. De plus, elle n'avait pas l'air d'éprouver une passion démesurée pour mon copain. J'admets. Pierre, c'était la personnalité cannibale. Quand il se pointait quelque part, adieu l'oxygène.

Donc, un bon point pour Mado. Elle est très bien, cette grande demoiselle. Je la verrais en fille-mère célibataire ultra-protectrice, se battant comme un mameluk pour défendre sa nichée, au lieu de traînasser dans un fond de vallée. Encore une erreur d'orientation.

La page est tournée, d'accord? D'accord. Un dernier

100

détail : je n'ai pas pu encore parler avec Claire. Elle... Oh! tu la sens vraiment dans un autre monde. Elle a quelque chose d'intimidant. J'aimerais pourtant qu'elle me dise un mot de Pierre. Nettement, ça n'est pas le sujet préféré de Madeleine.

Je suis passé à Saint-Javier. Là aussi, je me sens chez moi. Le blé d'hiver sort comme un grand. Je craignais que Claire soit chez les Arnaud. Pourquoi donc? Tu as peur qu'ils s'imaginent que tu la dragues? Non. Mais dans ces déserts, tout vous prend des proportions...

Elle était chez elle. Son chien fou m'a sauté dessus. Il tenait absolument à me mordiller le lobe de l'oreille gauche. Je ne méconnais pas la valeur érogène de cette pratique, mais je ne suis pas zoophile.

Claire l'a calmé :

« Ça suffit, Frocoutas. Va coucher... Vous m'excuserez, Jean, le ménage n'est pas fait.

— Chez moi non plus. On pourrait aller se balader, non? Avec ce temps...

— Volontiers. Le temps de passer ma veste. Entrez. »

Une grande carte Air-France m'a tiré l'œil. Tu as vu tous ces cercles rouges? Je l'aurais parié... Pauvre fille. Encore une veuve de guerre.

Elle a eu la bonne idée de ne pas emmener le chien. Les bêtes, je n'ai rien contre. Un bon pâté de grives, par exemple. Il y a des moments où il m'arrive de ne pas supporter.

Nous nous sommes dirigés vers le cimetière. Je n'y étais pas retourné depuis l'enterrement. Nous avons marché un moment, sans rien dire. J'essayais de faire le vide. De me mettre dans la peau de Pierre. De me dire : « Je suis à côté de la fille qui m'aime... »

Il la tenait peut-être par la main? Je ne sais pas. Je le vois mal avec elle. Avec Zoé, pas de problèmes. Leurs engueulades, j'en avais l'habitude. Ce n'était pas vraiment romantique. Plutôt dans le genre burlesque.

Pierre, je l'ai vu faire son numéro avec des go-go girls, dans les bars. Il fallait hurler pour se faire comprendre, à travers la musique. Ce qu'il voulait, c'était parler, pas payer pour tirer sa crampe, comme le premier Australopithèque venu. On peut avoir des relations très amicales, très chaleureuses, avec ces filles. De chics filles, dans l'ensemble...

Claire, ce n'était vraiment pas la go-go...

Nous avons atteint l'esplanade du cimetière. Continuer? Il y avait bien un petit sentier, seulement, cheminer à la file indienne en écartant des branches d'ajonc épineux, ce n'est pas fameux, pour la conversation. J'ai proposé :

« On se pose là un moment?

– Si vous voulez. »

Nous nous sommes assis sur un morceau de madrier, dos au mur, face au soleil. J'avais du mal à démarrer. Autant c'est facile avec Madeleine, autant avec Claire... Je me suis jeté à l'eau :

« Voilà... Vous connaissiez bien Pierre. J'aimerais que vous me parliez de lui, ça ne vous... Enfin, si vous le voulez bien. »

Elle a souri :

« Bien sûr. Que voulez-vous savoir?

– Que vous me disiez comment il était, avant sa... Avant l'accident. Parce qu'à Paris, il m'avait paru égal à lui-même, vous comprenez? Alors...

– Je ne l'ai pas connu à Paris. Ici, il me semble qu'il avait changé.

– Comment cela?

– Oh! ce n'était pas un changement brutal... »

Elle a sorti les mains de ses poches, a enlacé ses genoux, penchée en avant.

« Vous savez, je vois Pierre depuis bientôt dix ans. Il avait une énergie incroyable. Il était très curieux de tout, prêt à s'intéresser aux gens, à repartir au diable au premier appel. Je ne vous apprends rien.

– C'est bien ça...

– Je ne sais pas ce qui s'est passé... Enfin, si. C'était un fonceur. Il n'aimait pas attendre, et il n'était pas prudent. Ça lui a valu quelques ennuis. »

Première nouvelle. J'ai demandé :

« Où ça? Ici?

– Oui, mais rien de grave. Cela ne vaut pas la peine d'en parler. Pourtant, ça a dû l'affecter, il devenait plus sombre.

– Depuis quand?

– Ces deux dernières années. »

Elle s'est redressée, a regardé sa main droite, comme si elle s'intéressait à ses ongles. Elle a soupiré :

« Ce n'est qu'une impression. Quand quelque chose n'allait pas, il ne se confiait pas. Je ne peux rien vous dire de plus précis.

– Je comprends. Mais concrètement, dans son comportement? »

Elle a haussé les épaules :

« Il s'était mis à boire. Vous devez le savoir. Oh! Pas beaucoup! Mais comme avant il ne touchait pas à l'alcool, ça se remarquait. »

Ça aussi, c'était nouveau. Je voyais mal Pierre en pochard solitaire. Pas avec sa conception du métier. Bon, ça devait être sa façon de tuer les longues soirées au Clapas.

Claire m'a regardé. Jésus, ces yeux, cet éclat sombre. Elle a dit :

« Vous voulez que je continue?

– S'il vous plaît.

– Il s'était mis à se... défoncer.

– Fumer de l'herbe, vous voulez dire?

– Non, cela, ça n'est pas bien méchant. Vous avez vu, l'autre soir, chez les Arnaud? Ça fait partie du folklore. Il y avait autre chose... »

103

Je vois. Elle avait dû tomber sur un paquet de Beedies. Les gens, il ne leur en faut pas plus pour craquer. Elle a secoué la tête, perplexe.

« Vous tenez vraiment à savoir?

– Je suis là pour ça, Claire.

– Il prenait de l'acide. Plusieurs fois, il m'a demandé de faire le voyage avec lui. J'acceptais, pour ne pas le laisser seul. Je recrachais le buvard discrètement. Dans ces moments-là, il me parlait. Il tenait des discours mystiques, vous savez, ce n'était pas très cohérent. Sur la sensation de fusion avec le monde qu'il ressentait...

– Je vois le genre. »

Je ne voyais rien. Pierre, branché à l'acide? Lui? Cette histoire ne cadrait pas. Il était pour la lucidité avant tout. Dis donc, le repos du guerrier, dans les alpages... Claire a poursuivi, d'une voix plus basse :

« Ce n'est pas tout. Je crois qu'il me cachait quelque chose. Un jour, je suis tombée chez lui sur une seringue. Parfois, il avait un air bizarrement détendu. Je ne me serais jamais permis de lui demander quoi que ce soit. Il avait le droit d'avoir ses secrets, même s'ils étaient transparents. »

Décidément, la panoplie complète. J'ai insisté :

« Vous vous faites peut-être des idées, une seringue, ça ne veut rien dire.

– Pas si vous la cachez. »

Admettons...

« Vous n'avez pas idée du produit?

– Non. Je suppose qu'il prenait ce qu'on trouve en ce moment.

– Vous devez avoir raison. »

J'essayais de paraître objectif. Le type qui enregistre, sans plus. J'avais froid dans le dos. Pierre, se shooter? Lui? Ça alors... Pourquoi ne m'en parlait-il pas? J'étais son copain, non? Il craignait quoi? Il savait bien que je n'allais pas lui faire la morale. Je ne comprenais plus. Ce n'était pas son style. Il était pour le maximum d'efficacité, donc le maximum de contrôle. Claire a continué :

« Vers la fin, il ne s'agissait plus de fusion mystique avec le Tout. Il me parlait de la mort.

– En quels termes?

– En termes de proximité. Pour lui, c'était une expérience concrète. Il avait eu cette blessure au Salvador, vous savez. »

Ça, pour savoir...

« Vous étiez ensemble, le jour où il a été blessé?

– Non. J'étais parti le matin.

– Et quand vous l'avez revu?

– Ça allait. Il ne s'est jamais plaint. Au contraire, il plaisantait. Il disait qu'il avait une balle d'avance sur moi. Vous voyez?

– Oui. Mais je pense que ça l'avait choqué. C'est depuis qu'il me parlait de la mort. Comme quelque chose de proche, pas de menaçant ou de désagréable. Quelque chose que l'on peut entreprendre, un voyage à votre portée...

– Je vois. »

Pas vraiment. J'étais en plein schwartz. La mort, ce n'était pas le souci n°1 de Pierre. D'accord, c'est une possibilité constante, comme un accident de la route pendant le week-end de Pâques. Pas de quoi dramatiser. Ça ne le concernait pas. La mort, c'était le problème des autres. Et à tout prendre, pas une si mauvaise chose. Parce que, si vous êtes sur un coup et que vos copains se font défalquer, c'est excellent pour votre crédibilité. Vous êtes un héros grâce à la peau des autres. Pour lui, ce genre de pépin n'arrivait qu'aux connards. Si vous faites attention où vous mettez les pieds, vous êtes parés. Sauf accident.

Ce coup-là, au Salvador, Pierre avait été secoué. Il a fait comme si de rien n'était. En insistant un peu, on arrivait à voir ses cicatrices. Deux bourrelets mauves, rapprochés, l'entrée et la sortie, sur le flanc droit. Un tatouage. La mort tenait l'aiguille...

Autant continuer.

« A votre avis, est-ce qu'il semblait avoir envie de se suicider?

– Non. C'était pire.

– Comment ça?

– C'était comme si c'était déjà fait.

– Il jouait ou il était sérieux?

– Il jouait. Mais il valait mieux accepter le jeu.

– Un pari sur sa vie?

– Un pari sur sa mort. J'essayais de faire comme si de rien n'était. J'espérais qu'il serait rappelé sur un reportage et que cela lui changerait les idées.

– Sa mort ne vous a pas surprise?

– Non. La seule chose inattendue, pour moi, c'est qu'il soit mort ici. »

Claire avait raison.

Ce pauvre con était juste derrière cette dalle. Nous aurions pu faire encore quelques balades. Revoir nos petites fiancées de Pat-Pong. Sauter ensemble sur une mine sympa. Tu es une ordure, Pierre. Tu as une éternité d'avance, maintenant, gros malin.

J'ai dû me payer un autre passage à vide. J'ai entendu une voix qui disait :

« Jean? Ça ne va pas? »

C'était Claire et ses yeux de nuit. J'ai failli lui dire : « T'as de beaux yeux, tu sais. » Je me suis retenu.

« Ça va. Ne vous inquiétez pas. C'est l'altitude. »

Elle a souri. Digne culmine dans les 600 mètres, départ arrêté. J'avais eu ma dose pour la journée.

« Merci, Claire. Je vais redescendre.

– Vous êtes sûr que...?

– Ne vous inquiétez pas. Ça m'a fait du bien de parler avec vous. »

Certes. Un électrochoc, il n'y a que ça de vrai. Je me suis dressé. Je me sentais les articulations craquantes comme de vieux fagots. Je me suis penché. Je lui ai fait la bise, modèle vieux copain. Elle a une odeur de bébé. Je suis redescendu. Je ne touchais pas terre. Pierre, défoncé? Alcoolo? Ça n'a rien de rare, nous en sommes tous là, plus ou moins. Mais pas lui. Il voulait rester clean and fit pour son boulot.

Il y a des morts qu'il faut tuer plusieurs fois. Au fait, la bouteille est vide. Le whisky? Tu ne vas pas t'y mettre? Oh! que si, camarade. Ça s'arrose, la mort de son innocence. Quand je serai dictateur, j'interdirai aux copains de mourir. Pour commencer.

J'ai repris la 204 pour regagner ma ferme natale. Lou Clapas, terre d'asile. Et qui donc m'attendait, au croisement de la route de Mezel? Une fourgonnette de notre gendarmerie. M'ont arraisonné. M'ont fait remarquer que je n'avais pas de ceinture. Ben oui... Ils ont épluché mon permis.

« Z'avez les papiers du véhicule? »

J'avais. Je les ai tendus au jeune gendarme. Qui les a pris d'un air gourmand, et les a passés à son brigadier, avec un coup de coude... Le hiérarchique a hoché le chef. Il a dit, je l'ai entendu proférer :

« Ah! oui, ce coco-là... »

Ça m'a réveillé. J'ai demandé :

« Pardon? Qu'est-ce que vous avez dit? »

Le brigadier m'a balancé la carte grise :

« Les questions, c'est moi qui les pose. Vous avez des papiers, vous? »

Je lui ai tendu ma carte de presse. Il a jeté un coup d'œil. Sûr qu'il aurait préféré une carte de séjour à titre fugace. Il me l'a rendue, m'a fait le salut réglementaire :

« Vous pouvez disposer. »

Un peu court... J'ai insisté :

« Vous ne pouvez pas vous expliquer? Vous avez bien dit... »

Il s'est penché vers moi. Il fleurait l'anis :

« Je n'ai rien à expliquer, jeune homme. J'ai du travail, moi. Je vous prie de bien vouloir dégager la chaussée. »

Tu connais l'histoire du délit de fuite et de la bavure balistique ? J'ai dégagé.

CHAQUE matin, je remonte voir Pierre. C'est une bénédiction que ce cimetière soit à l'écart. Personne n'y passe jamais. Pourtant, les gens jasent, paraît-il. Je ne remarque rien.

C'est Madeleine qui m'a prévenue. Elle est montée me rejoindre. Il paraît que ce n'est pas normal de passer autant de temps près d'une tombe. Je ne comprends pas bien. Je ne dérange personne.

Si. Mon comportement est excessif. Ah! bon? Oui. Les morts, on leur rend visite une fois l'an, c'est la coutume. De plus, je n'étais même pas sa femme.

Le monde m'apparaît de moins en moins réel. Cette conversation avec Madeleine, il me semblait que je la rêvais. La différence n'était pas grande. Nos paroles avaient l'inconsistance des dialogues de films, trop prévisibles.

Je n'ai pas rêvé. Elle était bien là. J'ai dit :

« Si j'étais sa femme, ce serait normal?

– Davantage. Ce serait excessif, mais normal. »

Je sais qu'elle se fait du souci. Elle va probablement me balancer de nouveau Christian dans les pattes, elle va... Tiens, elle est toujours là? Et moi, je suis où? Chez Pierre, contre mon pan de mur. Chez moi.

Qu'est-ce qu'elle dit? Qu'il faut que je fasse attention. Mais à quoi? A mon comportement? Il est correct. Oui, mais les gens peuvent s'inquiéter, et... Et quoi? Qu'est-ce qu'elle veut dire? Je me suis impatientée :

« Parle donc, Madeleine. Ils disent que je suis folle, c'est ça? Ils veulent me faire enfermer? »

Elle a souri. Mais pas des yeux :

« Là, tu exagères.

– Alors? »

Elle m'a caressé le visage. Sa main était froide.

« Simplement, il faudrait que tu te secoues, que tu reprennes le dessus.

– Madeleine, je ne comprends pas. Je fais mon travail. Je gagne ma vie. Je... »

Elle s'est détournée, puis m'a dit, posément :

« Ne me répète pas que tu ne déranges personne. Si, tu déranges. Tu inquiètes les gens. Ils ont peur que...

– Que je craque? Que je me mette à hurler? »

Elle m'a fixée bien en face.

« Quelque chose comme ça. Mets-toi à leur place.

– Je n'y tiens pas.

– Claire, je t'en prie, fais-le pour moi. »

Je l'ai regardée. Elle a pris un coup de vieux, Madeleine. Ses traits se sont durcis, son visage s'est tiré.

« Pardonne-moi, je vais réfléchir. Je ne savais pas. Laisse-moi seule un moment, je passerai te voir. »

Elle m'a laissée. J'ai respiré à fond. J'avais les jambes coupées, je me suis assise. Mon comportement... De quel droit? Réveille-toi, c'est sérieux. Cela fait trois semaines que Pierre est là, et que j'y monte chaque matin. J'y suis tous les soirs. Je ne m'en rends même pas compte. Je ne m'aperçois de rien. De temps en temps, je redescends, il le faut bien. Je me fais une casserole de riz. Je l'oublie sur le feu. Je pense quand même à corriger mes copies, j'ai du mal. J'ai laissé traîner un paquet. Je n'arrivais pas à écrire l'adresse du centre. Ma vie n'est pas là. Ces gens n'ont pas besoin de moi. N'importe qui peut corriger leurs copies.

Ils te diront que Pierre est mort. Ce n'est pas vrai. Pour eux, peut-être. Pour eux, il n'a jamais existé, il n'était pas de leur monde. Son âme errante avait besoin de permanence. J'ai été maladroite, je n'ai pas su la lui donner. Ce n'est pas trop tard. Je peux, maintenant. Je sais qu'il m'attend. Il a besoin de moi.

Chaque matin, je dépose un rameau neuf sur sa tombe. J'émiette du pain pour les oiseaux. Des mésanges viennent lui tenir compagnie, et toute une bande de moineaux. Je ne voyais pas le mal que je pouvais faire.

Pauvre Madeleine, cela a dû lui coûter de me parler de la sorte. Elle avait essayé autre chose. Elle m'avait proposé de partir en voyage, au soleil. Quel soleil? Nous n'en manquons pas, ici. Enfin, ailleurs. Près de la mer. Aux Seychelles ou aux Antilles. Je paierais pour ne pas y aller. J'ai attendu Pierre toute ma vie. Il est arrivé. Je ne veux pas le quitter.

Alors, je dérange? Que me faudrait-il faire pour ne pas heurter ces âmes sensibles? Boire?

Par chance, nous ne sommes qu'une poignée, à Saint-Javier. Ailleurs, les gens m'auraient déjà lancé des pierres. Il en faut peu pour devenir une sorcière. Les malheureux...

Madeleine a fait tout ce qu'elle a pu. Elle avait déjà essayé de m'expliquer que je faisais tache. J'étais comme ces institutrices du siècle dernier, lâchées dans la nature, trop bien pour leur milieu, qui se retrouvaient condamnées à la solitude. A l'époque, on avait droit à la mélancolie. Qu'est-ce qu'il faudrait que je fasse donc? Que j'achète une télé et que je passe huit heures par jour devant?

J'ai frissonné. Je croyais que ma vie ne concernait que moi. Non. Les autres ont droit de regard. Bientôt, on t'accusera de troubler l'ordre public.

Qu'est-ce qu'elle a dit d'autre? Ah! oui, que j'avais maigri. C'est interdit? Rien ne l'est, jusqu'à un certain point, un certain seuil, le seuil de tolérance. Si je veux garder Pierre, je dois faire attention. Sinon, ils... Ils m'enfermeront? Je n'en suis pas là. »

Je suis redescendue. Tiens, le chien... Il paraît que je ne le nourris pas, et qu'il a tué une poule chez la mère Leroux. Nous voilà propres. Frocoutas. Nous sommes des dangers publics. C'est vrai que je n'ai plus envie de m'occuper de toi, mon chien...

Pierre disait qu'une balle, tant qu'on l'entend siffler, ce n'est pas grave. Disons que je l'ai entendue. Il s'agit de reprendre ma vie en main. Comment ça?

L'important, ce n'est pas ce que je ressens, c'est ce que je montre. Frocoutas, file, va dehors. Attends. D'abord, tu vas finir cette casserole de riz. Je vais le faire réchauffer, avec un peu de beurre, avant que tu ne leur tues un cheval. Pauvre chien... Tu n'as pas de chance.

Réfléchissons. Il faut que j'offre un comportement normal. Cela consiste en quoi? Oh! quelques activités rassurantes... Le mieux, c'est d'établir un emploi du temps.

Donc, le matin, je me lève. J'en informe les populations? Comment cela, je hisse les couleurs? Non, mais à la saison, j'arrose des fleurs... je distribue des graines aux colibris, je sors mon chien avant neuf heures, si possible. Ensuite, je travaille. A midi, je me fais voir. Je vais déjeuner chez les Arnaud. Si je cuisine, je leur porte une quiche, ou n'importe quoi. Que l'on sache que je mets le nez dans mes casseroles.

Puis je vais faire les courses à Digne. Très important, j'achète la grande presse féminine. Et surtout, surtout, *Le Provençal*. Il faut pouvoir parler des décès. Je me tiens au courant des programmes de télé. Je n'ai pas la télé. Aucune importance. De temps en temps, je vais la regarder, chez quelqu'un. J'épouse mon siècle. Sinon, on dira que je suis méprisante.

L'après-midi, je peux me promener, mais que cela se

sache. Il vaut mieux des promenades utiles. Je vais ramasser des champignons ou des châtaignes, à la saison. Ou alors des fleurs, et, faute de mieux, des branches. J'emmène mon chien. Je chantonne, sifflote, représente la joie de vivre en marche. Ce n'est pas très compliqué.

Et puis je voisine. Je dois savoir qui est qui, qui est malade de quoi, l'âge des enfants, leurs forts et leurs faibles, la parentèle de tout un chacun. En un mot, je ne dois pas être fière. Je peux être la demoiselle qui a eu un malheur, et on consentira à me plaindre, à condition que je ne me place pas hors de portée.

Le soir, lorsque tout le monde sera couché, je pourrai aller sur la tombe de Pierre, une fois en passant. On peut me tolérer, à condition que j'y mette du mien, et que je reconnaisse l'existence du groupe. Que je le veuille ou non, je dois jouer un rôle. Si je ne joue pas celui qu'ils attendent, ils me colleront sur le dos celui de l'étrangère, de la solitaire, de l'ennemie.

Déjà, ils murmurent, quand je passe. Je deviens un sujet de conversation, un de ces cas dont on surveille l'évolution. Je peux encore redresser mon image, si je tiens à rester ici. J'y tiens...

Avec Pierre, j'étais à l'abri. Tant qu'il passait me voir, les gens l'admettaient. Ils pensaient qu'un jour ou l'autre, nous finirions par régulariser notre situation.

La première fois qu'il est descendu, c'était à l'automne, pour la fête de la lavande. Il est resté deux semaines. La chambre dans sa ferme était prête. Madeleine m'avait laissé sa voiture. Je lui ai fait explorer les environs.

Le premier soir, il m'a dit : « Ramène-moi chez moi. » J'ai pensé qu'il était fatigué. Il m'a fait la bise sur les deux joues, je n'ai même pas quitté la 4L.

Le deuxième soir, il est passé chez moi. Je le sentais tendu, mal à l'aise. J'ai pris les devants. Je lui ai dit :

« Tu sais, Pierre, je ne te demande rien. Qu'est-ce qu'il y a? Tu n'aimes pas les femmes? »

Il a haussé les épaules. Il a eu ce ricanement bref qui parfois lui tenait lieu de rire :

« Mais non, qu'est-ce que tu vas chercher? Seulement, je ne supporte pas que l'on attende quelque chose de moi, ça me paralyse, tu comprends? J'ai l'impression de passer un examen. »

J'ai dit :

« Je suis désolée. Je n'ai rien fait pour te donner cette impression, tu peux me rendre cette justice.

— Bien sûr, tu n'as rien fait, mais ça revient au même. Je sens que tu voudrais que je me comporte d'une certaine façon, que je te prenne dans mes bras et tout le cirque.

— Mais, Pierre, je veux surtout que tu te sentes à l'aise. Si tu me faisais l'amour sur commande, je ne pourrais pas le supporter. Tu es là parce que tu le veux bien. Tu fais ce qui te plaît. Que veux-tu que je te dise d'autre? »

Il a fini par rire. Il s'est frappé le crâne du poing.

« Tu as raison, Claire, c'est là-dedans que ça se passe... »

Il m'a tendu la main, m'a attirée vers lui.

« Ah! Claire, Claire... »

Il m'a serrée contre lui, m'a picoré le front et la tempe de brefs baisers. Il a grogné :

« Le pire, c'est que tu me plais... »

Je n'ai rien dit. Je ne bougeais pas. Surtout, ne pas l'effaroucher. Doucement, il m'a repoussée :

« Ecoute, il vaut mieux pas, pour le moment. On va tomber dans la baise à la papa. Tu sais, les bons vieux réflexes, les habitudes. Tu mets un disque, tu tires les rideaux, tu allumes une bougie. Avec un peu de chance, tu tiens une face... Ce n'est pas possible. »

Une face de quoi? Je n'ai rien dit. Il s'est mis à marcher de long en large :

« Tu comprends, Claire, tu rencontres quelqu'un, et... »

Il a secoué la tête.

« C'est toujours la même histoire. Tu as l'impression que tu vas vivre enfin une belle aventure. Et puis l'autre te piège. Avant d'avoir réalisé, c'est fini. Tu te retrouves derrière des barreaux. Tu as peur de faire de la peine. Tu te sens coupable. L'amour, c'est la mort de l'amour, et puis c'est la fuite. »

J'ai ri :

« C'est un peu rapide, Pierre.

— Peut-être, mais c'est comme ça que ça fonctionne. Tu vas vers quelqu'un pour qu'on t'aime, pour sortir de toi. Et l'autre t'enferme, et c'est pire. »

J'ai protesté :

« Je ne vois pas les choses de cette façon.

— D'accord. Mais c'est le scénario, à tous les coups. J'ai envie de te revoir, Claire. Je t'aime bien. Alors autant éviter d'en arriver là. »

J'ai ébauché une révérence :

« Comme il vous plaira, noble seigneur. Pierre, tu es le bienvenu. Si cela peut te faire plaisir, je n'allumerai pas de bougie, et je n'ai pas d'électrophone. »

Il s'est amusé de bon cœur :

« Tu es formidable, Claire. Il fallait que je te prévienne, je me sens plus à l'aise. Il vaut mieux que tu m'acceptes comme je suis. Un tordu. Si tu crois que ça m'amuse... »

Et moi donc... C'était à prendre ou à laisser. J'ai pris. Il ne fermait aucune porte. Il ne me promettait rien. Si je voulais le revoir, c'était à ses conditions. Je le voulais. S'il l'avait souhaité, j'aurais marché sur les mains. Il ne m'en demandait pas tant. Il ne me demandait que d'être là lorsque c'était son bon plaisir. J'étais là. Je n'avais pas à me forcer pour me montrer de bonne humeur. Sa présence suffisait. On ne demande pas au soleil de vous faire l'amour. On lui demande de se montrer.

J'ai été aussi naturelle que possible. Cela ne m'a pas coûté. C'était déjà beau qu'il soit venu, qu'il consente à revenir.

Quand il est parti, il m'a serré la main. Il m'a dit :

« Bravo, Claire. Et merci. A bientôt. »

C'était gagné...

Je me suis retrouvée face au désert de l'attente, ma virginité sur les bras. Madeleine a été très bien. Deux jours plus tard, elle organisait une fête dans sa bastide. Christian se trouvait parmi les invités.

J'avais de l'estime pour lui. Ce jeune prof s'était battu courageusement contre l'administration, après mai. Il faisait partie de la maigre légende locale. Lui aussi a été parfait. Il m'a débarrassée de ma vertu. Il fallait bien que quelqu'un s'en charge. J'ai dû lui faire admettre que ce léger service n'impliquait pas une quelconque fusion de nos destins.

Et les gens s'imaginent que... S'ils savaient... Pierre ne m'a jamais embrassée depuis nos retrouvailles aixoises. Je ne sais pas ce que nos rapports seraient devenus. Je crois encore que tout pouvait se produire. Cette attente donnait à ma vie son centre de gravité.

C'est drôle, j'ai son copain sous la main, et je ne lui ai rien demandé. Sur Pierre. Sur son existence. Je n'ai pas peur qu'il change l'image que je garde. C'est plutôt lui qui m'a paru surpris de ce que je lui disais. J'étais vraiment ailleurs. Je vais me ressaisir.

Je dois parler à ce garçon. Pierre l'aimait bien. Il a partagé tout ce côté de sa vie que je ne connaissais qu'à distance. Ce qui m'a gênée, c'est son regard. Pierre avait parfois le même. Ils vous regardent, et vous sentez qu'ils sont en train de vous cadrer.

Il n'y a pas que cela, sinon il ne serait pas là. Je vais le revoir, et rassurer Madeleine. Elle m'a secouée à temps. J'aurais fini par ne plus décoller du cimetière. Elle a raison. Il ne faut pas grand-chose pour se promener sur le versant de la folie...

Du balcon, face à mes pommiers, je pourrais m'adresser au peuple. Benito a commencé avec moins que ça.

Le peuple, pour le moment, c'est un couple de pies, toujours les mêmes. Elles affectionnent ce coin. De la gelée blanche s'accroche encore dans l'herbe et donne une ombre glacée aux vieux troncs. Nous sommes en décembre, camarade. Nos intentions? Elles sont pacifiques. J'ai pas mal de temps et un peu d'argent devant moi. J'ai téléphoné chez Blitz. Ils paraissent survivre sans moi. Pour le moment. En cas de besoin, ils feront signe. Tu te rends compte, pouvoir respirer un air aussi léger? Je ne me lasse pas de la transparence du ciel. Alors, tu t'incrustes? Résolument. Que veux-tu, on s'attache. Par exemple, prends le chien Léon. C'est étonnant, cet animal naguère domestique est devenu un fauve. Il paraît qu'il attaque les voitures avec une hargne de kamikaze. A présent, je lui jette des sucres, en passant, pour inverser le processus. Je ne l'ai pas encore vu en ramasser un.

Tu es heureux, comme ça? C'est beaucoup dire... Je suis calme. J'ai l'impression de me décanter.

Je commence à comprendre Pierre. Ce pays est beau. Qu'a-t-il de spécial? Oh! il est encore à l'échelle. Surtout, il n'est pas envahi. Ça se trouve ailleurs.

Je sais, mais... Tu trouves tout et n'importe quoi dans les ailleurs, des paysages super, de vraies cartes postales taillées dans la masse. Le hic, c'est qu'il fait toujours trop chaud, ou trop froid, ou trop d'humidité dans l'air, ou... Là, c'est autre chose. C'est une région tonique. Tu ne te sens pas écrasé, tu te sens plus grand que nature. Ce doit être le dosage d'air et de lumière, je ne sais pas au juste, je n'ai pas envie de partir.

Karacho. Je suis surpris de découvrir en moi ces profondeurs bucoliques... Il faudra t'habituer, je commence à comprendre mieux. Comprendre quoi? Oh! la solitude, la façon dont elle agit. Dans le vide, les personnages se détachent. Prends le cas de Claire. Son Pierre, elle l'a rêvé. Le Pierre qu'elle rencontrait n'était que la figure de cire du vrai, celui de ses songes. A partir d'un certain degré, l'imaginaire devient plus réel que le réel. Il n'y a pas de frontières. Personne n'est moins seul qu'un solitaire dans sa solitude. Je me demande s'il n'était pas en train de prendre ce chemin.

Pour ta tour d'ivoire, c'est raté. Regarde qui s'amène... Notre amie Mado dans sa citrouille magique. Elle ne doit pas savoir que tu es un grand mystique, camarade.

Hop! elle roule dans ton pré. On voit les sillons de ses pneus. C'est moche, un bruit de moteur, quand on a perdu l'habitude. Et voilà le message :

« Jean, vous êtes libre?

— Libre de vous suivre jusqu'au bout du monde, Madeleine.

— Nous y sommes.

— Alors, poussons plus loin. Qu'attendez-vous de moi?

— Ça vous dirait de faire un saut chez des copines?

— Pourquoi pas? Ce sont des âmes chastes, au moins?

— Ça, il faudra le leur demander.

– Je cours le risque.

– Vous n'avez pas froid. Toujours sur ce balcon?

– Oh! que si! Mais votre présence me réchauffe. J'arrive. »

Elle a ri. Ce n'est pas le mauvais cheval. Elle s'occupe de moi, ça oui. Elle m'a fait faire quelques randonnées très chouettes. Qu'est-ce que c'est que cette histoire de copines? Elle me prend pour un cœur solitaire? Nous verrons bien.

On a toujours l'impression de rouler en pleines dunes, dans sa 4L, tant ça ondule. Histoire de parler, j'ai demandé :

« C'est quel genre, vos copines?

– Vous ne voulez pas avoir la surprise?

– Pas vraiment. Je suis assez gaffeur. Supposez par exemple qu'elles aient des mœurs spéciales, ou un type particulier, ou des phobies, ou...

– Rassurez-vous, ce sont deux gentilles filles qui partagent une villa.

– Qu'est-ce qu'elles font?

– Elles sont profs. Il n'existe pas beaucoup de métiers pour femmes, à part le mariage.

– Et la prostitution. N'oubliez pas la prostitution.

– Ne commencez pas vos provocations. C'est enfantin.

– Ah! Madeleine, vous venez de mettre le doigt sur la plaie! Je ne suis qu'un gamin entre vos mains cruelles.

– Ça vous amuse vraiment?

– Non. C'est ma timidité. J'ai besoin d'un écran de fumée. Elles sont encore loin, vos copines?

– Nous y sommes presque. »

C'était la direction de Digne. Elle a stoppé devant une de ces stupides villas en parpaings massifs qui imitent vaguement un mas rabougri. J'ai soupiré :

« Djizeus, ce style...

– Allons, venez, ne vous laissez pas abattre.

– Je me souviens d'un album de photos sur les

ravages causés par l'architecture dans le paysage. Il n'y avait qu'une seule villa qui s'intégrait harmonieusement. Vous savez ce que c'était?

– Dites toujours.

– Un blockhaus allemand. Camouflé. »

Elle a sonné. Pas trop mal, les deux profettes. Françoise, le genre super-pétulant, dynamique, la fille que l'on trouve sur tous les coups. Et Maryvonne, plus calme. Il faut toujours un pôle négatif avec un positif, sinon, vous risquez le court-circuit.

Disques, whisky, jus d'orange. J'aurais dû raconter mes campagnes. Je n'en avais pas envie. Pierre faisait ça beaucoup mieux que moi. C'était un conteur. Moi pas. Je n'arrive pas à trouver le ton juste. Je reste froid, je dénigre. Ou alors, je m'emporte, je m'excite. J'en fais trop ou trop peu. J'ai préféré les laisser parler de leur vie de vestales.

Elles nous ont servi un tas d'anecdotes à usage interne. Je n'en saisissais pas le sel, je ne savais de qui il était question... J'ai suivi d'une oreille distraite en éclusant. Ce ne doit pas être drôle tous les jours, pour ces filles. Trois profs sur quatre sont des femmes, à présent. Tu imagines les problèmes de débouchés?

Je me suis demandé si Madeleine ne me jetait pas aux lions. Elles n'ont pas l'air féroce, tes lionnes. D'accord, mais je n'ai besoin de rien. Ce n'est pas que je sois végétarien, c'est que je n'ai pas envie de m'embringuer dans des histoires sans lendemain. Trop de travail pour un moment d'ivresse. Il faut se voir, se parler, s'occuper de l'autre, très peu pour moi. C'est toujours pareil. Les gens ne comprennent pas que tu ne sautes pas sur la première occasion comme un tigre mou sur un lièvre bègue.

Je reviens sur terre, les deux poupées d'amour sont toujours là. Je vérifie, elles ont encore au moins deux jambes et autant de bras. Exact. Je n'ai rien perdu.

L'une des deux me pose une question, je réponds

120

oui. A la tête qu'elle tire, je devine qu'il doit y avoir erreur. Je dis :

« Excusez-moi, j'ai mal entendu. »

Madeleine remarque :

« Jean, vous êtes tout le temps dans la lune.

– Je parie qu'il est amoureux », lance la brune, la plus petite. (J'ai oublié son prénom. Supposons que ce soit Dolorès.) Je rectifie :

« Dolorès, jamais entre les repas. »

Je la laisse perplexe. J'adore répondre de cette façon. Je me demande ce que je fous là. Ce doit être « Naissance d'une idylle », la nouvelle opérette avec clavecin et andouillettes. Ces filles ne sont pas méchantes, aucune raison de les snober.

« Vous comprenez, j'investis mon économie libidinale dans le travail. Un homme sans travail est un cheval sans nageoires. »

Je me demande si l'image est bien choisie. J'ajoute :

« Ne faites pas attention, c'est le changement d'air. On brûle plus d'oxygène, chez vous. Ça m'a un peu grillé les circuits.

– Jean, vous ne jouez pas le jeu, protesta Madeleine.

– Quel jeu? Mais je suis sincère. Le ciel n'est pas plus pur que le fond de mon cœur. »

Ma réplique fait glousser l'autre brune. Appelons-la Isabau. Elle remarque :

« Vous avez des lettres. »

Je m'incline :

« Veuillez me pardonner. Pourquoi, on a déjà dit ça? Pendant que j'y suis, de quoi parliez-vous?

– Oh! d'une vieille histoire, pendant une grève. »

Elle se tourne vers Madeleine :

« D'ailleurs, tu peux vérifier, tu n'as qu'à demander à Claire. Elle travaillait encore, à l'époque. »

Madeleine ne relève pas. Elle passe à autre chose. J'ai l'impression qu'elle détourne la conversation et que ça a un rapport avec notre amie. Je ne vois pas bien. « Elle travaillait » signifie quoi? Dans tous les cas, quelle importance? Quelque chose me dit qu'il vaut mieux éviter de paraître trop curieux. Soit.

Isabau demande où est Claire. Madeleine explique qu'elle est chez son popa et sa moman. Ah bon! ses parents sont du coin? Dolorès, qui m'a l'air d'être un peu pompette, lâche tout à trac :

« Tout de même, c'était moche, cette histoire. »

Madeleine lui lance discrètement un coup de sabot dans les chevilles. Comme j'ai la tête tournée, je n'ai rien vu. Sauf que la porte-fenêtre réfléchit parfaitement.

Je vais feuilleter des disques. Il y a du Belafonte d'époque. Que penses-tu du numéro? Je pense qu'il y a un rapport avec Pierre, sinon elles ne se censureraient pas. Il aurait fait quoi? Rien, à ma connaissance. Ce doit être une vague histoire de cœur avec une de ces beautés fatales. Tu crois? Je ne crois que ça. La libido mène le monde.

Curieux, tout de même. Je change le disque. Je mets le dernier Lennon, à cause de « Working class people ». Je place la conversation sur lui, tant qu'à faire.

Le temps a poursuivi son cours majestueux, la nuit en a profité pour tomber. Dolorès nous suggère de rester. Elle a de la salade de riz au frigo. Et elle peut nous faire des œufs au bacon. C'est Byzance. Je remarque :

« C'est bon pour le cholestérol. »

Isabau s'inquiète :

« Vous avez du cholestérol, Jean?

– Non, mais j'aimerais bien. Ça vous tient compagnie, un bon cholestérol.

– Ne dites donc pas des horreurs », proteste Dolorès.

Madeleine me tance du doigt :

« Jean fait dans le paradoxe, ce soir.

122

– Même pas. Je dis n'importe quoi. »

Dolorès ironise :

« Ça se sent. »

Toi, ma vieille, je ne te dis pas ce que tu m'inspires, mais tu ne perds rien pour attendre, espère... Vraiment, quelle idée de me laisser entraîner dans ce fondouk, alors que je pourrais relire Chamfort. Ou Chan-Antonio...

Isabau va chercher un pot de grès sur une table. Elle s'installe en tailleur, sort de l'herbe, du papier Job, et entreprend de nous rouler des joints. Tudieu, camarades, nous nous émancipons, dans les alpages. Dolorès met son grain de sel :

« J'aime bien, avant les repas, ça ouvre l'appétit.

– Oui, ajoute Isabau, tout paraît plus savoureux. »

Elle dit ça avec le ton langoureux de Marlène Dietrich dans *Trente secondes sur Tokyo*. Attends, ce n'était pas Marlène. Ce n'était pas non plus *Trente secondes sur Tokyo*.

« A quoi pensez-vous donc, Jean? »

Qui frappe à l'huis de mon cœur?

« A Louise Brooks, Dolorès. »

Elle proteste :

« Ça suffit. Je ne m'appelle pas Dolorès.

– Dommage. Ça convient à votre type slave. »

Elle lève les yeux au plafond :

« Il est odieux, ce garçon. »

Les joints circulent. Ça me détend. J'en avais besoin. Qu'est-ce qui ne va pas? Elles sont gentilles, non? Trop. Je ne leur en demande pas tant. D'ailleurs, à part de ne pas exister, je ne leur reproche rien.

Mado m'envoie un coup de poing amical dans l'épaule :

« Allons, allons, Jean, il ne faut pas être élitiste comme ça. »

Alors, là :

« Elitiste? Moi, infime? Tu vas me le payer. »

Je lui saute dessus. Je suis complètement parti. Nous

nous empoignons comme deux gamins. Et je me retrouve, cloué sur le dos, avec Madeleine à califourchon sur moi, qui m'immobilise. Chapeau. Je dis pouce. Elle me lâche. Elle n'est même pas essoufflée.

Dolorès prend un petit air pincé. Isabau nous sert la fameuse salade de riz. Il y a même des anchois. Ah! les anchois! Mon rêve... Je me laisse aller. Je descends tout le rosé du Var qui passe à ma portée. Encore autant que les bolcheviques n'auront pas. J'en ris tout seul.

Il doit se faire tard. Je ne sais plus... Je me sens bien. J'entends la voix de Madeleine :

« Il faut que je raccompagne ce grand bébé. »

Doit s'agir de moi...

Et puis le froid. Cette odeur d'essence de la voiture. Oh! ma mère! Mado a à peine pilé devant ma ferme que je gerbe comme un malheureux, sur le pré. J'en ai les larmes aux yeux. Je vois les étoiles décrire de grandes traînées brillantes. Madeleine me prend par les épaules :

« Ça ira, Jean?

— Je pense. Ecoute, Madeleine, je peux te tutoyer?

— Pour ce soir, pourquoi pas?

— Madeleine, je vais te dire, tu es un vrai copain. »

Je ne sais pas comment j'ai grimpé l'escalier. Le froid me serrait les tempes.

JEAN est toujours là. Cela va faire un mois qu'il est arrivé. Il n'y a donc plus rien à faire, à Paris? Je croyais qu'il était journaliste.

Je l'observe. Grâce à la 204, je sais s'il est chez lui ou en vadrouille. Il marche beaucoup. Il me raconte ses promenades. Il ne va pas fouiner en ville, je le saurais. Il n'y trouverait rien, le Héros était également sauvage, à sa façon. Quant à Claire, il ne cherche pas à la voir. Elle est tellement tête en l'air, il n'y a rien à en tirer. Même si elle parlait, elle ne dirait pas de mal de son Pierre.

Je me demande si l'explication la plus simple n'est pas la bonne. Il est peut-être tout simplement bien là. Ce pays me convient. Pourquoi n'en irait-il pas de même pour les autres?

Doucement. Un pays pareil se mérite. Au premier coup d'œil, c'est de la colline pelée, de la montagnette à biques. C'est rare d'avoir le coup de foudre de cette façon. Surtout qu'il a dû en voir d'autres.

Madeleine, méfie-toi. Toutes les bonnes raisons n'y changent rien, ce type n'a rien à faire ici. Sans la mort du Héros, il n'y serait certainement pas.

Peut-être joue-t-il avec un projet pas vraiment mûr, un sujet d'article, par exemple? La région s'y prête, depuis les fossiles jusqu'aux communautés.

Claire va bien. Elle a absorbé le premier choc. La mort du Héros est ce qui pouvait lui arriver de mieux. Elle marque le pas. Elle finira par reprendre sa vie à son compte. S'il le faut, je donnerai un coup de pouce.

J'ai bien fait de la secouer. J'ai exagéré le danger. C'est exact, les gens commençaient à jaser, mais ils n'auraient pas bronché. Je sais comment leur tenir la bride. Ils ont tous quelque chose à cacher.

Ce n'est pas compliqué, toujours les mêmes histoires. Les pépés ou les tontons trop affectueux avec les gamines. Les structures élémentaires de la parenté présentent parfois d'étranges carambolages. Dire qu'il y a toujours un imbécile pour s'exclamer : « Mon Dieu, ce petit, c'est tout le portrait de son grand-père! » Ou alors, le vieux qui s'éteint une nuit, tranquillement. On n'a même pas eu besoin de déranger le docteur, pensez... Les édredons ne sont pas faits pour les chiens...

Les gens me parlent. Je suis pour eux comme une sorte de recours, d'assurance. Si jamais il leur arrivait quelque chose, ils préfèrent que les autres sachent que je sais. Ils ne me racontent pas de belles histoires bien ficelées. C'est plus flou. Ils se contentent de remarques, ils paraissent se poser des questions en l'air. Ils savent où elles retombent. Nous nous entendons. Je finis par être un peu de la famille, quelqu'un qui appartient à la tribu, tout en restant en dehors.

C'est le rôle que devait jouer le prêtre, autrefois avec ses gros sabots et le secret de la confession. Les curés sont morts. Il en reste encore deux ou trois, bien vieux, avec leurs soutanes verdâtres d'un autre âge. La relève ne se fait pas. Elle se fera le jour où l'Eglise acceptera des femmes dans son clergé, mais le Vatican n'a pas encore compris. Nous aurons des prêtres en vidéo avant d'avoir des prêtresses.

Vévéo-Nanar a fini par avoir son merle. Je le regarde jouer avec, dans la cour. Il lui a proprement cassé une aile. Il laisse filer la pauvre bestiole, puis la balance en l'air, d'un coup de patte, comme un gosse qui lance un avion en papier. Je ne m'en mêle pas. Il a eu assez de mal. J'ai fait percer une fenêtre qui me permet d'éclairer ma loggia. Quand je travaille, j'installe ma petite table tout contre, je domine un ancien potager retourné à l'état sauvage. De loin en loin, j'y plante un pied de romarin ou de lavande. J'ai eu des roses trémières, une année, les punaises les ont envahies, une vraie plaie d'Egypte. Les roses tout court donnent mal. C'étaient des grimpantes, sans rien pour grimper. De se voir versées dans l'infanterie ne leur a pas plu, elles ont dépéri. Depuis, je me garde d'intervenir. Que le meilleur gagne.

Le meilleur, c'est un buisson d'aubépines. Il a poussé comme un furieux. Il est magnifique, au printemps, une vraie boule de neige. Il produit de toutes petites pommes vertes qui, à l'automne, virent à l'orange. Quelques coups de gelée, et ces fruits sont délicieux, un peu cotonneux, sucrés. Les merles en sont fous. Deux couples se sont établis à demeure dans ce buisson. Ils faisaient tout un cirque. Quand ils ne se gorgeaient pas de fruits, ils déambulaient dans l'allée empierrée du potager. Ou alors, ils sautaient sur les branches du bouleau, à deux mètres de l'aubépine. Ou bien ils se promenaient sur le mur de clôture, sur lequel retombent quelques-unes des branches de leur garde-manger.

Ce mur est un des chemins de ronde de Vévéo. Il se dirige avec majesté vers le bouleau, se fait les griffes contre le tronc, l'escalade, saute sur le sommet du mur recouvert de lauzes mangées par les mousses, et là, c'est selon. Ou il se décide pour une sieste. Ou il disparaît vers les toits et les cours du village. Auquel cas je ne tarde pas à entendre les hurlements de fureur du chien de l'épicière.

A l'époque où les merles se sont installés, Vévéo-Nanar avait disparu deux ou trois jours. Il lui arrive de découcher. Quand il est revenu, les merles étaient dans la place.

Il s'est d'abord contenté de les observer sans broncher, à distance. Le autres ne s'en faisaient pas. Ils ingurgitaient leurs boules, quinze à seize par collation. Elles poussent par grappes d'une cinquantaine. Ces braves merles se goinfraient tout le jour. Ils ont eu tôt fait de déplumer le sommet de l'arbuste.

Le deuxième jour, vers onze heures, Nanar s'est décidé. Il s'est dirigé d'un pas de sénateur vers le tronc du bouleau. Le vieux chat qui se traîne, digne, mais amorti. Les merles ne se sont pas affolés pour si peu. Arrivé au pied de l'arbre, Vévéo s'est littéralement envolé. Deux coups de griffe, et il était sur le mur. Un des merles se trouvait justement empêtré dans les ramilles, attablé comme un prince. Leur bec est exactement de la couleur des fruits. On voit cette touche orange, menue comme un pignon de pin, voltiger au milieu d'un pointillé de la même couleur, comme un minuscule pinceau qui effacerait un tableau.

Vévéo et le merle ont décollé en même temps, en chandelle. Je m'attendais à les voir retomber ensemble. Eh bien non. Quelques duvets ont voltigé, le merle s'est retrouvé en haut du bouleau, bégayant d'indignation, et mon chat écroulé dans les branches, furieux, mauvais, la moustache en bataille.

Depuis, c'est la guerre. Il s'est installé en permanence sur le sommet du mur. Les autres ont dû se rabattre vers les branches les plus éloignées. Impossible pour Vévéo de sauter, elles sont trop minces, elles ne supporteraient pas son poids. Mais si les merles se rapprochent trop du sol, hop! il y bondit. Il se paie même le luxe de les déloger du bouleau.

Je me disais, mon pauvre Nanar, tu perds ton temps. A la guerre, c'est toujours la supériorité aérienne qui l'emporte. Tu ferais mieux de retourner aux souris.

Il est obstiné, l'animal. Il s'est replié une seconde fois. Il a observé l'ennemi.

Les merles, à force, ont dépouillé tous les rameaux commodes. Ne restaient que les belles grappes retombantes, qu'il leur fallait attaquer dans des conditions acrobatiques. Des fruits chutaient au sol. Un merle plus paresseux allait les picorer.

Ce matin tôt, j'ai vu mon fauve s'activer dans l'arbuste. Le jour se levait à peine. Il a fait dégringoler une jonchée de fruits, quelques feuilles, puis il est allé se cacher derrière le tronc, dans l'ombre.

J'ai pensé, mon petit père, c'est trop gros. Tu t'imagines quoi? Tout de même, je suis restée à mon poste. Les merles sont arrivés plus tard. Le jour était couvert, pour une fois, un coup de crasse sur le Cousson. Les ramilles descendent très bas, elles font une ombre dense. C'était appétissant, tous ces fruits répandus sur le sol.

Les merles se méfient. Ils attendent toujours l'ennemi de l'extérieur. Ils ont inspecté le mur, le bouleau. L'un d'eux s'est décidé. Il a atterri, et commencé à picorer dans la provende, tout en surveillant les environs. Un autre est venu le chasser. Ils adorent se disputer. Un troisième s'en est mêlé. Zap, un éclair noir a jailli, deux merles se sont échappés. Vévéo-Nanar est en train de s'occuper du troisième.

A présent, le merle ne vole plus. Il se tient en boule, légèrement penché. De temps en temps, il lève le bec, pour aspirer un peu d'air. Nanar s'est couché sur le flanc. Il tourne la tête de l'autre côté, pas concerné. Rien ne presse.

Je me demande encore et toujours si ce serait une bonne idée de reprendre des biquettes au printemps, avec Claire. Ou s'il ne vaudrait pas mieux changer de terrain. Allons, il ne faut pas rêver. Claire n'est pas déracinable, et moi non plus. S'il y a quelque chose à faire, c'est ici.

D'abord, je dois attendre le départ de Jean. Me tenir

tranquille dans l'intervalle. Il ne va tout de même pas s'enterrer là, lui aussi. Cette année, l'hiver a été doux. Quelques gelées, sans plus. Et c'est une splendeur, le givre, les premières neiges sur le Barre des Dourbes, les lointains qui se rapprochent encore, comme s'ils allaient venir vous manger dans la main.

Jean ne supportera pas le printemps. C'est la pire des saisons. Tout est bouillasse et compagnie. Le printemps? Il sera parti bien avant. Ce petit monsieur ne vit pas de ses rentes. L'actualité viendra le relancer.

Soit. Et s'il reste? S'il s'abonne, comme le Héros? Et qu'il revienne faire des stages de solitude en notre compagnie?

Le Héros venait pour Claire... Des Claires, ça se trouve. Françoise ne cracherait pas sur Jean. Elles sont incroyables, les copines, il suffit de les rabrouer, elles fondent. Peut-être. En tout cas, lui n'avait pas l'air intéressé. Monsieur doit jouer les coquettes, ce n'est pas dit qu'il ne se laisserait pas faire.

Qu'est-ce qu'il m'a pris de le traîner là? Je préfère qu'il traîne n'importe où, plutôt que du côté de chez Claire.

Nous sommes en décembre. Il va remonter à Paris pour les fêtes, retrouver ses copains. Et si jamais il redescend? C'est son droit... Le Héros, ça a duré six ans. Oui. C'était la guerre de positions. Vais-je passer à la guerre éclair?

Supposons que ce ne soit que le début d'une série, et qu'après lui... Nous ne sommes pas à Lourdes, il ne s'agit pas d'un pèlerinage. C'est à qui tiendra le plus longtemps.

Ma pauvre Claire, quand j'y pense, elle et sa vie de Pénélope... Elle a passé son temps à acquérir des mérites, bien sage, comme un petit cochon tirelire oublié sur son étagère. De loin en loin, quand cela lui chantait, notre Héros venait y déposer deux sous d'espoir. Cela suffisait. Elle n'en demandait pas davantage. Elle devait s'imaginer qu'un jour elle décrocherait le gros lot. Le demi-dieu se laisserait toucher par tant d'obstination... Ses réticences fondraient comme les timides au printemps.

Elle n'a rien compris. Ce type était de cette race qui se laisse aimer, en apparence, mais qui au fond ne le supporte pas. Elle, elle avait ce besoin fou de se donner. La plaisanterie pouvait durer encore quelques éternités.

Avec tout ça, je ne me suis pas remise au travail. Je n'ai pas ma tête à moi. Mon éditeur sanglote. Je suis de vente régulière, second rayon, peut-être, mais j'ai ma clientèle. Elle m'achète fidèlement. Il craint que, si je décroche, mes lecteurs ne tâtent d'un autre produit.

Je l'ai eu au bout du fil, voici deux jours. Il en est à me demander mes fonds de tiroir. J'en ai, bien sûr, mais pas question de... Je refuse. Ce que je fais, je le fais parce que cela me plaît. Tout se tient. Si je commence à me lancer dans une production au rabais, ma vie suivra la même pente. Il attendra.

Il y a une foire à la brocante à Manosque, samedi. Si j'y vais je fais un malheur. J'achète tout.

L'argent? je n'aurais qu'à vendre quelques-uns de mes vieux bahuts. Je fais venir un antiquaire de Lyon, et il me laisse une malle de billets, quand je veux.

Pourquoi pas un troc? Troc ou pas, je dois me changer les idées, sinon, je risque de commettre des erreurs de perspective.

Je peux toujours aller à Manosque, cela n'engage à rien. Je propose à Jean de m'y accompagner? Il ne faut rien exagérer, il va s'imaginer que je lui fais des avances.

C'est curieux, je ne saisis toujours pas ce garçon. Qu'est-ce qu'il veut, à la fin? Attendons. Le moment viendra.

Je devrais me remettre à écrire. Une fois lancée, plus rien ne compte, adieu la vie, adieu l'amour. Oui. Je ne peux pas me payer ce luxe en ce moment. Pas avec notre visiteur...

Vévéo a commencé à s'attaquer à son merle. Il le mastique placidement, bien assis, en commençant par la tête. Il ferme les yeux. Il n'est pas venu m'en faire cadeau. J'aurai peut-être droit aux pattes.

Je me demande si les autres merles reviendront. Il n'y a pas de raisons. Nanar a massacré pas mal de pigeons, dans les labours, de l'autre côté de la route. Ces ahuris retournent se faire plumer. Les leçons ne profitent jamais.

Je me sens craquer, ces temps. Pas aux entournures. Mon corps ne bronche pas. C'est dans ma tête, j'ai trop d'énergie, je ne sais comment la dépenser. Je vis en suspens.

Les merles sont revenus. Vévéo n'a même pas terminé son repas. Eux recommencent le leur. Les apparences sont sauves, ils sont en grand deuil.

Je suis passée voir Jean.

Au moment de partir, j'ai appelé mon chien. Il n'est pas venu. Il doit bouder dans un coin. Gens et bêtes se valent dès qu'il s'agit d'être possessif. Seul Pierre me laissait respirer. Il me respectait vraiment, c'est ce que Madeleine ne parvient pas à comprendre. Elle est de parti pris, elle ne veut voir que les apparences. Pierre s'en moquait. Il me connaissait. Il m'a donné tout ce qu'il pouvait me donner. Lui qui avait du mal à se tenir debout m'a tendu la main.

Il faisait un beau froid sec, j'ai décidé d'aller à la ferme à pied. Madeleine ne pourra pas se plaindre, tout le monde verra que je me promène.

Avant de partir, j'ai cueilli quelques branches de sumac, d'un rouge clair. Si on leur passe une couche de vernis, elles tiennent tout l'hiver. Avec elles, je ne risquais pas de passer inaperçue.

Marcher m'a fait du bien. Nous marchions beaucoup, avec Pierre. Nous avions le même rythme. Il ne se lassait pas de recommencer les mêmes promenades. Ce n'étaient jamais les mêmes. La lumière change. La couleur de la terre aussi. Nous passions des après-midi entiers à couper à travers bois, à longer les champs de lavande, à remonter des lits de torrents à sec. Il parlait peu. De temps en temps, il s'exclamait : « Ce que c'est beau... » Ou alors, il tendait le bras, sans rien dire, vers quelque chose qu'il voulait me montrer.

Nous sortions par tous les temps. Ici, dès qu'il tombe trois gouttes, les gens s'affolent. Ils s'imaginent que le déluge est revenu. Nous mettions des bottes. Les odeurs montaient du sol, puissantes... Nous avions la surprise d'un arc-en-ciel.

Je n'ai croisé personne sur la route. Après le carrefour de Mezel, j'ai vu des travaux de terrassement, à droite. Ils vont encore faire une nouvelle villa. Pierre n'aimait pas ça. S'il avait pu, il aurait acheté trois collines.

J'ai pris la route étroite qui mène à la ferme. J'ai cherché Mlle Eymard des yeux, celle que Pierre appelait le Viet-Cong. Elle a quelque chose d'une branche sèche qui se serait détachée d'un arbre, et qui n'arriverait plus à le retrouver. Je l'ai aperçue qui sortait de chez elle, un cabas à la main. Je lui ai fait signe. Elle ne m'a pas rendu mon salut.

Après le dos-d'âne, j'ai vu la 204. Pierre était là... Qu'est-ce que je... Jean m'a reçue aimablement.

« Tiens, Claire, c'est une bonne surprise. Ça me fait plaisir de vous voir. Entrez. »

Je l'ai trouvé bronzé. Je suis entrée. D'habitude, dès le seuil franchi, Pierre me prenait dans ses bras. J'ai regardé. Jean n'a touché à rien.

« Vous buvez quelque chose? J'ai du whisky? Ou du thé, si vous préférez...

– Je prendrais volontiers du thé. »

Il a mis de l'eau à bouillir sur le réchaud, puis m'a montré mon bouquet de sumac :

« C'est pour moi? »

La question m'a prise de court. J'ai dit :

« Si vous voulez.

– Comment ça, si je veux. Enfin, Claire, quand une demoiselle rend visite à un jeune homme avec un bouquet, c'est bien pour le lui offrir? »

J'ai rougi :

« Ce n'est pas tout à fait ça. Madeleine m'a conseillé de sortir, de me promener, vous voyez? Aiors...

– Ça fait partie de la panoplie du petit promeneur. Je comprends. C'est très beau, ce rouge... »

Je lui ai tendu mes branches :

« Je ne vais pas les rapporter, je vous en prie, gardez-les.

– Merci. Lait ou citron? »

Je n'y étais plus. Je devais avoir l'air ahuri. Il a précisé :

« Avec le thé, Claire. Vous savez, ce sont les feuilles d'un arbuste que l'on met à infuser...

– Ne vous moquez pas de moi, je...

– Excusez-moi. Mais vous n'avez pas répondu.

– Un peu de lait, oui. Et du sucre. »

Pierre prenait son thé de cette façon. Jean m'a désigné le vieux fauteuil d'osier. Il s'est assis sur le lit. Il a bu une gorgée, puis m'a regardée :

« Alors, Claire, quel bon vent?

– Voilà, je... Quand nous nous sommes vus, je n'avais pas pensé à vous demander... Est-ce que Pierre vous parlait de moi? »

Il m'a souri, a posé sa tasse sur la table de nuit, s'est frotté le visage avec les mains. Pierre avait ce geste, parfois.

« Pas vraiment. »

Il a haussé les épaules :

« Voilà, Claire, je ne veux pas vous raconter d'histoire. Bien sûr, je connaissais votre existence. Mais Pierre ne me parlait pas de vous.

– Vous pouvez préciser?

– Quand il descendait dans ses chères Basses-Alpes, nous le savions, parce qu'il laissait son adresse à l'agence, et il me la donnait aussi au cas où... On ne sait jamais, l'actualité, vous n'avez rien pendant trois mois, et parfois c'est comme le lait sur le feu... Au début, je lui ai demandé ce qu'il trafiquait de spécial, à être toujours fourré par là. Je le plaisantais. Je lui demandais s'il avait une fiancée cachée...

– Je vois.

– Il m'a répondu qu'il allait rendre visite à une amie, il n'avait pas envie d'en dire davantage. Je n'ai pas insisté. Alors, voilà... Vous étiez la fiancée inconnue. Il m'arrivait d'être intrigué. Je me disais, ce n'est pas possible, pour qu'il la cache comme ça, qu'est-ce que ça doit être... »

Son ton m'a fait sourire.

« Claire, vrai, ça fait plaisir de vous voir sourire... Je me disais qu'il devait drôlement tenir à vous. »

C'était gentil. Ce n'était pas sa gentillesse que je voulais, mais la vérité. Je me suis jetée à l'eau :

« Vous pouvez me parler franchement, Jean. Comment était sa vie?

– Je ne comprends pas. Vous voulez dire sa vie professionnelle?

– Pas seulement. Sa vie... »

Il a soupiré, a fait le geste d'écarter les mains, comme quelqu'un d'embarrassé.

« Encore un peu de thé?

– Non. Un peu de whisky, s'il vous plaît, dans la tasse, ça ira très bien. »

Il m'a servie, puis s'est accoudé au chambranle.

« Son travail comptait énormément pour lui. Quand il avait décidé d'aller quelque part, il serait passé sur le corps de n'importe qui... »

J'ai regardé par la fenêtre. Je ne voulais pas le gêner. Je l'écoutais se débattre avec ses pauvres phrases. Il essayait de ne pas me faire de peine. Il n'avait rien compris. J'ai bu mon whisky. Il avait un goût amer... Non, j'avais un goût amer. Derrière les paroles, j'ai écouté la cadence. Jean me servait du Pierre. J'ai reconnu cette façon de noyer le poisson, de revenir inlassablement sur le même point dont Pierre se servait lorsqu'il voulait convaincre. Il possédait les gens à l'usure. Il ne se le permettait jamais avec moi.

Jean était lancé. Il allait me raconter leurs campagnes. Merci, je les connaissais. J'ai attendu un temps mort. J'ai dit :

« Jean, j'aimerais vous demander quelque chose...

– Oui?

– Il avait une petite amie, à Paris? »

Il a encore soupiré. J'ai repris, doucement :

« Ne soyez pas gêné. Je peux très bien imaginer qu'un homme a besoin d'affection entre deux avions. Ne vous inquiétez pas pour moi. Comprenez-moi. Je connaissais très bien Pierre ici. Je voudrais avoir une idée de sa vie au-dehors, c'est tout. Si ça vous gêne d'en parler, je n'insiste pas. N'ayez pas peur de me faire de la peine. Vous êtes le seul à qui je puisse m'adresser. »

Il a paru soulagé :

« D'accord. Il n'y a rien d'extraordinaire à raconter. Nous autres, nomades, n'avons ni le temps ni les moyens ni l'envie d'entretenir une écurie de danseuses. Pierre avait une copine, à Paris. Un drôle de numéro entre nous.

– Elle était comment?

– Ça dépend des goûts. Je ne la supportais pas plus de dix minutes. Elle était... Comment dire... Complètement bloquée. Pour vous la situer, c'était une fille plutôt primaire. Elle compensait par un snobisme dingue, ça me tapait sur le système. Pierre adorait la faire enrager. Elle n'arrêtait pas de piquer des crises contre lui, je crois que ça ne lui déplaisait pas, au contraire. »

Il était lancé.

« Bon, je vous donne un exemple. Une fois, nous étions chez des amis. Pierre préparait un canard. Il aimait cuisiner. Comme il improvisait, ça prenait parfois des proportions délirantes. Il devait être quinze heures, le canard n'était pas cuit, Pierre s'est mis à lancer des vannes à Zoé – on l'appelait comme ça entre nous –, elle est montée faire sa valise. Elle l'insultait. D'une main, Pierre essayait de sauver le canard, de l'autre, de la retenir. Le cirque... J'étais mort de rire. Enfin, tout s'est arrangé... Encore un peu de whisky?

– Volontiers.

– Des histoires comme ça, je pourrais vous en raconter des tas. Ils n'arrêtaient pas de se fâcher et de se séparer. Ils restaient ensemble parce que Zoé pouvait admettre que Pierre parte à n'importe quel moment sans prévenir. Il n'y a pas des masses de filles qui acceptent ça. C'est peut-être brutal à dire, elle était assez commode. Nous n'avions guère le temps de draguer. Zoé lui simplifiait l'existence. Il m'est arrivé de lui demander : « Comment fais-tu pour la suppor- « ter? » Il répondait : « C'est elle qui me supporte. » C'était vrai aussi. Ce n'est pas possible de vivre absolument seul, mais si à chaque départ il faut se casser la tête au retour pour trouver autre chose... Au moins, avec Zoé, il savait où il allait. »

Qu'en termes galants... Jean s'est arrêté, il a vidé son verre, s'est tu un moment. Puis il a repris :

« Il appelait ça la S.S. La Sécurité sexuelle, vous voyez? »

Non. Ce cynisme bon marché n'avait rien à voir avec le Pierre que je connaissais... Mon dieu! Alors, aux yeux de Jean, moi aussi je faisais partie de la S.S.? La S.S. des villes et la S.S. des champs... Je me suis demandé si nous parlions du même garçon. De ce garçon jamais résigné, qui partait chercher la mort aux quatre vents.

Jean s'est assis sur le lit, penché en avant :

« C'est la vie... On ne fait pas toujours ce qu'on veut. »

Il n'allait pas m'infliger ce genre de platitudes. Je l'ai remis sur rails :

« Parlez-moi encore de votre métier. Pierre vous disait pourquoi cela lui tenait au cœur?

– Pas la peine. Vous le ressentez ou pas.

– Mais encore?

– Oh! c'est la tension. Une intensité dans l'air. Tout peut arriver. C'est exactement le contraire de la vie ordinaire, où vous êtes certain que rien ne se produira jamais. En principe... »

En principe...

« Vous n'étiez pas toujours dans des pays en guerre?

– Bien sûr. Mais vous risquez des ennuis n'importe où.

– Il m'a raconté une histoire qui aurait pu très mal tourner, à Bangkok, pour un rien.

– Je suppose que je ne vous apprends pas grand-chose. Pierre devait vous en dire autant, non?

– Non. Enfin, pas en détail. Il me parlait plutôt de la situation politique, de son évolution probable, des observations qu'il avait pu faire. »

Je me suis levée :

« Je vous remercie, Jean.

– Mais Claire, c'était avec plaisir. Simplement, je me demande si... Vous savez, c'est un métier qu'on a du mal à imaginer si on ne le vit pas. Comment dire... On peut donner l'impression qu'on est des bouffons ou des brutes, ou qu'on s'en fout. Ce n'est pas vrai. Vous êtes bien obligé de vous blinder si vous voulez tenir. On a beau dire qu'on s'habitue à tout, il y a des moments où ça passe mal. »

J'aimais mieux entendre ça. Il m'a regardée :

« Depuis le temps que je suis là, on ne se voit pratiquement pas. C'est dommage.

– Il faut passer me voir.

– J'ai peur de vous déranger.

– Vous ne me dérangez pas. Au contraire.

– Je passerai un soir. Ça me ferait plaisir de vous

connaître davantage. Vous savez, je n'aime pas importuner les gens.

— Quand vous serez de trop, je vous le ferai savoir. Nous n'en sommes pas là.

— Vous êtes à pied? Vous voulez que je vous raccompagne?

— Non. Je vais en profiter pour rendre visite à Madeleine. Je l'ai un peu négligée, ces temps-ci.

— D'accord. A bientôt, Claire. Et merci pour vos branches. »

Il m'a prise par l'épaule pour me faire la bise. Je me suis raidie. J'ai eu un instant de panique. Puis une onde de chaleur m'a traversée. Je me suis sauvée en courant.

L'obscurité noyait la campagne. La nuit vient de plus en plus tôt. Un chien a aboyé. D'autres lui ont répondu. Tout un réseau sonore s'est déployé. Je n'avais pas envie de voir Madeleine. J'ai repris la route de Saint-Javier.

Jean me paraissait gentil. Il valait sans doute mieux que ses discours. Passerait-il? Mon dieu, il faudra que j'arrange un peu, chez moi. Je n'avais pas pensé à lui demander s'il partait bientôt. Hier, cette idée ne me serait même pas venue. J'avais envie de sa présence. Pour quoi faire? Comme ça... Comme on ouvre une fenêtre...

Ce qui m'a touchée, c'est que ce garçon pouvait se livrer sans arrière-pensée. Il m'a paru vulnérable. Pierre se gardait mieux.

Qui dira les affres du petit reporter échoué sur sa plage bas-alpine? Tu te sens coupable, si tu restes sans rien faire. Il me fallait une idée. Je tournais autour. J'attendais qu'elle mûrisse. J'avais même trouvé quelques sujets d'articles...

Finalement, ça m'est venu. C'est simple, j'aurais pu y penser plus tôt. Je vais me mettre à un guide des Basses-Alpes. Mes belles balades à pied, je vais les rentabiliser.

Le tout, c'est de viser juste. Le sujet commande. Tu ne prends pas la même plume pour écrire sur Venise que sur lou Clapas. Un bon point : l'endroit me plaît. C'est indispensable, mais un peu court. Je ne vais pas passer dix ans à combler mon retard. Il me faudrait quelqu'un qui... Mais tu l'as, camarade, tu l'as. Notre amie Mado connaît cette région à fond. Elle a du temps. Elle trotte comme un zouave. Que demander de mieux?

Ça m'a fait plaisir de tenir un projet. L'homme sans projet est une baleine sans ketchup. J'ai donc piqué un raid sur le village. Il garde quelque chose de mystérieux. Il est habité; pourtant, les indigènes, tu ne les vois jamais.

Curieux que Pierre n'ait pas songé à faire un album de photos par ici. Voici le château. Je n'y suis jamais retourné, depuis mon arrivée. Ah! je reconnais le chat. Déjà le beau fauve. Il a une façon de te fixer, on se demande s'il va te liquider tout de suite, ou s'il te garde pour son quatre heures.

Tiens, impossible de me souvenir de l'intérieur. J'ai heurté le marteau. Ça résonne comme dans une caverne.

Madeleine a ouvert. Elle m'a fixé avec surprise :

« C'est vous, Jean? J'attendais le facteur.

— Vous ne perdez rien, j'ai des nouvelles aussi.

— Entrez donc. »

J'ai compris pourquoi je ne me souvenais de rien. La dernière fois, la pièce était sombre. Il n'y avait que le feu, on ne distinguait quasiment rien. Il y est encore, mais elle a éclairé une loggia, dans l'angle droit. Elle doit être bien là-haut.

« Je n'avais pas encore admiré votre pigeonnier, Madeleine. Vous êtes une cachottière.

— Vous croyez? Je ménage mes effets. Qu'est-ce que vous prenez? Un alcool blanc? Tenez, vous allez essayer ma mirabelle. »

Pas étonnant que la pièce résonne, elle est nue. A part une table basse, près du feu, et quelques fauteuils.

« Vous m'aviez dit que vous achetiez des antiquités...

— Je ne m'en dédis pas. »

Elle s'est dirigée vers une armoire murale, sous la loggia. Changement de décor. Des spots se sont allumés près de l'escalier. Le haut de la pièce a été plongé dans l'ombre. Pas tout à fait, il doit y avoir une petite fenêtre, on voit un effet de contre-jour. Elle est revenue avec un carafon et des verres ballons.

« Pourquoi n'exposez-vous pas vos trésors dans cette pièce? Vous pourriez en profiter, et en faire profiter vos visiteurs. »

Elle m'a tendu un verre.

« C'est vrai, mais si j'exposais mes trésors, comme

142

vous dites, j'aurais du mal à m'en séparer. Je préfère les tenir cachés.

– Ça se défend.

– Je vous sers? »

Diable, elle a la main lourde. L'alcool embaumait le fruit.

« C'est quelqu'un, votre mirabelle...

– Vous en voulez?

– Si c'est possible. »

J'étais bien. Imagine, la baraque du XVIe, le feu, la gniole. Et la femme... Au fait, la femme, je la vois mal. Elle se tient en retrait, dans l'ombre. A gauche de la cheminée, à ma portée, un tas de bûches, du petit bois. J'ai jeté quelques brindilles sur les braises. Une flamme vive s'est levée. La lumière a sculpté le visage de Madeleine. Sur le coup, je ne l'ai pas reconnue. L'architecture des traits, le relief des pommettes, le creux sombre des orbites m'ont donné l'impression d'un masque de condottiere. La clarté est retombée. J'étais saisi. Remets-toi, ce n'est jamais qu'un effet de lumière.

Elle m'a demandé :

« Le feu n'est pas assez vif?

– Mais si. C'est mon côté pyromane. »

Elle a eu un petit rire :

« Allons, Jean, qu'est-ce qui vous arrive? Vous avez l'air d'un petit garçon qui veut cacher quelque chose à sa maman.

– Vous exagérez. Je n'ai rien à cacher, mais c'est exact, j'ai une proposition à vous faire.

– Enfin... Question propositions, nous autres pauvres femmes ne sommes pas très gâtées, au Clapas... »

Elle me souriait aimablement. Trop. Y avait-il un message? Placée au pied du mur, c'est le beau brin de femme, Madeleine. Du genre à t'envoyer une giroflée si jamais...

Tu rêves. Elle veut plaisanter. Plaisantons :

« Ah! Madeleine, je déposerais volontiers mon cœur à vos genoux, mais vous repousseriez dans les ténèbres ce meuble inutile! »

Cette fois, elle a ri franchement :

« Comme vous y allez... Je vous fais si peur que ça? »

Doucement. Si tu bouges le petit doigt, elle te chasse comme un malpropre. Non. Tu envoies le ballon dans son camp.

« Vous me terrifiez, Madeleine. Je sens bien qu'avec vous je ne fais pas le poids.

– Ne racontez pas n'importe quoi, Jean.

– Je m'en garde bien. Je n'ai jamais dragué une femme. Je n'ai pas l'intention de commencer aujourd'hui.

– Mon dieu, comme nous devenons solennels... D'après vous, c'est à moi à vous draguer?

– J'aimerais autant. »

Elle s'est levée, a remis du bois dans le feu :

« Eh bien, j'y songerai. Je suppose que vous n'êtes pas ici pour me conter fleurette?

– Pas vraiment. J'étais venu vous demander de l'aide.

– De quoi s'agit-il? »

Je lui ai tout expliqué, tout bien. Mon goût pour le pays. Mon désir de travailler à quelque chose d'utile. Elle m'écoutait. Elle sait écouter.

« Votre idée est intéressante, Jean. Excusez-moi une seconde. »

Elle s'est levée. Nouveau jeu de lumières. Elle est revenue de sa loggia avec des feuilles de papier machine et une série de cartes.

« Je réfléchis mieux par écrit. Rapprochez-vous de la table. D'abord, il faut délimiter le sujet. »

La clarté de son esprit m'a frappé. J'ai tendance à rêver, à me laisser entraîner. Je pars d'un point, je dérive, c'est très agréable, mais une fois arrivé, je ne sais parfois plus d'où j'ai plongé. Avec Madeleine, le sol était ferme. L'idée lui semble bonne. Il existe déjà une palanquée de guides par régions ou par provinces. Ils sont en général liés à l'automobile. Ils indiquent où et comment déguster de l'architecture et de la gastronomie, l'une étant souvent l'alibi de l'autre. Ils fonctionnent à coups de cartes Michelin.

Il fallait proposer un autre produit, axé sur la carte d'état-major, le pataugas, l'effort et la découverte. Les Basses-Alpes s'y prêtaient. Le pays, tout en étant d'altitude et de difficultés moyennes, reste pratiquement inconnu. On y trouve en abondance des coins sauvages. N'importe où dans le monde, ils seraient incorporés à des circuits touristiques. Ici, ils demeurent vierges.

J'ai demandé :

« Et les Bas-Alpins ?

– Ils font le mort. Ils ne tiennent pas à être envahis. Et ils sont assez casaniers. Je connais des endroits où personne d'ici n'a mis les pieds.

– Vous croyez que ça va leur plaire ?

– Vous savez, ce genre de tourisme n'est pas un tourisme de masse. Il faut présenter aux gens un produit attrayant, qui les fasse saliver. Mais ceux qui sont capables de suer six heures pour voir une dalle rocheuse ne sont pas légion.

– Donc, c'est faisable. Je veux dire, il y a suffisamment d'objectifs pour étoffer un guide ?

– Oui, malheureusement.

– Pourquoi malheureusement ? »

Elle a soupiré :

« Mettez-vous à ma place. J'ai un peu l'impression de livrer les clefs d'un paradis inconnu à des gens qui ne le méritent pas. Ce que j'ai mis des années à découvrir, par hasard, par chance ou par amitié, n'importe qui va pouvoir l'atteindre.

– C'est vrai. Pourquoi le feriez-vous ?

– Parce que je vous aime bien.

– Je vais finir par le croire.

– Ne soyez pas mufle.

– Excusez-moi. Comment allons-nous procéder?

– Il n'y a pas trente-six solutions. Je vais dresser une liste des balades. Je les indiquerai, sommairement, sur la Michelin qui n'est pas assez détaillée. Ensuite, je préciserai les tracés sur les cartes d'état-major correspondantes. Et enfin, il nous faudra faire toutes ces promenades à pied, signaler tous les repères et les centres d'intérêt. Ce sera un travail de longue haleine.

– Je vois. Combien de temps?

– Je dirais trois mois, pour commencer. Certaines randonnées ne sont pas possibles en hiver, ou alors extrêmement difficiles. Vous êtes à la merci d'une chute de neige. Vous pensez disposer du temps nécessaire?

– Oui. Ça m'arrange. Je veux rester ici, j'ai besoin d'une raison, et, à moyen terme, j'aurai besoin d'argent.

– L'argent vous ne l'obtiendrez pas tout de suite.

– Mais si, Madeleine, il suffit de présenter un projet cohérent. Les éditeurs adorent ça. Si votre bébé tient debout, vous pouvez demander une avance confortable.

– Je vous le souhaite. Ne vendez pas la peau de l'ours. »

Elle est allée remettre du bois.

« Dites-moi, j'ai de la belle braise. Ça vous dirait de déjeuner près du feu?

– Bien sûr.

– Je fais un saut chez le boucher. Vous m'accompagnez?

– Allons-y. »

L'éclat du jour m'a fait cligner les yeux. Nous avons encore parlé du futur guide. Le projet prenait tournure. Grâce à Madeleine. Sans elle, pas de miracles, il risquait fort de rester à l'état de rêve. Elle a pris des côtes d'agneau.

« La viande est excellente, par ici. Surtout le mouton. C'est l'avantage d'être un territoire pauvre. »

J'ai voulu payer, elle a refusé. La bouchère s'amusait de mon insistance :

« Il a pas tort, le monsieur, les cadeaux qu'on vous fait, ça finit toujours par vous revenir cher. »

En sortant, Madeleine m'a recommandé de ne plus me déplacer sans un carnet et un stylo.

« Pour quoi faire?

– Mais pour noter ce qui se présente, des réflexions dans ce genre, pourquoi pas? Avec quoi comptez-vous l'étoffer, votre guide? »

Quelque chose n'allait pas. Brusquement, j'ai trouvé :

« Ecoutez, Madeleine, ce n'est pas mon guide. Ce sera notre guide. Vous ne cessez pas de me fournir des idées. »

Nous étions arrivés dans sa cour. Elle s'est arrêtée, m'a fait face :

« Il n'en est pas question.

– Enfin, c'est ridicule. Puisque...

– Je ne signe rien, jamais, avec personne. C'est votre idée, ce sera votre guide. Je ne vous aide qu'à condition de ne pas être mentionnée.

– Je ne comprends pas.

– J'habite ce pays, Jean. Vous, vous repartirez. Moi, je reste. Quand il commencera à y avoir des papiers gras et des emballages de films sur les tracés des balades, je préfère ne pas être impliquée, vous saisissez?

– Bon. Mais on partage l'argent.

– Encore moins.

– Madeleine, vous me tuez. Où est le problème? »

Elle a secoué la tête, énergiquement.

« Je ne partage rien. Je prends, ou je laisse. Je ne veux d'histoires avec personne, et encore moins d'histoires d'argent.

– Vous venez de dire que vous m'aimez bien.

– Raison de plus.

– Je ne vous suis vraiment pas. Vous pensez quoi? Que l'argent, c'est sale? Ce n'est qu'un moyen d'échange. Si vous préférez, je peux vous donner autre chose. Parce qu'à ce compte-là, il n'y a pas de raisons que vous, vous me fassiez un cadeau. »

Le chat est venu flairer le sac. Il a envoyé un coup de griffe impérieux. Madeleine l'a repoussé :

« Du calme, Vévéo, tu auras ta part tout à l'heure. Où en étais-je? Commençons par rentrer. »

En un rien de temps, elle a étalé les braises, installé un gril, disposé les côtelettes. Une bonne odeur de viande grillée m'a fait saliver.

« Une salade de pois chiches, ça vous irait?

– Parfait.

– Prenez ça, en attendant. »

Elle m'a versé un grand verre de vin, d'un rouge sombre, assez rocailleux au goût.

« Je peux vous aider?

– Ne bougez pas. Vous ne savez pas où je range les couverts et le reste. »

Bien. J'ai jeté un coup d'œil sur la pièce. Tiens, la moitié des plantes avait disparu. Pas étonnant, pauvres bêtes, toujours dans le noir... En cinq minutes, c'était prêt. D'un coup, ça m'est revenu.

« Vous ne m'avez pas répondu, Madeleine.

– Il s'agissait de?

– De ce que je pourrais vous donner, puisque vous ne voulez pas d'argent... »

Elle a levé les bras, à moitié excédée, à moitié amusée.

« Mon pauvre Jean, je vous vois venir...

– Comment ça?

– Vous allez me proposer de me payer en nature. Vous autres mâles, vous êtes tous des obsédés. »

Le sujet revenait sur le tapis. Elle joue à quoi? Elle ne m'aura pas comme ça. Elle a rempli mon verre :

« Ne vous affolez pas, Jean. Je n'ai pas l'intention de vous détourner vers la carte du Tendre. »

Cette fois, elle se moquait de moi. Voulait-elle à toute force me pousser à entreprendre quelque chose? Je me posais trop de questions. C'était ridicule de ne pas bouger. Ce le serait davantage d'être repoussé.

Elle s'est levée, s'est penchée vers moi, m'a déposé un baiser léger sur les lèvres.

« Vous voyez, je ne mords pas. »

Elle m'a caressé les cheveux :

« Tu sens bon le vin. Détends-toi. »

J'ai fermé les yeux. Ses mains se glissaient sous mon pull.

Je ne m'étais pas trompée. Il avait bien sûr un projet, et c'est moi qui le lui ai mis en tête en lui faisant découvrir la région. J'aime mieux ça. Le voici occupé pour un moment. A présent, j'ai le pain et le couteau. Je vais l'aider, il peut y compter.

Le jour se lève. Vénar dort comme une souche au pied du lit, enfoui dans l'édredon. Il commence sa nuit près du feu, à fixer les braises. Quand le froid gagne la pièce, il vient me rejoindre. Un saut, il tourne un peu, s'installe, et c'est fini. Il reste sans bouger des heures. Il ne dort pas. Ses oreilles, au matin, suivent le bavardage des merles.

Je me suis inquiétée pour rien. Jean, c'est de la pâte à modeler. Il fait illusion par une certaine réserve, on peut croire que derrière ce mur se cache quelqu'un. Pas vraiment. C'est un timide indifférent, il suffit de le prendre en main. Il devait subir l'ascendant de Pierre. Le Héros avait de la personnalité pour deux.

Je l'avais prévenu que je passerais tôt. Pour midi, je prends quoi? Pain de seigle, fromage, beurre. J'ai fait rapidement une omelette à la tomate. Des abricots secs, un tube de lait concentré, eau minérale, bière. Ce n'est pas trop lourd? Non, ça ira. Un K-way en cas de malheur. Je n'oublie rien? Je ne crois pas. Ah! si, un

Thermos de café bouillant, et un petit flacon de blanche. De la poire.

Durant notre séance, hier, je n'en revenais pas. J'avais l'impression de jouer à la poupée.

Tout de même, quelque chose m'échappe...

Allons-y. Nanar, je te confie la maison. Tu as compris, sale bête? Pas la peine de faire ta mauvaise tête. Pour cette vie, c'est raté, tu es un chat, ce n'est déjà pas mal. La vie prochaine, tu seras peut-être un merle.

Tourne vire, il est huit heures. Tiens, l'oiseau dort encore. La porte-fenêtre du balcon est fermée. Ça m'a rappelé le matin où Pierre...

J'ai grimpé l'escalier, cogné deux coups. Il est venu m'ouvrir nu, s'est habillé en bredouillant je ne sais quoi, pas réveillé. Puis il a dit :

« Il n'est pas trop tard, Madeleine?

— Non, ne vous inquiétez pas. »

Il est venu m'embrasser, son pull à moitié passé.

« On ne pourrait pas se tutoyer une bonne fois?

— Jean, je vous l'ai déjà expliqué, les gens s'ennuient beaucoup, ici. Je ne tiens pas à alimenter la chronique locale.

— Quelle importance?

— Pour vous aucune. Vous allez partir. Pour moi, c'est différent, je tiens à vivre ici, vous le savez.

— Enfin, Madeleine, vous craignez quoi?

— Je suis une dame, on me respecte. Si le village a l'impression que je couche avec le premier étranger venu, je tombe dans le domaine public. N'importe quel ivrogne se croira autorisé à tenter sa chance. C'est clair?

— Parce qu'on se tutoierait?

— Ils ne sont pas fous. N'insistez pas.

— Je vous demande pardon. J'ai le temps de me faire un Nes?

— Finissez de vous préparer, je m'en occupe. Vous prenez quoi, avec?

– Un morceau de pain d'épice. »

Ce n'est pas la gloire, sa façon de s'alimenter. Le cagibi qu'il a transformé en cuisine, de l'autre côté du palier, embaumait le poisson pourri. J'ai découvert un sac poubelle plein de boîtes de maquereaux vides. Je l'ai pris pour le descendre. Je l'ai montré à Jean :

« Vous mangez ces saletés?

– Oui... Non... Je vais changer de régime.

– Pas malheureux.

– J'ai découvert les sardines à la tomate. »

Il m'a souri, avec l'air d'un gamin content de lui. Après tout, s'il rêve de se démolir l'estomac...

« Bon, vous êtes prêt?

– A vos ordres, cheftaine. »

Je n'ai rien dit. Si je commence à le bousculer, il va se mettre à bouder. Grattez l'homme, vous trouvez le gosse. J'ai jeté un coup d'œil sur sa tenue :

« Vous tenez à prendre votre blouson de cuir? Vous risquez de l'érafler.

– J'espère bien. Si je veux frimer boulevard Saint-Germain, j'ai intérêt.

– Vos Roots, vous avez vu? La semelle commence à se décoller. »

Il a examiné ses chaussures.

« Ben oui. Je suis déçu. Je pensais que c'était indestructible.

– Ce n'est pas forcément prévu pour les éboulis. Je connais un bon cordonnier à Digne.

– D'accord. Seulement mes godasses ne relèvent pas de son art.

– Ah! bon?

– Juré. Il faut les vulcaniser. Il n'y a qu'un seul endroit pour, à Paris.

– C'est commode.

– Pourquoi faire facile quand on peut se compliquer la vie? »

J'ai reconnu le style du Héros. Dès qu'il voyait quelqu'un marchander, il demandait : « Pourquoi

152

payer quelque chose dix francs quand on a la chance de pouvoir l'avoir à vingt? » En général, les gens n'appréciaient pas.

« Bon, Jean, allons-y. »

Je l'ai vu prendre un livre.

« Vous comptez lire en marchant?

– Pas forcément. C'est mon livre-fétiche, Madeleine. Je l'emporte toujours en expédition.

– Pour quoi faire?

– On ne sait jamais, on pourrait être bloqués par une rivière. Ou par une féroce tribu bas-alpine...

– C'est quoi, votre fétiche?

– Le *Journal* de Gide. Vous savez, le premier tome, le meilleur. Sa période Ouarzazate et mourir... »

Nous avons atteint Digne. J'ai emprunté le boulevard qui longe la Bléone. Jean s'est inquiété :

« Nous ne prenons pas le Gassendi?

– Ce n'est pas nécessaire.

– Dommage. Ce boulevard me plonge toujours dans une mélancolie d'une certaine qualité. »

Nous avons franchi la rivière sur un pont de poutrelles métalliques. Tiens, encore un lotissement. Dire que le paysage est sévère, ici, c'est verser dans la litote. Il est d'une ingratitude totale. Des collines de schistes gris ardoise, virant au noir dès que les premières gouttes de pluie, se succèdent. Quelques pins s'y accrochent. J'aime cette région, elle ne triche pas. Deux minutes plus tard, je me suis arrêtée sur le bas-côté.

« Descendez et regardez. »

J'ai pris le sac poubelle. La décharge se trouve à deux pas, un ravin à demi comblé par les camions d'immondices tassés au bull. Quelques lambeaux de plastique bleu jettent une note claire sur le gris gadoue. Des fumées se traînent sur les flancs de la chose. Tout contre, un campement de gitans. Jean a sursauté :

« Pas mal. Dommage que Pierre... »

La barbe avec Pierre.

« Retournez-vous. »

De l'autre côté, on avait fait sauter la colline pour permettre le passage de la route. De grandes dalles noires la bordaient, leur surface couverte d'ammonites énormes, en relief. Un filet de ferraille rouillé les protégeait à moitié.

« Ça alors... »

Je l'ai laissé regarder en silence. Il a pris son carnet, griffonné rapidement quelques notes :

« Vous dites que c'est la route de...

— Barles. Attendez. »

J'ai sorti la Michelin, je l'ai étalée sur le capot :

« Voilà, nous sommes ici. »

Il s'est penché, a regardé attentivement. De nouveau, il a contemplé la décharge, le campement, les fossiles.

Il était pâle. Devant les roulottes, quelques gosses jouaient. Ils se sont poursuivis, ont entrepris d'escalader le talus de déchets. Une femme, sortie de sa caravane, a jeté une bassine d'eau. Trois types discutaient, indifférents. Jean m'a surprise. Je ne m'attendais pas à le voir secoué de la sorte.

« Enfin ? Jean, vous devez en avoir vu d'autres ? »

Il a haussé les épaules.

« Bien sûr, la question n'est pas là.

— Ah ! bon ?

— Ici, ça ne devrait pas exister. Ce n'est pas la peine de... Vous ne comprenez pas ?

— Pas vraiment.

— Ailleurs, on le sait, c'est le tiers monde, c'est normal. On s'y attend. Pas ici.

— Qu'est-ce qui vous choque ?

— Vous le faites exprès, Madeleine ? On les a collés dans la décharge.

— Si vous voulez. On les a aussi collés dans un site de trente millions d'années.

154

« – L'un compense l'autre?

– Je n'ai pas dit ça. Ce sont des nomades. Les communes ne se battent pas pour les accueillir.

– Dites donc, vous n'avez pas peur des symboles, dans les Basses-Alpes.

– Mon petit Jean, des symboles, vous en avez partout, à la pelle.

– Le pire, c'est que vous avez raison. »

Il a fait un rapide croquis.

« Pierre serait devenu fou, Madeleine. Impossible de tout prendre sur un seul cliché. Ou alors, il faudrait un hélico. »

Nous avons continué à rouler. Le bleu du ciel accentuait encore la désolation suprême du décor.

Je me suis engagée à gauche, dans un chemin de terre raviné par les pluies. J'ai zigzagué entre des blocs. Ça cognait, dessous, mais ça passait. Jusqu'à une ancienne coulée, qui barrait la piste.

« Terminus, Jean, nous continuons à pied.

– Jusqu'où?

– Vous voyez ce village perché?

– Oui.

– Ce sera notre point de départ.

– Nous coupons à travers prés?

– Je ne vous le conseille pas. Il a plu. Le sol doit être mou. »

Décidément, il en voulait. Je lui en ai donné. Nous avons marché trois bonnes heures, dévalé des pentes abruptes, remonté des versants. Je me suis amusée de son ébahissement devant les collines jonchées de fossiles de clovisses, de moules et d'huîtres, au milieu des buis nains. Il a commencé à en remplir le sac. J'ai dû modérer son avidité, nous verrions au retour.

Nous avons pénétré dans une forêt de hêtres. Un tapis de feuilles rendait notre marche silencieuse. Nous remontions le cours d'un ruisseau. Encore un tournant. C'était là. Plantée dans le vallon, une dalle de pierre jaillissait, verticale, nette comme une lame.

Jean était saisi :

« Vous vous rendez compte, Madeleine, ce décor? On pourrait tourner un film sur la préhistoire. Il ne manque que les mammouths. Ce que c'est beau! Elle fait combien, cette dalle, cent mètres?

– Pas loin. »

Nous avons repris notre marche. Plus nous approchions, plus nous étions écrasés par le monument. Nous avons bivouaqué en face, au bord du ruisseau. Des choucas tournoyaient dans le ciel pâle et venaient s'abattre dans les creux de la falaise. J'ai déballé les provisions. Jean avait une faim de gosse. Il s'est jeté sur son sandwich à l'omelette. Au bout d'un moment, il m'a demandé, la bouche pleine.

« Comment se fait-il que cet endroit ne soit pas célèbre?

– Parce qu'il n'y a pas de voie d'accès. Il faut plus de six heures de marche, en tout.

– Je commence à comprendre votre point de vue, c'est dommage d'en parler. Vous imaginez? »

Il a étendu le bras :

« Là, un parking. Trois baraques frites-merguez, des transistors, un hôtel, des panneaux de pub... Je me demande s'il ne vaudrait pas mieux faire l'impasse. »

Il m'amusait.

« Je vois. Vous allez nous pondre un guide du Gassendi et de ses affluents? »

Il a ri.

« Non mais, franchement, je n'ai pas envie d'attirer les foules ici.

– Vous êtes seul juge. »

Il a bu son café, s'est étendu confortablement dans un creux baigné de soleil :

« Vous venez près de moi, Madeleine?

– Non.

– Comment ça?

– Je n'aime pas prendre des habitudes. »

Il s'est assis, m'a regardée d'un air perplexe :

« Je ne comprends pas. Vous jouez à quoi? A *Brève rencontre?*

– Je ne joue pas, Jean. Je n'apprécie pas les automatismes. »

En général, ces messieurs sont très sensibles dès que l'on touche, ou plutôt dès que l'on ne touche plus à leur petite bête. A croire que ce corps caverneux leur tient lieu de colonne vertébrale.

Il a remarqué :

– Il ne fallait pas commencer, dans ces conditions.

– Qui vous a dit que c'était un commencement? »

Il s'est allongé de nouveau, a fermé les yeux. C'était parti, il allait bouder. J'ai failli le houspiller. J'ai laissé tomber. Autant qu'il apprenne à vivre.

Dans un premier temps, c'est vrai, j'avais pensé à le consommer de façon suivie. Une fois pourvu, il ne penserait pas à s'attaquer à Claire... Sa prestation n'avait rien eu de bouleversant mais je ne m'en plaignais pas.

Ce qui m'a touchée, c'était sa gentillesse, cette façon qu'il a de vous caresser les yeux, le visage à l'infini, le corps aussi, après la bataille. Cette tendresse reconnaissante est plus dangereuse. Ça m'a donné à penser. Ce n'est pas quelqu'un qui prend son plaisir, mais qui cherche à en donner. Oui. Et ma Claire est bien belle...

Le Héros s'était mieux défendu. Je ne sais s'il avait deviné mon jeu, mais il s'était gardé de se laisser faire. Il ne tenait pas à perdre Claire. Il savait que l'on ne joue pas avec les rêves.

Ça m'amusait de voir comment allait réagir ce bêta de Jean. Je n'ai pas eu à attendre longtemps. Dix minutes plus tard, il s'est levé. Il m'a dit avec bonne humeur :

« Excusez-moi, Madeleine, je ne voulais pas vous importuner. Vous ne m'en voulez pas?

— Bien sûr que non. Si vous voulez, nous pouvons commencer à revenir sans nous presser. La nuit tombe vite. »

Déjà Noël... Je ne l'ai pas vu venir. Il me semble... Oh! il me semble que je commence à sortir d'un rêve entamé avec la mort de Pierre...

Il y a eu grève des Postes, je n'ai pas reçu ma ration habituelle de copies, du coup je me suis retrouvée inoccupée. J'aimerais faire quelque chose de mes mains, un travail physique, mais lequel? Au printemps, je pourrais demander à Moune de me laisser un carré de terrain. J'y planterais des capucines et des pois de senteur, des aubergines et des fraises. Ne pas être seulement une machine à distribuer des notes à des gens que je ne vois jamais. Sinon, ce n'est pas la peine de vivre à la campagne.

Les Arnaud ont tué le cochon voici trois jours. Je les ai aidés à le préparer. Moune sait tout faire. J'étais un peu écœurée par la bassine de sang, les boyaux, toute cette chair malaxée, découpée, son odeur face... C'est un travail énorme, transformer une carcasse en produits bien nets, bien propres, appétissants. Pour moi, le jeu n'en vaut pas la chandelle. Pour eux, oui. Cela doit leur donner une impression de puissance, j'imagine.

Je les admire. S'ils n'étaient pas là, je ne bougerais pas. J'ai horreur des fêtes, de leur caractère d'obligation, surtout. C'est comme un péage que l'on doit régler, à date fixe...

Assez rêvé. J'ai sorti ma belle jupe matelassée. C'est un jupon de grand-mère provençale. Je l'ai acheté dans une foire à la brocante, pour un prix excessif. Il me plaisait. Il est d'un gris tirant sur le mauve, et peut se porter avec n'importe quoi. Je mettrai mon pull rouille à col en V, et mon gilet de laine, tissé par Moune.

Je vais l'aider à préparer la table. Cet après-midi, j'ai couru dans la colline ramasser du houx. En revenant, j'en ai déposé un rameau sur la tombe de Pierre. Je n'y étais pas allée depuis deux jours. Il me semble qu'il s'éloigne. Avant, je ne pouvais penser qu'à ce coin de colline. Maintenant...

Je me sens lasse. J'ai envie de dormir, souvent. C'est l'hiver. J'aimerais me réveiller au printemps, comme les bêtes, dans une autre vie. Je n'arrive plus vraiment à vouloir quelque chose.

Naguère mon existence était simple. Je n'avais rien à désirer, il me suffisait d'attendre. J'étais installée dans l'attente, et puis Pierre est parti. Il m'a fallu faire semblant de continuer. Pour Madeleine. Pour ne pas déranger. Certains soirs, j'ai souhaité ne pas me réveiller. Je ne pouvais en parler à personne.

J'ai failli en parler à Jean. Il est passé me voir, mercredi dernier. Il marchait bizarrement, Madeleine lui avait fait faire une balade sévère, deux jours plus tôt. Sur le coup, ça allait. Le lendemain, ses jambes étaient comme tétanisées.

Nous nous sommes assis sur le madrier qui sert de banc, devant ma porte, pour prendre le soleil. Il m'a demandé, en plaisantant, si je n'avais pas peur de m'afficher. Au contraire, il le fallait. Je lui avais déjà parlé des recommandations de Madeleine, non ? Si. Il trouvait ça drôle. Il m'a dit :

« Votre amie, je ne la saisis pas bien, c'est quoi, comme genre de fille ? »

Je ne m'étais jamais posé la question. Tout ce que je sais, c'est qu'elle m'a prise par la main quand je suis arrivée ici. Que sans elle, ma vie n'aurait pas été facile. Je n'ai rien su répondre sur le moment. Madeleine... Je sais qu'elle m'aime beaucoup, je ne sais pas pourquoi. J'ai dit à Jean que je faisais toujours confiance. Si l'on voulait me tromper, c'était facile.

Il comprenait. Il était pareil. Ce qu'il comprenait moins bien, c'était la vie que j'avais menée jusqu'ici. Une vie de prisonnière volontaire. Si l'on veut. J'évite de me poser ce genre de question. Ce qui est fait est fait.

Jean a protesté. Avec cette attitude, je partais battue d'avance. Je risquais de recommencer indéfiniment les mêmes... Il voulait dire : les mêmes erreurs, il s'est arrêté à temps. Je lui ai demandé si une erreur qui vous rend heureuse ne vaut pas toutes les vérités?

Le père Carles est passé, avec son chien et ses trois chèvres. Frocoutas les a suivis; en ce moment, il joue au chien de berger. Le vieux Carles vit seul, il a une façon de me regarder, quand je suis habillée légèrement l'été, qui ne me plaît guère. Il nous a lancé :

« Alors, les amoureux? »

Jean a ri. Il a remarqué :

« Madeleine serait contente, non? »

J'avais un peu froid. Nous sommes rentrés.

Les questions de Jean me troublaient. A quoi bon les éluder? Je devais y réfléchir, mais pas maintenant.

C'est vrai, il serait temps de faire l'addition. J'avais peur. Je me sentais comme une bête qui vient de se poser sur quelque chose de creux, sans savoir si c'est un piège, si tout d'un coup le monde ne va pas s'enfoncer sous elle. Tant que je retenais mon souffle, ma vie gardait un sens.

Ce n'est pas vrai. Ma vie n'avait pas de sens. Mais Pierre?

Quelqu'un me secouait. C'était Jean. Il m'a dit :

« Ça vous prend souvent? Vous m'avez fait peur. »

J'avais perdu connaissance, glissé contre lui... Je ne m'étais rendu compte de rien. J'ai protesté. Pourquoi m'avait-il réveillé? Ma question l'a fait bondir :

« Mais, Claire, il faut vivre.

– Pourquoi?

– Parce que vous êtes vivante.

– Vivante pour qui?

– Pour moi. Je suis là, Claire. »

C'était un cri du cœur. C'est vrai, il était là. Je l'ai regardé. J'ai vu un garçon inquiet qui me tenait par les épaules. Inquiet à cause de moi. J'existais encore un peu... J'étais dans la vieille bergère de velours jaune, un cadeau de maman. Quand elle souhaite se débarrasser de quelque chose, elle me l'offre, vive l'amour... J'avais froid. J'ai eu envie très fort d'être serrée dans ses bras. La tête me tournait.

Il s'est dégagé, il est revenu avec une serviette trempée dans l'eau glacée, me l'a passée sur le visage, doucement. Une fraîcheur délicieuse m'a détendue. C'était comme si un nuage se déchirait, comme si le jour naissait. Pierre s'est assis sur le bras du fauteuil, a posé ma tête sur sa cuisse. Ce n'était pas Pierre, c'était Jean. Il allait partir bientôt. Il allait partir et je ne le reverrais plus...

Il m'a dit :

« Je suis là. Ne bougez pas, tout va bien.

– Non, vous allez partir. »

Il a ri :

« Madeleine ne vous a rien dit?

– Elle ne me parle jamais de vous.

– Tiens... J'ai décidé de faire un guide.

– Un guide?

– Un guide des Basses-Alpes, un livre qui indique les lieux à voir, les excursions à faire, tout ça...

– Mais ce n'est pas votre métier.

– C'est mon métier d'écrire. Pourquoi pas un guide? J'aimerais rester ici. »

J'avais tellement envie qu'il me dise : « Pour toi. »

Il l'a dit. Il l'a dit doucement, contre ma joue. J'ai senti la chaleur de son souffle. Je me suis mise à pleurer, à pleurer... Quelque chose venait de se rompre. Oh! mon dieu! pourvu qu'il ne parte pas! Mon dieu, je vous en prie, faites qu'il reste, ou laissez-moi partir avec lui! Mon dieu, vous n'allez pas me le prendre aussi...

Il a embrassé mes yeux, embrassé mes joues, mes larmes. Il m'a bercée doucement. J'étais bien.

Puis il a filé, chercher je ne sais quoi pour les Arnaud. Un peu plus tard, j'ai entendu frapper à la porte. C'était Moune. J'avais dû m'assoupir. Je suis allée ouvrir :

« Claire, enfin, je croyais que tu venais m'aider?

– J'arrive, Moune, je me prépare, j'en ai pour une seconde.

– Les autres sont déjà là. Tu connais Jo : s'il commence à leur servir à boire, ça ne va pas être triste... »

J'ai enfilé ma jupe, passé mon pull. Moune m'a fixée d'un œil critique :

« Enfin, Claire, tu ne vas pas sortir dans cet état. Tu as des yeux, on dirait, on dirait...

– Oui? Qu'est-ce qu'ils ont, mes yeux?

– Ils sont cernés jusqu'à l'âme. Qu'est-ce qui t'arrive? Tu as mal dormi?

– C'est plutôt le contraire, je n'arrête pas. »

Elle m'a maquillée. Elle m'a fait une tête, mais une tête... J'ai essayé de protester. Pour qui allait-on me prendre?

« Tais-toi, Claire, tu es très belle. Quand tu te décideras à le reconnaître, ce sera une bonne chose de faite. Regarde-toi. »

Je me suis regardée. J'ai vu une inconnue qui me

contemplait, une de ces blondes à l'air cruel comme on en voit dans les publicités des magazines.

« Moune, tu exagères, je ne vais jamais oser...

– Tais-toi et viens m'aider.

– Et mon chien?

– Ne t'inquiète pas pour lui, il n'a pas décollé de ma cuisine, figure-toi. »

L'air vif m'a saisie. Je me sentais revivre, je ne touchais plus terre. J'entendais des bouffées de musique, des voix chanter en chœur, un grand éclat de rire...

Moune a constaté :

« Tu vois? Il est temps qu'on arrive, sinon on ne les tient plus. »

Dans leur grande pièce, la cheminée ronflait. Il faisait chaud, très chaud. Au centre, deux portes étaient posées sur des tréteaux. Une odeur de châtaignes grillées flottait. La fumée des cigarettes brouillait la vue. Des acclamations ont salué notre entrée. Il y avait des tas de filles, toutes ces filles qui tournent après Jo. Je n'ai pas vu Jean. Denis m'a saluée, la guitare à bout de bras. Moune a protesté :

« Ecoute, Jo, si tu les bourres de châtaignes, ils ne mangeront plus rien. A quoi penses-tu? »

Il a bredouillé :

« Je ne les bourre pas, ils sont bien assez grands pour se bourrer tout seuls. »

Des verres de vin blanc circulaient. Quelqu'un m'a touché l'épaule. Je me suis retournée, le cœur battant... Jean? C'était Madeleine. Elle m'a souri :

« Je n'en crois pas mes yeux, Claire... Tu as cassé ton miroir?

– C'est Moune. J'ai eu beau protester, tu la connais...

– Ça te va très bien, ma chérie. »

Jean est apparu, avec une pile d'assiettes sur les bras, calées par le menton. En me voyant, il a fait semblant d'être foudroyé et de tout lâcher. Je suis allée

164

l'aider, tout le monde s'y est mis, la table a croulé sous une marée de cochonnaille, ils se sont jetés dessus.

Jo m'a interpellée :

« Tu vois, Claire, tu avais l'air de te demander pourquoi on se donnait tout ce mal.

– Je ne le ferai plus, Jo.

– J'espère bien. »

Quelle chaleur... Il y avait ce brouhaha, cette gaieté, Denis me remplissait mon verre, j'ai été emportée par le flot. C'est vrai, c'était la fête, ils étaient gentils. J'ai encore cherché Jean du regard, il aidait Moune à servir. Madeleine aussi. Des joints ont circulé entre les plats. Je ne sais trop qui a lancé je ne sais trop quoi, tout le monde s'est esclaffé. Quelqu'un a remarqué tout haut :

« Il y a longtemps qu'on n'a pas vu messieurs les gendarmes. »

C'était Denis. Moune lui a demandé :

« Pourquoi? Tu t'inquiètes?

– Non, mais d'un temps, on les voyait un peu trop. »

Puis il a dit :

« Oh! pardon... en me regardant. »

Moune lui a fait les gros yeux. Ils n'ont jamais rien compris. Rien. Pierre était mort, j'étais là, c'était bien. Cela ne changeait rien au passé. Le monde était en ordre.

Je n'ai rien dit. J'ai regardé Jean. Il parlait avec Madeleine. Il plaisantait, pas elle. Il me semble qu'elle ne l'aime pas. Elle n'aimait pas Pierre non plus. Elle n'aime pas les gens qui m'aiment, je ne sais pourquoi...

J'ai tourné la tête. Contre le mur du fond se trouve une vieille armoire à glace qui détonne dans cette pièce. C'est pour cela qu'elle y est. J'ai croisé le regard de Jean dans la glace. Il m'a souri.

De nouveau, une onde de chaleur m'a traversée. Comme lorsque je retrouvais Pierre après une de ses absences. Jean ne partira pas, lui. Il me l'a dit. Je ne lui demande pas de rester pour moi, je ne lui demande rien, il ne m'a rien promis. Je lui demande de ne pas mourir. Pierre n'aurait jamais dû me quitter.

J'ai bu. J'ai laissé une agréable torpeur m'envahir. Et puis ils ont décidé de danser. Il fallait ranger portes et tréteaux sous le hangar, pour débarrasser. J'en ai profité pour me sauver. La tête me tournait de trop de bruit après tant de silence. Dehors, l'air glacé m'a serrée dans son poing. J'ai regardé les étoiles. La lune se levait, derrière le Cousson. J'ai pensé à toutes ces nuits où mon regard y cherchait celui de... Mon dieu... Pierre n'avait jamais passé Noël ici. Il me semblait que c'était lui qui m'envoyait son ami. Je n'étais plus seule.

Je n'avais pas sommeil. Je suis allée enfiler un gros pull. J'ai passé par-dessus ma veste en peau de mouton, je suis partie. Je suis montée vers le cimetière. Ce n'était plus pareil. Pierre comprenait.

En bas, la fête continuait. Des rafales de rires éclataient dans le calme de la nuit. Du côté du bois, un oiseau nocturne a lancé son cri.

MADELEINE a raison, mon régime de base, ce n'est pas la gloire. Ce doit être difficile de manger de façon plus débile. Le botulisme me guette. Lorsque j'ai quelque chose à faire, du papier à noircir, j'avale n'importe quoi en deux minutes. Mais là, tout de même... Où est le problème? Il n'y en a pas. Je n'ai pas de temps à perdre à ces questions d'intendance... Simplement, il me faudrait un traiteur à deux pas, comme à Paris. Le lundi, choux farcis. Le mardi, choux-fleurs béchamel. Et le vendredi, brandade. L'extase...

Ici, j'ai le choix entre de la charcuterie qui tourne et du fromage qui sèche. Un bon ulcère, ça se mérite.

J'ai décidé de lancer un raid dans un quelconque Codec pour me constituer un stock de légumes en boîte. Ah! ne pas oublier le journal pour mon Viet-Cong, elle me l'a encore réclamé. C'est ça, les gens. Une fois, tu te montres sympa. Le lendemain, tu leur dois quelque chose.

Je me demande si c'est vraiment une bonne idée, ce guide. Avant, tu marchais pour le plaisir. Maintenant, tu vas en campagne avec une mentalité de presse-citron. Tu t'empoisonnes l'existence. C'est vrai. Il faudrait arriver à le faire par surprise. Honnêtement, qui a besoin d'un guide? Madeleine a raison, les Basses-Alpes, ça se mérite.

Tu ne négliges qu'un détail : l'argent. C'est vrai. Tu as vu ton dernier relevé de compte? Hélas! oui. Les banques sont sans vergogne. Elles devraient avoir honte d'envoyer de semblables platitudes.

Il te reste de quoi vivre trois mois. C'est pas si mal. Il n'a pas fallu autant à Napo pour aller de l'île d'Elbe au terminus.

Bròutilles. L'argent, Dieu y pourvoira. Ne te frappe pas. Si ton guide traîne la patte, dans un mois ou deux, tu donnes un coup de fil chez Blitz. Tu t'offres un reportage. Encore mieux : tu pousses Jo à lancer un Front de libération des Basses-Alpes. Ton reportage, tu te le fais sur place.

J'ai pris la 204. Il y a comme un cliquettement dans le moteur. Un cliquettement ou un martèlement? Un bruit, en tout cas. Quand j'accélère, le bruit augmente et la puissance diminue. Intéressant... Cette voiture est en train de se transformer en électrophone.

Tudieu, j'ai oublié les sucres pour le camarade Léon. Ce ne sera plus la peine, tu vois ce que je vois? Ce paillasson de fourrure, sur le bas-côté? Les chiens, ils m'ont écrasé Léon. Pauvre bête... Après tout, il a connu l'aventure.

Cette histoire m'a attristé. Léon, je l'aimais bien. Je jetterai un os en caoutchouc sur sa dépouille.

Seigneur, le Gassendi et ses papillons en ferraille... Chaque fois, j'éprouve un choc. Un jour de mistral, une de ces bestioles va dégringoler sur l'occiput d'un touriste. Digne défraiera la chronique. Titres de la presse : « LE PAPILLON MEURTRIER... » Jo m'a livré le fin mot sur la présence de ce lépidoptère blindé. Il existait à flanc de Cousson un papillon rarissimus. On venait le traquer du monde entier. La légende veut que les Allemands, toujours eux, pratiquaient la collecte avec filets et projecteurs de D.C.A.

Je me suis garé sur la place. « J'ai ouvert l'œil, sorti mon carnet. Tu vas noter quoi? Vêtu de casquettes et de canadiennes, le Bas-Alpin marche sobrement vers son destin. » Pas mal. « Sa Bas-Alpine le suit, enchâssée dans son caraco. » Quès aco, un caraco? Je ne sais plus, mais un guide sur les Basses-Alpes sans caraco est une fondue sans fromage.

J'ai envahi le Codec. J'ai pris des petits pois, des petits pois chiches, des petits poissons en briquettes rectangulaires et de la Vache-qui-rit... L'effort m'a épuisé. J'ai ajouté du pain d'épice et des biscottes, puis défilé devant le rayon boucherie. Seigneur, une bonne blanquette... Voilà pourquoi l'institution du mariage n'en finit pas de se survivre. Blanquette, ça ferait un joli prénom, pour une fillette...

Pourquoi raconter à Claire que tu restais? Parce que c'était vrai. J'étais sincère, sur le coup, j'avais très envie de la réconforter. Je ne veux pas qu'elle soit malheureuse. Soit. Mais as-tu l'intention de vivre avec elle, tout le cirque? Bien sûr que non. J'ai assez de mal à me tenir à flot. Alors, pourquoi? L'inspiration. Je te l'ai dit, je suis toujours sincère, dans l'instant.

Madeleine n'appréciera pas, si jamais elle est au courant. Pour le peu que j'en sais, Claire reste sa chasse gardée. Tu devrais t'intéresser à un guide du Zoulouland.

Ne dramatise pas. Il ne s'est rien passé. Madeleine n'est pas obligée d'être au courant. Bravo. Pour le Zoulouland, tu as un chapitre tout prêt : celui sur la politique de l'autruche.

Ne te frappe pas. Dans ces petites communautés, tout marche en circuit fermé, y compris les histoires érotico-sentimentales, pour rester poli. Intègre-toi dans le circuit sans faire de vagues.

Je n'en ai pas envie. Je ne sais pas encore qui est qui. Tu te retrouves dans des situations gênantes sans l'avoir cherché, et j'ai horreur de ça.

J'ai pris le journal régional. Il suffirait de changer la date, il pourrait resservir, c'est toujours pareil. A un détail près : la rubrique nécrologique.

Rien oublié? Non. J'ai eu envie de faire une promenade sur le Cours, mais... D'abord, il faisait froid. Mon blouson n'est pas adapté. Puis je me sens un corps étranger. Personne ne me salue, je ne suis pas chez moi.

A Paris, ce n'est pas pareil, je plonge dans la masse cruelle comme un mao dans l'eau. Un Parisien chez lui, c'est un étranger à part entière. Ici, je suis exclu.

J'ai regagné pensivement ma cliquetante berline. Ça a quelque chose à voir avec le féminin de Berlin? Sûr. Je me sentais moche. Jusqu'ici, c'était la joie, la griserie des sommets, les retrouvailles avec la Nature et tout. Et là, rien ne va plus. Pourquoi?

Tu le sais très bien : l'attitude de Madeleine. Elle te prend, elle te jette, c'est dur. On ne traite pas les gens comme ça, tout de même. Qui te dit que c'est fini? Elle te teste. Si tu es beau joueur, tu as tes chances. Ça ne m'intéresse pas vraiment.

J'ai quitté la route de Nice et profité de la descente pour accélérer. En plein virage, une voiture venait en face. Nos tôles ont trinqué légèrement, au passage. Juste un froissement. Je ne me suis pas arrêté pour si peu. Tu disais? Madeleine, c'était fini avant de commencer. J'ai envie de revoir Claire. Je sais que je ne peux rien lui apporter. Je ne peux que rêver de temps en temps.

Sois gentil, ne joue pas, fiche ton camp. Pourquoi? Je n'ai rien fait de mal... La solution, la seule, c'est de te tenir tranquille. Crampone-toi honnêtement à ton projet de guide.

J'ai pilé en face de chez le Viet-Cong. Elle voit tout. Elle est arrivée en trottinant. Je suis descendu à sa rencontre, lui porter son journal. Elle a paru contente. Une tentative de sourire a craquelé la surface de son masque ridé. Puis elle s'est frappé le front de la paume :

« J'ai pas les sous sur moi.

– Ça ne fait rien, madame du Viet-Cong.

– Je vais les chercher, puis... Attendez. »

J'ai fait signe que non, de la tête. Elle a paru calculer. Elle a dit :

« Je vous porterai de mes pommes de terre. Elles sont bonnes, vous verrez. »

Des pommes de terre? Ah! bouillies, en robe de chambre, avec un filet d'huile d'olive... J'ai manifesté ma satisfaction. J'ai crié :

« Et le bois? »

En même temps, je faisais le geste de scier, du bras droit. Elle a opiné :

« Du bois, il va m'en falloir. Je vous prépare la scie à côté du bûcher. Vous venez quand ça vous arrange. »

Cette brève visite m'a requinqué. L'homme ne vit pas que de fast food.

Zut. J'avais oublié de passer à la librairie, sur le Gassendi, me prendre quelques Poches. Ce qu'avait laissé Pierre, je n'accrochais pas vraiment, ou je connaissais déjà. Aucun problème, tu passes voir Mado. Elle te dépannera.

J'ai continué tout droit sur lou Clapas. La place fait toujours aussi décor pour pièce de Giraudoux. A une époque, je lisais du Giraudoux. C'est vrai. La vie est une mare insondable.

C'est étonnant, ce soleil. Madeleine était devant chez elle, en train d'étriller son chat avec une brosse en fer.

« Qu'est-ce que vous faites à ce pauvre animal?

– Ce pauvre animal colle des poils partout. »

J'ai eu envie de lui parler de Léon. Il n'y avait pas de quoi se vanter. Je n'ai rien dit.

« Madeleine, je n'ai plus rien à lire.

– Nous allons voir ça. Juste une minute. »

Elle a donné encore quelques vigoureux coups de brosse. Son monstre feulait sourdement. Il n'a pas l'air commode. Elle l'appelle comment, déjà. Nonoss? Ah!

non! Nanar. Et même, Vévéo-Nanar. On n'a pas idée. Pas étonnant qu'il soit furieux.

Nous sommes entrés. Le chat a préféré rester au soleil. Toujours ce feu dans la cheminée. Et toujours cette pénombre. J'ai remarqué :

« Vous n'avez pas l'air d'aimer la lumière?

— On y voit mieux sans éclairage artificiel. Je profite davantage du feu. Bon... Les livres... Suivez-moi. »

Elle a éclairé la loggia. Nous avons pris un petit escalier. Ça alors... Pas mal, le nid de l'oiseau. De la moquette. Un matelas, recouvert d'une couverture berbère. Une table, contre une petite fenêtre. Et des rayonnages de livres. De là-haut, la pièce prend des allures de grotte, éclairée par la lueur mouvante du feu. Beau décor pour un rapace nocturne...

Sur la table se trouvait une machine à écrire, avec une feuille encore engagée et une pile de feuillets. J'ai demandé :

« Vous écrivez, si je peux me permettre?

— Mon journal. »

Elle a retiré la feuille, l'a posée à l'envers sur les autres.

« Vous parlez de moi?

— Voyons, Jean, je ne parle que de choses importantes. »

Mado, la spécialiste des gencives... Ça m'a amusé. Après tout, les Basses-Alpes, c'est de la montagne à vaches.

Elle m'a indiqué les étagères :

« Servez-vous. »

J'ai regardé. C'était classé par genres. Des bouquins d'Histoire. De la Socio... De l'Ethno... Très peu de romans, ça ne m'étonnait pas. Tiens, la Correspondance de Flaubert, dans l'édition Conard. Elle aussi paraissait avoir un faible pour les Correspondances et les Journaux intimes.

« Vous avez une véritable mine. »

Et des polars, des rangées et des rangées de Série

172

noire. J'en ai repéré d'autres, à couverture rouge. Je ne connaissais pas cette série. Ils paraissaient neufs. J'en ai tiré un : *Neige morte*, Dan Wild. Dis donc... J'ai dit :

« Qu'est-ce que ça vaut ?

– Pas grand-chose. Honnêtement, si vous aimez les policiers, je vous conseille Patricia Highsmith. »

Elle m'en a déniché toute une brassée.

« Vous lisez l'anglais ?

– Oui.

– Essayez ça. »

Elle m'a tendu un livre épais : *Original sins*, Lizza Alther.

« C'est bon ?

– Oui, la qualité américaine. Attendez, je vais vous donner un sac en plastique. »

Elle a soulevé le couvercle d'une huche, sorti un sac, rangé soigneusement les bouquins.

« Merci, Madeleine, vous êtes une mère pour moi.

– Je n'y tiens pas. Vous ne devez pas en manquer. »

Touché...

« Vous n'êtes pas voyante, à temps perdu ?

– A temps complet. Et vous, Jean, ce guide ? »

J'ai menti. Enfin, j'ai anticipé :

« Je m'y suis mis. J'ai ébauché un plan. J'hésite encore. Je me demande si un classement des balades par thèmes ne serait pas supérieur à un classement purement géographique.

– A quels thèmes pensez-vous ?

– Oh ! la terre, l'eau, le clair, le sombre, la vie, la mort...

– Vous voulez parler d'oppositions ? A propos de mort, faites-moi penser à vous emmener au cimetière de Forcalquier.

– Qu'est-ce qu'il a de spécial ?

– Il est très beau. Vous vous promenez entre des

173

murailles de cyprès taillés. On y trouve les tombes de la famille Drummond.

– ?

– Mais si, l'affaire Dominici, voyons...

– Ça me dit vaguement quelque chose...

– Tenez, prenez ça. »

Elle m'a tendu un petit livre. J'ai regardé le titre : *Notes sur l'affaire Dominici*, Jean Giono. Elle a continué :

« Il y a aussi une inscription mystérieuse, à la mémoire des déportés en Nouvelle-Calédonie, après le coup d'Etat du 2 décembre. Vous savez que les Basses-Alpes se sont soulevées contre Louis-Napoléon ? Les insurgés ont pris Digne.

– Ben non.

– Ils ont même battu un régiment de l'armée régulière, aux Mées.

– Dites donc, il s'en passe, dans vos déserts. Je n'en ai jamais entendu parler.

– Les Républiques successives ont soigneusement expurgé ce fait d'armes de leurs livres d'Histoire.

– Alors, il y a vraiment de quoi faire. Vous êtes toujours disposée à m'aider ?

– Cette question... Bien sûr. C'est à vous de vous fixer un programme, et de me demander ce qu'il vous faut. Votre idée de classement par thèmes n'est pas bête. Cela peut permettre de parler des mêmes endroits sous des éclairages différents.

– C'est vrai.

– Je ne vous retiens pas, j'ai à faire. Repassez quand vous voulez. Vous lisez vite ?

– Ça dépend de ce que je fais. Ici, il me faudra bien deux ou trois polars par jour.

– Dans ce cas, vous pourriez vous abonner à la bibliothèque municipale. C'est à côté du musée, après la place.

– D'accord. Et merci pour tout. »

Elle m'a raccompagné jusqu'à la porte.

Je n'étais pas mécontent. Je m'étais tenu proprement. Je n'avais pas joué les petits garçons. La garce venait de me moucher salement, avec son Journal... Etonnant comme je ne me sens pas à la hauteur, avec elle. Qu'est-ce qu'elle a de spécial? Rien. Sinon qu'elle sait ce qu'elle veut. Qu'elle connaît tout. Qu'elle se domine parfaitement. Et que personne ne pèse lourd, en face d'elle. A part ça...

Je me suis demandé si ce n'était pas un effet d'optique. Elle n'était pas si formidable, après tout. Je m'en faisais une montagne. Près d'elle, je me sentais en porte à faux, j'avais envie de m'excuser de respirer. Ce n'est pas nouveau, la culpabilité, c'est mon sport préféré.

Il y a autre chose. Je n'arrive pas à la situer. J'ai l'impression d'être un pion dans une partie qui m'échappe. Allons, allons, là, tu es en plein roman. Contente-toi de ton guide.

Il faudrait que j'en parle à quelqu'un, de Mado. A qui? A Claire? Elle rêve, Claire, que veux-tu qu'elle te dise? Alors, à qui? Laisse faire, tu verras bien.

Je n'ai pas eu le courage de m'envoyer des petits pois en boîte, chiches ou pas. Je suis allé au troquet du Clapas, celui qui fait restaurant, à midi. Justement, comme plat du jour, il y avait une daube sublime. Et quelques vieux habitués, qui lançaient des grivoiseries d'époque à Mimi, la patronne.

Elle m'a gâté, Mimi. Nous étions jeudi. Je lui ai demandé si nous aurions l'aïoli, demain.

« Non, demain, j'ai pas envie, je fais des alouettes à la crème. L'aïoli, on l'a fait quand? Pas vendredi dernier. J'avais la bouillabaisse, on s'est régalés. »

Il restait encore le sapin de Noël garni, dans un angle, et des guirlandes dorées sur la glace. J'ai admiré le calendrier des pompiers, en somptueuse tenue à pantalons blancs et casques à plumets rouges. Et celui d'une entreprise d'outillage : une pauvre fille, outrageusement décolletée, jambes écartées, tenait maladroitement une hache. Ach, le pop'art...

J'ai expliqué à Mimi que c'était bien meilleur chez elle qu'à Digne. Elle en roucoulait d'émoi.

Si je déjeunais régulièrement, est-ce qu'elle me ferait un prix? Malheureux, tu vas être amené à courir les routes, pas question de t'abonner.

Au café, un vieux, un peu parti, m'a demandé si j'habitais par là, il lui semblait m'avoir déjà vu. J'ai dit :

« Oui, à la ferme, vous savez, après le dos-d'âne, sur la petite route.

— La ferme où il y avait des fois le Parisien?

— C'était mon ami.

— Soyez prudent... »

Il n'a rien ajouté. Les autres se sont tus. Mimi a débarrassé en faisant le plus de bouzin possible, comme pour noyer le poisson... Qu'est-ce que c'était encore que cette vanne? Rien, probablement. L'ennui... A force d'ennui, les gens se racontent des histoires. A force de temps, ils finissent par y croire. Tu n'auras qu'à ajouter ça dans ton guide. Au chapitre atmosphère...

Je n'en finis pas d'entasser mes prises, je ne sais plus trop ni ce que j'ai, ni comment j'ai bien pu le ranger. Ce n'est pas mon style. Ma chère, vous vous négligez. J'ai pris un cahier, passé une vieille blouse infâme, un foulard sur ma tête, et j'ai entrepris de recenser mes trésors.

J'ai eu du mal à ouvrir les vieux volets de bois. Ils auraient besoin d'une couche de peinture, et d'huile sur les gonds. Nous verrons au printemps. A moins que je n'embauche Jean? J'aime autant pas. Je ne veux pas le voir fouiner chez moi...

Nanar n'a pas raté l'occasion. Il a plongé sous un bahut, et ramené une jolie petite souris aux yeux tachés de sang. Fais voir, mon chat. Ce n'est pas du sang, c'est un lérot, avec son maquillage facial et sa queue terminée en touffe. Mettre des pièges? Le plus simple serait encore du blé empoisonné. Dommage, ces bêtes sont mignonnes mais elles ont la manie de se faire les dents sur tout ce qui se trouve à portée.

Tiens, j'avais oublié ce vaisselier. Où diable ai-je bien pu mettre la main dessus? Ah! oui, à Chaudon. La route est belle, par là, on passe en dessous de la Barre des Dourbes. Le vieux qui me l'a vendu me l'a laissé pour rien. Il lui tardait de se défaire de tout ce qui pouvait lui rappeler sa femme. C'est une belle pièce. Un jour, je me déciderai à faire expertiser le tout. Il faudrait aussi placer des barres de fer aux fenêtres. Je risque d'avoir des déménageurs bénévoles, un de ces quatre...

Décidément, il fait trop froid, je vais attraper la crève, si j'insiste. J'ai laissé les fenêtres ouvertes, pour renouveler l'air. Où est passé cet abruti de chat? Il n'aura qu'à sortir par la fenêtre.

Je me suis fait un café trés fort que j'ai bu brûlant. Ensuite, une bonne lampée de whisky, dans la tasse encore chaude. Je suis folle de m'exposer de cette façon... Que vais-je faire de tous ces meubles? Rien. Je n'ai envie ni de les vendre, ni de vivre au milieu. Disons que c'est ma tirelire...

Je suis bien bonne de me donner du mal pour Jean. Hier, ça m'a contrariée de devoir le conduire dans ma chambre. Il s'est intéressé à ce que j'écrivais. Le moyen de faire autrement? Je ne pouvais pas prétendre ne pas avoir de livres, il saurait par Claire que c'est faux. Non. Je dois continuer à jouer cartes sur table.

Le mal n'est pas grand. Il a vu une machine à écrire, et après?

Il me surprend. Pourquoi rester aussi longtemps? Est-ce qu'il traîne parce qu'il est perdu sans son Pierre? Ou à cause d'une raison cachée? Je le prends au premier degré, un individu sans grande envergure, qui se raccroche à la première branche venue.

Le cas échéant, c'est moi la branche. Attention, on ne doit jamais sous-estimer un adversaire. Ce n'en est pas un. Si. C'est un étranger qui n'a rien à faire ici, il suffirait de peu pour qu'il devienne un danger.

Ce qui m'inquiète, c'est la façon qu'avait Claire de le regarder, le soir de Noël. A croire qu'elle avait retrouvé son Héros. Il paraissait s'en moquer, il ne s'est pas occupé d'elle. Je ne m'y fie pas... Je crains qu'elle ne soit disponible pour un héros de rechange. Jean est taillé sur mesure pour remplir les bottes du cher disparu. C'était son ombre...

Je n'aime pas ce genre de situation où je ne sais trop que faire, crainte d'en faire trop. Ce n'est pas mon tempérament de rester les bras croisés.

Aujourd'hui, le programme? Je mets mes bottes et j'emmène Jean à la cueillette de l'oursin fossile, du côté de Forcalquier. De quoi lui faire un beau chapitre, quatre reines de France et d'ailleurs, pour un village grand comme une crèche. Et des communautés de gauchistes, des vrais, les spécialistes du fromage de chèvre à la fièvre de Malte et des objets en cuir repoussant... Il nous faudrait y aller un jour de marché, cela vaut le dérangement. Les villageois appellent leurs marginaux des Indiens. Ils cohabitent paisiblement.

Il n'est pas assez grand pour y aller tout seul? Le problème n'est pas là. Mieux vaut le garder sous la main et lui faciliter son travail au maximum. Il en aura vite assez, s'il a un peu de fierté.

Oui. Mais je crains qu'il ne s'intéresse à Claire. Il faudrait qu'il se trouve une autre fille. Ce que je suis bête. Et Françoise? Il passe devant chez elle quand il se rend à Digne. Allons voir. C'est mercredi, elle ne travaille pas.

La petite Datsun de Françoise était garée devant la villa, et ma belle amie occupée à brûler des papiers dans son bout de jardin. Je lui ai fait la bise. Elle avait des cendres plein son pull, et une tête effroyable.

« Tu joues à quoi, ma jolie? Tu règles tes comptes?

— C'est ça. Avec mon bric-à-brac sentimental.

— Tu as trouvé mieux? Tu fais place nette?

— Ne te moque pas de moi, je t'en prie. Le jour où je m'intéresserai encore à un homme, il fera chaud.

— Tu es seule?

— Oui, Maryvonne est allée voir son Jules.

— Elle a fini par s'en trouver un?

— Et un pas mal. Un Algérien, le beau type, tu verrais...

– Et si tu m'offrais quelque chose ?

– Excuse-moi, mais je suis furieuse, je n'ai pas ma tête à moi.

– Tu vas me raconter ça. »

Françoise a vidé dans le feu un carton à chaussures rempli de vieilles lettres, leur a jeté un dernier regard, nous sommes entrées dans son living.

« Tu veux quoi, Madeleine ? Porto ? Whisky ? Thé ?

– Un whisky. Tout à l'heure, j'ai recensé mes vieux meubles, j'ai froid jusqu'aux os. »

Elle m'a servi une copieuse rasade, et a bu une lampée à la bouteille. Puis elle s'est mise à pleurer, tranquillement. Des larmes coulaient sur son visage immobile. Allons bon... Je l'ai attirée, l'ai assise sur mes genoux.

« Du calme, mon bébé, ce n'est pas si grave. Détends-toi, on va en parler. »

Je lui ai tendu son verre, elle l'a descendu sans reprendre souffle.

« Eh bien... Si ton inspecteur te voyait...

– Je m'en moque, de mon inspecteur, je vais demander ma mutation.

– Ah ! bon ? Et pour où donc ?

– Pour Nice. Là, au moins, je rencontrerai des hommes.

– Aucun doute, mais de quel sexe ?

– Tant pis. Alors, des femmes.

– Ne raconte pas n'importe quoi ! Qu'est-ce qu'on t'a fait ?

– C'est ton espèce de Jean.

– Vraiment ? C'est un bourreau des cœurs ?

– Tu sais ce qu'il...

– Je parie qu'il ne t'a rien fait. »

Elle m'a repoussée :

« Pourquoi tu dis ça ? Il t'a raconté ?

– Bien sûr que non. Mais s'il s'était passé quelque chose, tu ne pleurerais pas, grosse bête.

180

– C'est vrai.

– Alors, tu te décides?

– Oh! pour ce qu'il y a à raconter... »

Jean lui avait plu. Elle l'avait trouvé intéressant. Au pays des aveugles... Elle s'était dit : pourquoi pas? Elle est fraîche, Françoise, de beaux yeux, de la vivacité. Potelée aussi, ce n'est pas pour déplaire à ces messieurs. Et entreprenante. Elle n'a pas attendu qu'il mène un siège à la Vauban. Elle l'a invitée au ciné-club.

« Qu'est-ce qu'on jouait?

– *Le rosier de madame Husson*. Ne ris pas. »

Après le film, elle l'invite à prendre un verre chez elle. Au cinéma, il ne s'était rien passé. Normal, quand on connaît l'ambiance du ciné-club, avec les profs, les élèves, et cette atmosphère de garderie pour attardés.

Ils n'avaient pris qu'une voiture, celle de Françoise. Ils se garent, ils descendent. Il attendait qu'elle ouvre la porte. Elle l'étreint, veut l'embrasser sur la bouche. Il laisse faire, ne se dégage pas, ne desserre pas les dents... Elle en frissonne encore :

« Tu ne peux pas savoir ce que je me sentais mal. Ça ne m'était jamais arrivé. J'étais morte de honte.

– Ne t'affole pas, mon petit. Tu n'es pas en cause. Tu es tombée sur un type perturbé. Il suivait son copain Pierre comme son ombre. Maintenant, ton Jean est perdu.

– Ce n'est pas mon Jean.

– D'accord. J'essaie de t'expliquer. Supposons que vous soyez tous sortis ensemble, avec Maryvonne et Pierre. Si Pierre s'était occupé de Maryvonne, Jean aurait mis les bouchées doubles avec toi.

– Tu crois?

– Mais oui. Ils fonctionnaient en équipe, pour ne pas dire en double commande.

– Comment sais-tu cela?

– Pierre logeait dans ma ferme. J'ai eu l'occasion de

le fréquenter, des années durant. Tu ne l'as jamais rencontré?

– Non. Tu sais bien que je viens d'être nommée dans ce trou. Ce Jean, tu le connais comment?

– Il est arrivé pour l'enterrement. Je croyais qu'il resterait deux ou trois jours, pas plus.

– Qu'est-ce qu'il fait de son temps?

– Un guide des Basses-Alpes.

– Lui? Il n'est pas d'ici.

– Raison de plus... Tu as lu le *Principe de Peter*?

– Non. Ça parle de quoi?

– Ça explique le fonctionnement des individus dans les collectivités hiérarchisées. Tu continues à grimper jusqu'à ce que tu aies atteint ton niveau maximum d'incompétence

– Répète-moi un peu ça?

– Si toi bon pour quelque chose, travail pas bon pour toi. Si toi mauvais-mauvais, c'est toi devenir chef.

– Dis donc, ce n'est pas si bête. J'en connais plus d'un à qui ça irait comme un gant.

– Eh oui, ma jolie, c'est le grand ressort de notre démocratie élective.

– Comment ça?

– Dans les monarchies absolues, tu es incompétent de naissance et de droit divin.

– Madeleine, tu ne changes pas. J'aimerais bien être comme toi.

– Allons, Françoise, voyons. Tu es jeune, tu es jolie, tu as perdu une bataille, mais tu n'as pas perdu grand-chose.

– Tu es gentille, pour une peau de vache. On reboit un petit coup? »

Elle nous a resservies, copieusement. J'ai levé mon verre :

« A tes amours.

– Ah! non. Je ne veux plus y penser. Toi, tu te débrouilles comment, avec les hommes?

182

– Je ne crache pas dessus, à l'occasion.

– Excuse-moi, je ne t'ai jamais vue avec personne.

– J'ai la discrétion du hérisson, mon trésor. J'ai horreur de m'afficher.

– Tu arrives à trouver, dans ce bled?

– Je ne cherche pas, je suis plutôt difficile. J'ai une règle très simple : Quand tu n'as pas ce que tu aimes, aime ce que tu as.

– Espèce de garce... Sauve-toi, je te déteste.

– A bientôt. Fais-moi signe... »

J'ai fait un saut jusqu'à Digne, acheter de la cire.

J'aime Digne. C'est une ville stable. Elle ne change pas. Les caractères y conservent une permanence à l'épreuve du temps. Sur ce corps sauvage, les greffes ne prennent pas. Les gens vous ont un air bonasse, ils sont lents, ils ne paraissent pas vraiment réveillés, mais ils possèdent un bon sens infaillible. Ils sont à l'image de leur terre. Elle est pauvre, elle ne fait pas de cadeaux. Eux non plus. Ils n'ont pas les moyens d'être généreux. Et quand bien même, ils n'en ont pas l'habitude. Ils ne rougissent pas d'être ce qu'ils sont. Ils ont cette qualité énorme : ils s'acceptent. Ils durent.

Je me sens en accord avec eux. Si j'avais pu apprendre à être plus dure plus tôt, je n'en serais pas là.

J'ai repensé à cette imbécile de Françoise. A-t-on idée de se jeter au cou d'un bonhomme de la sorte? Il faut que le mâle garde l'impression d'avoir réalisé une conquête, même si c'est dans la poche dès le départ. Sinon, quel intérêt?

En attendant, Jean occupe toujours le terrain.

Je suis revenue au Clapas, parfaitement mécontente. J'ai l'impression de me battre contre un édredon. Si j'avais un adversaire véritable, à la bonne heure, il saurait où il en est, ce qu'il veut, du même coup je serais fixée. Mais avec ce type en marshmallow, je ne sais à quel saint me vouer. Il laisse faire, il laisse aller, il est même prêt à se laisser aimer. Je ne peux me permettre de le lâcher. Il se débrouille très bien, sans le faire exprès. Il utilise à fond sa seule ressource : sa faiblesse. Il va falloir vider l'abcès.

Il veut du guide? Je vais lui en donner.

Il fait un froid à ne pas mettre un panzer dehors. C'est là que l'homme sage sirote son polar, les pieds sur son radiateur, le whisky à portée de sa main nubile. Fameux, Patricia Highsmith. Je viens d'en descendre trois avec jubilation. J'espère que Madeleine en a encore en réserve.

Une solide névrosée, Mado. J'aurais dû m'en douter. Ces gens qui vous ont des apparences solides, ce sont les pires. Leur calme masque souvent leur violence. C'est d'autant plus dangereux que tu ne te méfies pas. Plus quelqu'un passe inaperçu, plus tu peux te faire avoir. Prends Landru. C'était le bourgeois standard.

Tu entends le roucoulement de la 4L? J'ai ouvert avant que Madeleine ne frappe.

« Je vous dérange, Jean?

— Pas du tout. Je rêvassais.

— A quoi donc?

— A Landru. Vous prenez quelque chose?

— Ce n'est pas de refus. Préparez-vous, je vous enlève.

— Par ce froid? Vous êtes sans pitié.

— C'est le jour idéal pour aller au Poil.

— Quel Poil?

— C'est un lieu-dit. Passez-moi votre carte. Vous voyez la route de Nice? Bon, là, vous avez Chaudon-

185

Norante. En face, Majastres. Et entre les deux, regardez : commune du Poil.

– C'est un village?

– Juste une maison forestière. »

J'ai examiné la carte. En dessous du Poil, j'ai relevé d'autres noms : Saule-Mort, Soleil-Bœuf. J'ai demandé :

« On y va par où? Par Majastres?

– Non, nous prendrons le sentier qui part de Chaudon. Pas question que vous veniez avec vos Roots.

– Pourquoi?

– Parce qu'il y a de la neige. Je vous ai apporté des bottes. »

Elle m'a tendu un sac de plastique, avec des bottes en caoutchouc, vertes. Elles m'allaient.

« Ah! Madeleine, qu'est-ce que je deviendrais sans vous?

– Je préfère ne pas y penser. »

Nous avons pris la 4L. Il faisait aussi froid dans cette voiture que dehors :

« Et un guide de Tahiti, Madeleine, vous seriez preneur?

– Bien sûr. Dès que nous en aurons fini avec celui-ci. »

Toutes les crêtes, en tirant vers Nice, avaient leur sommet enneigé.

« Vous êtes sûre que nous pourrons passer?

– Nous pouvons toujours essayer. »

Nous avons traversé la cluse de Chabrières. C'est impressionnant, ce défilé. Il te faudra bien trois pages de description, si tu en parles. Avec des adjectifs et tout. J'ai entendu klaxonner. Derrière nous, une file de voitures s'impatientait.

« Cheftaine, pourquoi donc est-ce que ça s'appelle le Poil?

– Je n'en sais rien. »

Le Poil... Un nom pour communiqués militaires. Nous tiendrons au Poil... Vous n'aurez pas le Poil et la

Lorraine... Ces joyeusetés m'ont occupé un moment. Je les ai gardées pour moi. Madeleine n'a pas grande opinion de mon esprit. Ah! si c'était Pierre, ce Poil, nous en aurions tiré des merveilles! Par moments, il me manque. Déjà que la vie n'est pas drôle, si en plus on ne peut pas se marrer...

Nous avons dépassé Chaudon. Un kilomètre plus loin, la voiture s'est serrée sur le bas-côté. Coup de frein. Un mauvais sentier empierré plongeait dans un creux de vallée. J'ai interrogé :

« Et cette rivière?

– C'est l'Asse.

– La même qu'en descendant d'Entrevennes?

– Exactement. Elle décrit une courbe. Vous regarderez la carte.

– Nous en avons pour combien de temps?

– Cela dépend de l'état du terrain. Disons trois heures. »

Seigneur, pourquoi m'as-tu abandonné entre les serres de ce poulpe? Mon problème, c'est de n'être pas assez courageux pour me dégonfler devant cette faible femme. Avec un type, on n'a rien à prouver. C'est l'avantage de la virilité.

J'ai enfilé mes jeans dans mes demi-bottes, jeté d'un geste gracieux le sac sur mes épaules. J'ai dit :

« Allons-y, gay Puce...

– Pardon?

– C'étaient des héros de bandes dessinées, au bon vieux temps. Il y avait Zig, son ami Puce et le pingouin Alfred. Et Bicot, vous connaissez?

– Ne soyez pas raciste.

– Enfin, Madeleine. Il s'agissait d'une série d'albums à la gloire du jeune Bicot Bicotin. »

Je lui ai parlé de Suzy la grande sœur et du Club des Rantanplan. Il faut bien deviser, en marchant. Parce que le paysage, pardon... Nous avons eu droit à quelques sapins. Et à présent, c'est de la colline nue. Ça montait. Il faut être juste, ça descend aussi. Et c'est solidement enneigé. Plus nous avançons, plus la couche de neige s'épaissit. On ne voit aucune trace.

« Dites, Madeleine...

– Ne vous inquiétez pas, je connais le chemin. »

On devinait vaguement une ombre de talus. J'aime entendre le crissement de la neige... Tiens, des corbeaux. Ils vont toujours par couples. Ce serait bien si l'hiver il leur venait un plumage blanc. On ne verrait que leur bec noir. Imagine, tout un champ de becs noirs... L'idée m'a fait rire.

« Vous êtes bien joyeux ce matin, Jean.

– Je ne peux pas en dire autant de vous.

– J'aime le silence quand je marche, vous savez.

– Excusez-moi. J'essayais de maintenir le moral des troupes. »

Elle a raison. Ces vallonnements de neige, nos traces derrière, rien devant... Pas un poteau, pas une maison, le vide. C'était très beau. Ma pollution sonore ne s'imposait pas. C'est terrible, avec cette fille, je me sens toujours comme un gamin de dix ans. N'exagérons rien. Disons quatre.

La couche de neige s'épaississait. J'ai essayé de marcher dans les traces de Mado. Elle porte de chouettes souliers de marche. La neige commençait à s'infiltrer par le haut de mes bottes. Par les plis du jean. Elémentaire, tu l'extirpes. Cette fois, les bottes sont couvertes.

Deux heures que nous marchons. La lutte des classes se durcit, nous entrons dans une zone où la neige a gelé en surface. Parfait pour ma camarade, elle est assez légère. Mais moi, je brise la croûte glacée. A chaque pas, je m'enfonce dans un bon mètre de poudreuse. Ensuite, j'extrais un pied, en prenant appui sur l'autre. Qui s'enfonce à son tour. Je n'avance plus. La neige remonte à l'intérieur des jeans, ça y est, j'en ai plein les bottes. Et cette saloperie qui fond...

Le caoutchouc, pour préserver du froid, il y a mieux. L'effort m'a mis en sueur. Je suis trempé. En même temps, j'ai les pieds glacés. Je suis coincé. Ou alors, du deux à l'heure. C'est mal barré...

Madeleine m'a pris cent mètres. Je la hèle. Elle se retourne :

« Qu'est-ce qui se passe?

– Il se passe que je ne passe pas.

– Un peu de courage, ce n'est plus très loin... »

Elle me rejoint. Je lui explique le topo : la croûte, l'eau dans les bottes. Comme je me suis arrêté, je commence à geler. Ma sueur se glace. Je frissonne.

« Je fais demi-tour, il vaut mieux. J'aimerais revoir un clocher avant de mourir.

– Passez-moi le sac. »

Je le lui tends. Et zap, Thermos, café bouillant, un coup de rhum. Cinquante degrés dedans, moins six ou sept au-dehors, ça me laisse une température moyenne de... pas loin de trente... Ce n'est pas terrible.

« Vous n'allez pas vous dégonfler, Jean? Vous voyez cette crête? Le Poil est juste derrière. Nous trouverons du bois dans le refuge, vous pourrez faire sécher vos affaires. »

Amundsen fixa ses yeux rougis par le blizzard sur l'horizon perfide. A deux pas se trouvait le pôle Sud. Il touchait au but. La crête, pour la voir, je la vois. Mais une dune peut en cacher une autre. D'autre part, un feu, je n'ai rien contre. Serre les dents, tu seras un homme.

Madeleine jette un coup d'œil circulaire. Elle trouve une vieille branche, me la tend.

« Prenez-ça. Laissez-moi le sac. »

C'est plus facile, avec une canne. Le sommet n'est plus très loin. J'entends le joyeux clapotis de mes moignons glacés au fond de mes bottes. Il me faudrait deux bras par pied, plus un pour la branche, et un pour brandir un point vengeur vers le ciel. Ce serait parfait. Plus un pour essuyer mon nez qui fuit.

Madeleine fonce sur la couche durcie comme une mouche sur une meringue. Ah! si j'avais dix kilos de moins... C'est juré, en rentrant, le régime. Plus de maquereau dans le vin blanc, promis. J'ai mis je ne sais combien de temps à me hisser jusqu'au but. En face, une combe. Et une baraque à flanc de coteau. Elle me l'indique :

« Le refuge.

– C'est ça, votre Poil?

– Oui. »

Au point où j'en suis... Je dévale au ralenti. Je me sens lourd, je me sens léger, je me sens glacé, je ne me sens plus. Madeleine vole. Quand j'arrive, je trouve la porte ouverte, et un feu dans la cheminée. Elle est en train d'y jeter des branches de pin, entassées dans un coin.

« Entrez vite, fermez la porte. Approchez-vous. »

Elle m'installe sur un tabouret, retire mes bottes, mes chaussettes. Mes pieds sont morts. Je les approche des flammes.

« Doucement, vous allez vous brûler. »

Elle va ouvrir un placard, prend une couverture, m'enveloppe dedans. J'approche encore mon tabouret de la flambée. La chaleur m'engourdit. Elle revient avec une casserole pleine de neige, la pose sur un trépied, dans le foyer.

« Il y a des sachets de soupe. Qu'est-ce que vous préférez, poulet-vermicelles ou légumes?

– Légumes, merci. »

Au bout d'un moment, elle annonce :

« C'est prêt. Enfilez ça. »

Elle me tend d'épaisses chaussettes en grosse laine.

« D'où ça sort?

– J'en prends toujours une paire de rechange. »

Cette fille me tue... Dieu juste, que c'est bon, une bonne soupe chaude. J'en pleurerais. Elle a fait réchauffer du corned-beef dans une gamelle. Ensuite, un morceau de gruyère. Je commence à être d'attaque. J'ai eu l'impression que c'était tangent. Seul, je...

Seul, tu rien du tout. Tu ne connaissais pas ce coin

de paradis. Mon moral remonte. Tout ça, c'est la faute de ces bottes stupides. Sans elles, tu aurais vu... J'ai un doute...

« Vous saviez qu'il y aurait du bois, Madeleine?

– Bien sûr que non.

– Il n'aurait pas mieux valu retourner?

– Nous étions partis pour faire le Poil. S'il n'y avait pas eu de bois, j'aurais brûlé autre chose, la porte du placard, les étagères...

– Qui est-ce qui entretient cet endroit?

– Un garde passe de temps en temps. Vous arriverez à repartir?

– Vous plaisantez !

– Dans ce cas, mieux vaut ne pas s'attarder, la nuit tombe tôt.

– Dommage, j'aime bien ce coin.

– Rechaussez-vous, je lave la vaisselle. »

Etonnant l'air concentré qu'elle prend pour accomplir la moindre chose. Je lui lance :

« Tu es un chic type, Madeleine. »

Elle éclate de rire :

« Encore une belle déclaration de macho, Jean.

– Vous êtes quand même un chic type.

– Pourquoi donc?

– Parce que à un moment, vous étiez méfiante. Après tout, vous ne me connaissiez pas.

– Je ne vous connais toujours pas. Il vaudrait mieux éteindre le feu avant de partir.

– Vous avez bien une minute? »

Elle me regarde, l'air amusé :

« Quelque chose vous préoccupe, Jean?

– Vous venez de dire que vous ne me connaissez pas. Je ne suis pas d'accord. Vous me prenez pour un gamin, je le sens bien. En tout cas, vous me traitez comme si j'en étais un. C'est moi qui ne vous connais pas. Pourquoi vous occupez-vous de moi? Je ne suis rien pour vous. Par moments, je me demande ce qui se cache derrière votre sympathie agissante. »

Elle s'assied, pousse un petit sifflement admiratif :

« Bravo, Jean. Je ne me savais pas au centre de vos préoccupations. Je m'occupe de vous, comme vous dites, parce que j'ai du temps, et que vous me faites l'effet d'être un gentil garçon. J'ai la manie d'aider les gens, on ne se refait pas. Si cela vous tracasse, je vous laisse vous débrouiller tout seul. »

Maman, j'ai encore gaffé.

« Excusez-moi, ce n'est pas ce que je voulais dire... »

Elle insiste :

« Décidez-vous. Je n'ai pas l'ambition de vous harceler.

— Disons que je suis un peu déçu. Si je vous comprends bien, vous vous occupez de moi parce que je suis là, sans plus. N'importe quel peigne-cul ferait l'affaire. Je suis peut-être prétentieux, mais j'aurais préféré un traitement de faveur. »

Elle tend le bras, me prend la main :

« Mon petit Jean, vous exagérez. Vous ne vous imaginez pas que je passe mon temps à piloter le premier chien coiffé venu? Je ne vous considère pas comme n'importe qui.

— Admettons. Mais avec les autres, je suis à l'aise, je plaisante, je fais mon numéro.

— Et alors?

— Avec vous, c'est différent, je rapetisse. Je deviens stupide. Ce que je dis me revient dans les gencives. Attendez... Vous me jugez comme une mère sévère.

— Vous vous sentez en faute?

— Exactement.

— Mon dieu, Jean... Votre cinéma, c'est dans votre tête que ça se passe. Vous avez dû avoir, comme tout un chacun, de gros méchants problèmes avec votre petite maman. De temps en temps, vous les ressortez de la naphtaline et vous les collez sur le dos de la première femme venue qui peut tenir un rôle de mère, que ça lui plaise ou non...

– Vous croyez que c'est si simple?

– Je n'ai rien à croire. Réveillez-vous. Si je voulais jouer à la maman, je ne m'adresserais pas à vous. Un bébé de quarante ans, ça ne me tente pas.

– Vous connaissez mon âge?

– Bien sûr que non. J'imagine. Vous vous figurez que vous paraissez moins?

– Vous devenez agressive, Madeleine.

– C'est ce que vous cherchez, non? Vous souhaitez que maman soit méchante? Je n'ai pas envie de jouer à ce jeu-là.

– Ni à un autre.

– Vous êtes trop drôle. Vous allez me faire pleurer de joie. Vous me ressortez ce bon vieux scénario, la maman ou la putain. Il n'est donc pas possible d'être copain avec une femme, sans être son petit bébé chéri ou son amant? Vous manquez d'imagination.

– D'imagination, je ne sais pas. De tendresse, sûrement. »

Elle soupire :

« Je ne suis pas un distributeur automatique. Désolée. Il y a des fentes, pour ça. Et vous, est-ce que vous tenez compte de mes besoins? Je vais vous les dire, ne prenez pas la peine de me les demander. J'ai besoin avant tout que l'on me respecte, vous saisissez? Je n'ai rien à subir, de personne, jamais. Tenez-vous le pour dit. »

J'étais atterré. Qu'est-ce qui se passait? Je ne suivais plus. J'ai senti sa main sur mon épaule :

« Jean, vous n'avez pas tort, je suis agressive. J'ai mes raisons. Si vous voulez, nous éviterons ce genre de sujet. Vous auriez du mal à le caser dans votre guide. »

Elle s'est mise à me pétrir la nuque. J'aurais voulu qu'elle continue. Ne plus penser. Ne plus lutter. Je suis fatigué...

Brusquement, elle me lâche, se met à jeter des cendres sur les braises.

« Il est temps de filer. Inutile de faire du vol de nuit.

— Il n'y aura qu'à suivre nos traces.

— Vous croyez? »

Elle me fait signe de regarder par la fenêtre. La neige tombait. Lourde. Calme. Devant ce vide clair, dans cette pièce à présent sombre, j'ai basculé. Je me suis retrouvé dans ce perchoir qui lui tient lieu de chambre. J'ai senti très fort qu'elle me haïssait... Ou alors, c'est que je suis fou. Il était temps que je rentre en courant à Paris. J'aurais donné n'importe quoi pour retrouver la sécurité de mon studio. En ce moment, j'écouterais un vieil Armstrong. Ah! *Saint-James infirmary*... Puis je téléphonerais à Pierre, pour...

Je me suis secoué. La neige ne me réussit pas. Pourquoi veux-tu que Madeleine te haïsse? Tu ne mérites ni cet excès d'honneur... La malheureuse fait tout ce qu'elle peut, et davantage, pour te faire plaisir. A un détail près, personne n'est parfait. Si tu te mets à avoir des visions...

J'ai bourré mes bottes de papier. Une fois enfilées, j'ai serré le haut avec une ficelle. Madeleine m'observait :

« Vous commencez à donner dans le genre moujik.

— Ça tombe bien, la Sibérie nous attend. »

Elle a ouvert la porte. Un mince croissant de lune se dessinait en filigrane sur le ciel pâle.

Le matin, une torpeur m'envahit. Pour un peu, je ne me lèverais pas, comme si une part de moi se refusait à continuer. Je suis obligée de mettre le réveil. Frocoutas est bien dressé, il ne se permettrait pas de me tirer du lit. Je vais me débarrasser de ce chien, je n'ai plus assez d'énergie pour m'en occuper, et je ne veux pas qu'il pâtisse de mon état.

J'ai de plus en plus de mal avec mes copies, je ne peux plus me concentrer. Je mets davantage de rouge dans les marges, je relève les notes. Jusqu'ici, personne ne s'en est plaint.

Nous avons eu de la neige, elle n'a pas tenu. Il en reste assez pour border la lisière des champs, à l'ombre des haies. Avant, j'aimais marcher par ce beau temps froid. Il me semble que cela remonte très loin, mais non... Nous sommes début février, Pierre est parti depuis trois mois. Trois mois, six mois, où est la différence? Je me sens vide, sèche. Si je dormais très longtemps, je finirais par me réveiller, pour quoi, pour qui?

Autrefois, je trouvais terrible de ne penser à rien. Je m'y suis faite. C'est comme une anesthésie qui n'en finit pas. Je ne suis pas diminuée, je ne fonctionne plus, c'est tout.

Je fais attention à l'avertissement de Madeleine. On me voit, dans le village. J'y traîne volontiers. Je suis prête à débiter n'importe quelles platitudes sur le temps de saison. Les gens me trouvent très bien, plutôt mieux, même. Je ne suis ni fière ni triste. Je ris volontiers. Je n'ai jamais été aussi sociable.

Je ne suis pas retournée au cimetière. Pierre s'éloigne. Je n'essaie pas de le retenir, je ne le chasse pas. Il reviendra s'il le désire.

J'entends cette voix qui me dit : « Mais alors, pourquoi? Pourquoi as-tu vécu? » Je la laisse dire. J'ai trop décidé ma vie. Trop voulu, trop attendu que le monde s'organise autour de mon souhait. Il ne faut rien espérer. Inutile d'attendre. Arrive ce qui doit arriver...

Madeleine le comprend. Je la vois peu. Je peux passer chez elle, elle ne s'impose pas. Je lui en sais gré. C'est l'hiver. Au printemps, je vais me mettre à revivre. Quelqu'un écrasera mes pousses sous ses semelles. Non, il ne passe jamais personne.

Si, tout de même, j'ai eu droit à une offensive précoce de Christian. Ce garçon est touchant de simplicité. Il raisonne en termes de maladie et de remèdes. Je suis malade, c'est lui la panacée.

Il n'est pas venu me relancer à domicile, Dieu garde. Je m'étais rendue à Digne, en vélo. J'avais retardé l'échéance le plus possible. Il me fallait du papier, des feutres, des collants de laine, de la pâtée pour chien, des Tampax. En sortant de la pharmacie, je suis tombée nez à nez avec mon soupirant. J'ai laissé faire. Je savais que nous irions au Grand Café, que nous nous installerions à une table du fond, que nous commanderions deux Guiness pression, et une soucoupe de cacahuètes. Je savais aussi qu'il me prendrait la main. Je l'ai retirée, pas trop vite pour ne pas le vexer. Je savais ce qu'il me dirait, et en quels termes. Ça n'a pas raté. C'est pour cela que vivre avec lui ne m'intéressera jamais.

J'ai écouté, pour voir s'il respectait le scénario. Hélas! oui. Il pourrait écrire des feuilletons pour la *Veillée des chaumières*... Il a d'abord protesté de son attachement, de sa sincérité, de la profondeur du sentiment qu'il me porte.

La profondeur... J'ai pensé à une scène de Pagnol, quand César reçoit une lettre de Marius, embarqué sur je ne sais plus quel navire, où il doit mesurer le fond de l'océan. César lui répond : « Laisse un peu mesurer les autres. » J'ai vu de graves messieurs occupés à sonder les profondeurs d'un abîme qui serait mon cœur, je me suis retenue pour ne pas rire.

Ce garçon éprouve des sentiments sérieux. Je devrais en être flattée, je n'en ai pas envie. Il s'adresse à une image. Je n'ai rien à voir avec.

Je le connais. Il voudrait me placer sous sa protection, entretenir avec moi un systèmes d'échanges où je serais sa débitrice. Pas question. L'époque des protectorats est révolue. Qu'il épouse ma photo, s'il veut.

Il continue son match contre Pierre. Il trouve fou de s'attacher à un disparu. Soit, je suis folle. Mais pas au point de me marier avec un éteignoir.

Quelle idée aussi d'avoir couché avec lui... Il ne m'a pas marquée au fer rouge, mais il se croit un certain droit sur moi. Il possède une option. Pour moi, ce n'était rien, pour lui, c'est la première marche d'un escalier.

J'ai grignoté les cacahuètes et commandé une autre bière. Rien ne pressait. Christian ne m'épargnerait aucun paragraphe. Il poserait son discours devant moi dans toute sa majesté.

Nous pourrions prendre date. Chaque année, à la même époque, il me déviderait une nouvelle déclaration. Je n'ai rien contre, les distractions ne sont pas si nombreuses, à Digne. Hélas! le temps jouait contre notre idylle.

« Claire, il faut que tu te décides, parce que... »

J'ai dressé l'oreille. Parce qu'il allait me priver de

cacahuètes? Tout de même pas. Non, c'est qu'il ne peut attendre davantage. Il souhaite fonder une famille, il lui faut des enfants. Ah! bon? Oui, son vieux monsieur de père aimerait faire sauter sur son arthrite la chair de sa chair...

J'ai été prise de court. Je respecte les vieux messieurs, mais je ne vais pas me transformer en poulinière pour raviver leur précaire immortalité. Ce culot... Où sont les fiançailles d'antan? Un jeune homme alors savait vous attendre. Dix ans, douze s'il le fallait. Les traditions s'en vont. Je suis la dernière fiancée romantique.

« Comment s'appelle ton père, Christian?

– Philippe. »

Parfait. J'allais mettre des jumelles en chantier, nous les baptiserions Philippine. J'ai ri. Il a sursauté :

« Que t'arrive-t-il, Claire?

– Tu me prends pour qui? »

Un coup de colère m'a empoignée. De quel droit venait-il m'insulter? Je ne suis pas une pondeuse. Et un poupon pour papi. La poupée gonflable, vraiment. J'ai eu envie de casser quelque chose. Il m'a dit :

« Tu préfères l'autre? »

Je suis restée bête.

« Quel autre?

– L'autre artiste. Ton journaliste? »

J'aurais dû m'y attendre, ce n'était pas vraiment la surprise du chef. Pourtant si, il m'a eue. J'ai vraiment ri. Merci, mon ami, grand merci. Tu me fais revivre. Tu ne peux pas savoir le bien que cela procure, de pouvoir rire. Le barman a levé un sourcil surpris. J'en ai profité pour redemander une Guiness. Autant enterrer la vie de garçon de Christian.

Il semblait furieux, le pauvre. Il devait se retenir pour ne pas me gifler, j'imagine. C'est qu'il insistait. Il a dit :

« Alors?

– Christian, le monsieur auquel vous faites allusion

198

n'est pas mon journaliste. Tu t'imagines quoi? que tout le monde est en mal de mariage? Il n'est pas venu ici pour me regarder, figure-toi.

– En tout cas, il regarde Françoise. »

Un coup bas, parfait. J'adore l'élégance.

« Que veux-tu que cela me fasse? Si cela t'ennuie, offre-lui donc un tchador. »

Il s'est levé. De haut en bas, il m'a lâché :

« Nous n'avons plus rien à nous dire. »

J'ai eu peur qu'il ne s'agisse d'un exorde. Il a été grandiose, il s'est tu. Il est parti. Adieu Christian, doux oiseau de jeunesse... J'ai fermé les yeux. Je l'ai imaginé, en train de remonter le Gassendi, suivi d'une nichée de petits Christian à la queue leu leu, comme un mère cane avec ses canetons. J'ai encore ri. J'étais folle de refuser ce garçon, personne ne m'avait amusée à ce point.

Toute cette bière... J'ai fait un saut aux toilettes. J'y ai trouvé des graffitis, rien de neuf, le genre évolue peu. Un mâle laissait entendre qu'il était disponible à toute heure. J'ai sorti mon feutre, j'ai ajouté, en dessous, le numéro de téléphone de mon bel astre en fuite. Le Grand Café est achalandé en minettes d'âges variés. Peut-être trouverait-il chaussures à son pied...

J'ai regagné ma table. Je me sentais mieux. Il faudrait que je sorte davantage. Ou alors, la Guiness me réussit. La Guiness et le burlesque.

Je raconterai cette histoire à Madeleine. Quelle folie... Pourtant, je voudrais bien un bébé, un bébé à moi, qui se contenterait d'avoir besoin de moi. Pas un moyen de chantage. J'ai vu Christian en nourrisson, c'est reparti... Arrête de rire, le garçon va croire que tu es soûle.

Pauvres de nous, je ne lui en veux pas. Ce ne doit pas être si facile d'être un homme, d'imaginer que tout le monde attend quelque chose de vous.

Pourquoi cet idiot m'a-t-il parlé de Jean? Il ne nous

a jamais vus ensemble... Je ne fais rien, je ne vis rien, je suis sage comme un mur des lamentations.

Christian a touché juste, sans le vouloir. Jean m'intéresse, c'est vrai. Il est tout ce qui me reste de Pierre. Ce n'est pas seulement pour cette raison. Je le trouve différent. Il est passé me voir, avant-hier. Il m'a raconté son équipée du Poil. C'était drôle, on aurait cru qu'il revenait d'une expédition dans le Grand Nord. Il me parle. Il ne me harcèle pas. Il s'inquiète de moi, sans me jeter sa sollicitude dans les jambes. Il n'essaie pas de s'imposer.

Et puis, ce fameux guide... Il a l'air d'y croire sans y croire. L'idée lui semble séduisante, la réalisation, c'est une autre affaire. Je lui ai proposé de faire un anti-guide. Nous en avons débattu. Les gens se jetteraient dessus pour voir les raisons de NE PAS aller dans les Basses-Alpes. Jean s'est lancé dans une série d'improvisations farfelues. Il a conclu :

« Ah! Claire, le monde ne s'imagine pas le mal que l'on se donne pour lui... »

J'ai eu envie qu'il soit là, contre moi, sur cette banquette. Seulement là. Qu'il tienne ma main. Qu'il joue avec mes doigts...

Je suis folle. Il est gentil parce que j'étais l'amie de son ami. Il m'aime bien, comme il aimerait bien n'importe qui, dans les mêmes conditions. Tu as entendu Christian? Françoise l'intéresse. Je le comprends, c'est une fille vivante. Ne rêve pas. Essaie de marcher debout toute seule.

J'ai quitté le café, plus qu'à demi soûle. Je n'ai pas l'habitude de boire autant. J'ai cherché mon vélo, impossible de le retrouver. Voyons, du calme. Ce vélo, je le range toujours au même endroit, au parking, contre un poteau, avec un antivol. On ne vole pas les vélos, à Digne. Le crime organisé n'y a pas encore atteint ce stade.

J'ai mieux regardé. Je m'étais trompée de poteau. J'ai retrouvé mon antivol cisaillé. Ça alors... Le même jour, mon fiancé m'abandonne, notre dynastie s'éteint avant d'avoir jeté ses premiers feux, mon vélo me quitte... C'était un signe. Le monde se remettait en marche. Il ne me restait qu'à en faire autant. Je me suis dirigée vers un nouveau destin. Pédestre, mais destin tout de même.

Je voulais annoncer la bonne nouvelle à Jean. J'ai pris la route d'un pas vif. Une DS s'est arrêtée à ma hauteur :

« Vous voulez que je vous dépose quelque part? »

C'était une voix grasse, une voix de représentant. Elle évoquait de trop nombreux déjeuners trop arrosés. Je n'ai rien répondu. Il ne faut jamais répondre. J'ai vu la suite, moi dans la voiture, la main du type sur ma cuisse. La mienne sur son mufle. Il a roulé un moment à mes côtés. Puis il a lâché :

« En plus, t'es moche! »

Avec quelques précisions.

Il s'est éloigné en accélérant rageusement. Encore une idylle qui tournait court. J'ai traversé la route. Mieux valait marcher sur la gauche.

Pas question de laisser ce pauvre Viet-Cong claquer de froid, au cœur de ce cruel hiver, tueur de pauvres gens, comme nous le serinait une de nos récitations.

J'aimais bien les récitations. Elles débordaient de fleurs, de vagabonds, de marchés et de bons sentiments.

Son bois, ce sont des branches de chêne déjà débitées en tronçons d'1,50 m. Je les scie. Ah! L'odeur de la sciure, on en mangerait... Les petits morceaux, je les laisse tels quels. Les plus gros, j'y vais à la hache, j'en fais des quartiers. Il ne faut pas avoir peur de cogner. Je mets de côté quelques billots mastards. Ceux-là, je les aurai au coin et à la masse...

Empaquetée dans un châle gris, mon guérillero me regarde faire d'un œil goguenard. L'animal se tient trop près, j'ai peur qu'un éclat ne la fauche. Ce ne serait pas dans la fleur de l'âge, mais tout de même... Qu'a-t-elle donc à me toiser comme ça? On dirait qu'elle prend mes mesures. C'est normal, elle n'a pas si souvent un homme sous sa coupe. Et quel homme... Je suis en nage. Surtout, ne pas s'arrêter. Autant lui en faire pour vingt ans. Hardi, camarade.

Je crache dans mes mains. Elle profite de la pause pour me crier quelque chose. Quoi? Que je suis gentil. C'est vrai, ça. J'ai toujours eu un faible pour les espèces en péril. Et que les autres, c'est tous de drôles de cocos. C'est vous qui le dites, madame Viet-Cong. Celui d'avant aussi, c'était un drôle de coco... Notre Viet-Cong ne fait pas le détail, pauvre Pierre... Il a dû oublier de lui couper sa part. Remarque, il venait surtout l'été, il lui en sera tenu compte.

En tout cas, j'ai la cote. Je n'ai peut-être pas des masses de groupies, mais il faut voir la qualité. De la bonne, d'avant-guerre. Celle de 14, la meilleure...

Je ne sens plus mon dos. Des paquets d'ampoules commencent à germer au creux douillet de mes mains. Si avec ça je n'obtiens pas la nationalité bas-alpine... Courage, citoyen, tu tiens la grande forme, ne faiblis pas.

Le fer de la hache est prêt à faire sécession. Depuis le temps, il a pris du mou. J'arrange comme je peux, ça tiendra ce que ça tiendra. Elle date de quand, cette hache? Deux siècles, trois? A tout hasard, je pose la question :

« Soixante-dix-neuf ans. J'aurai soixante-dix-neuf ans aux cerises. »

Je la félicite. Comment a-t-elle pu se ratatiner de la sorte? L'âge est une combustion lente.

Je vais arrêter. Le souffle, parfait. Ce sont les mains. Une ampoule vient de crever, les autres ne vont pas tarder. Tu aurais dû mettre des gants. Pas question. Nous autres, pionniers, nous préférons affronter la nature à mains nues. D'accord. Bientôt, tu vas l'affronter avec des steaks tartares.

J'arrête. Je range le bois, proprement. Voilà, madame et chère voisine, vous êtes parée pour un moment. J'espère que cela cimentera l'amitié qui unit nos deux peuples. Oui, elle dit, je peux me laver les mains chez elle. Elle a même retrouvé un restant d'hysope, elle va me le faire goûter.

Dieu miséricordieux, pas question. Ça doit être chauffé comme une chambre froide, chez elle. Je dois rentrer prendre une douche. J'essaie de mimer la douche, avec la pomme d'arrosage et le savonnage, tout bien. Elle me considère d'un œil dubitatif.

Je suis sauvé par Claire qui déboule, toute rose, toute guillerette. Elle m'a aperçu depuis la route.

Avec Claire, nous avons pris le pli de nous tutoyer. J'aime autant :

« Tu veux quelque chose, ma belle?

— Non, je passais, continue, ne t'arrête pas pour moi.

— Je viens juste de finir, j'allais rentrer. Bon, eh bien, au revoir, cher et vieux Viet-Cong. »

Elle grommelle. Impossible de discerner s'il s'agit de remerciements ou d'une imprécation anti-drôles.

« Alors Claire, ça va? Je ne sais pas si tu connais cette charmante vieille lady, elle paraît en vouloir à pas mal de monde.

— C'est notre misanthrope.

— Tu es à pied?

— Oui, on vient de me voler mon vélo, à Digne.

— Sans blague? Tu viens de Digne à pied?

— J'ai essayé. J'ai eu droit à plusieurs offres de transport que j'ai préféré refuser.

— Elles étaient si explicites que ça?

— Je ne tenais pas à ce qu'elles le deviennent. Pour finir, une dame m'a laissée à l'embranchement de Mézel.

— L'émancipation de la femme passe par la femme. »

Nous avons traversé ma portion de route. Ce dos-d'âne, c'est un poème...

« Tu m'accompagnes, Claire? Ça me fera plaisir. Le temps de prendre une douche et je suis à toi. Tiens, regarde cette carte. J'ai souligné les endroits où je suis déjà allé. »

J'ai punaisé la Michelin 81 sur mon mur. Je laisse Claire. Je traverse mon couloir. Dis donc, fait pas chaud dans ton hammam. J'ai branché le radiateur électrique, réglé d'eau, le plus bouillant possible, balancé mes hardes en vrac, et zoom, sous le jet. Un frisson m'a secoué. L'eau grondait dans mes oreilles. Merci, Seigneur, pour les joies simples que Vous daignez accorder à Votre serviteur.

Qui sait si le Viet-Cong prend encore des douches? Probablement pas. Elle mourra en odeur de sainteté.

La porte s'est ouverte. Allons bon, c'est quoi? La Gestapo? Il y a erreur, je n'ai pas de baignoire. A travers la buée, j'ai distingué une silhouette nue, l'éclat doré d'une chevelure. Claire... Alors, ça...

Elle n'a rien dit. Elle s'est logée contre moi, a noué ses bras autour de ma taille. J'ai placé les miens sur ses épaules. La chaleur nous a engloutis. La chaleur, et une vague de tendresse venue de très loin, de bien avant la mémoire...

Nous avons regagné ma chambre. Nous nous sommes séchés comme des fous. C'est drôle, le corps nu d'une inconnue... C'est comme un nouveau visage qu'il faut apprendre. J'aimais ce nouveau visage, un visage heureux, éclatant...

Nous nous sommes rhabillés, lou Clapas, ce n'est pas les îles Marquises, nous n'avions pas envie de traîner au lit. La vie venait de me faire un cadeau. Je n'en ai pas l'habitude. Je n'aime pas les cadeaux. Peut-être parce que je n'aime pas vraiment la vie. Ce n'est pas ça, c'est qu'elle se tient à distance, et... J'ai embrassé Claire, pour vérifier. Elle était bien là.

J'ai pris la bouteille de whisky. Maman... Mes ampoules... Nous autres, citadins, explorons ce monde farouche par films interposés. Là, ce n'était pas du cinéma. Je ne me débrouille pas trop mal, à mains nues. J'avais deux belles plaques à vif. J'ai laissé Claire s'en occuper.

Elle a fait la grimace :

« Ça te fait mal?

— Oui. Surtout quand j'applaudis.

— Idiot. Tu as une pharmacie? »

J'ai indiqué d'un geste sobre la bouteille d'alcool.

« Je vois. Inutile de te demander si tu as des bandes propres.

– Non, mais il doit me rester quelques mouchoirs. J'ai connu l'époque qui a précédé l'ère du Kleenex, tu sais. »

Elle m'a confectionné deux pansements de fortune. C'était très beau. Tout à fait *La maison du Maltais*, avec Viviane Romance, quand l'amoureux transi va travailler sur les docks pour les beaux yeux de sa princesse prostituée. Dieu, que j'étais bien... La brûlure de mes mains, celle du whisky... C'est vrai, nous n'avons pas mangé. Bête brute que je suis, j'oublie les lois de l'hospitalité :

« Tu as faim, Claire?

– Oui, pas toi?

– Moi, j'ai faim de toi. »

J'ai inspecté mes réserves.

« Un sandwich sardines à la tomate-pain d'épice, ça t'irait?

– Pas vraiment. L'épicerie est fermée, il est trop tard. Tu veux que l'on passe chez Madeleine?

– Je n'y tiens pas.

– Alors, allons chez moi, j'ai ce qu'il faut.

– Tu as encore l'énergie de marcher?

– Ne t'inquiète pas. »

Nous avons repris la route. J'étais content. Jamais le paysage ne m'avait paru aussi net. Les champs ocre se découpaient sur le gris bleuté de la barre rocheuse, qui mène à Saint-Javier, avec la pureté d'un émail cloisonné. L'air me brûlait, l'air et la faim et cette sensation folle d'être vivant, vivant pour mon compte... J'avais joué à quoi, jusqu'à présent? Je n'avais pas joué, j'avais fui. Quoi donc? Je ne le savais pas.

Claire m'a pris la main. J'ai grogné. Elle a dit :

« Oh! pardon, j'oubliais... Tu es bien? »

Je me suis arrêté, je l'ai tenue à bout de bras. J'ai vu tout un semis de points dorés dans le bleu-noir de ses yeux. Je lui ai embrassé le bout de nez :

« Je refuse de répondre à une question aussi stupide. »

Nous nous sommes battus un moment, puis nous sommes repartis. Il avait encore neigé sur le Cousson.

Nous avancions du même pas. Très haut, le panache d'un avion a rayé tout un angle du tableau. Nous approchions. Trois fils de fumée s'élevaient au-dessus du hameau avant de se dissoudre dans le vide.

« Je peux te poser une question, Jean?

– Bien sûr.

– Pourquoi n'as-tu pas voulu aller chez Madeleine?

– J'ai l'impression, par moments, qu'elle ne m'aime pas. C'est idiot, je sais. Elle est formidable, elle m'aide pour ce guide. Je n'ai rien à lui reprocher, au contraire, mais...

– Tu vois ce qu'elle te reproche?

– Cela doit avoir un rapport avec Pierre.

– Tu as essayé de t'expliquer?

– Elle n'y tient pas. Tu la connais, elle n'est pas commode.

– Tu es sûr de ne pas te faire d'idées?

– Non. Je sens qu'il y a un malentendu... A part ça, nous fonctionnons très bien ensemble. C'est une chic copine. Quand elle voudra éclaircir les choses, elle le fera.

– Tu veux que je lui en touche un mot?

– Non, Claire, merci. »

J'allais dire : surtout pas toi. Je me suis ravisé de justesse. J'ai précisé :

« Ne te casse pas la tête. Il doit s'agir d'un problème plus général. Pour être net, elle ne m'a pas l'air d'éprouver une vive estime pour les hommes en tant que genre...

– Tu as sans doute raison. »

Frocoutas est arrivé au grand galop à notre rencontre. Impossible d'être seuls...

« Je me trompe peut-être, Claire, mais il me semble que Madeleine ne tient guère à ce que nous nous fréquentions. Tu es sa chasse gardée, si tu permets... »

Elle a pris un air perplexe.

« Elle s'imagine que sans elle, je me débrouillerais mal. Elle n'a peut-être pas tort. Du calme, mon chien, du calme. »

Nous sommes entrés chez elle. C'est bien, une vraie maison. Le bois des vieux meubles cirés luisait doucement. Oui, c'est agréable, mais... C'est comme un ventre qui te digère. Si tu veux être libre, il vaut mieux camper. Libre de quoi? Pourquoi partir? Je ne sais pas.

J'ai aidé Claire à mettre le couvert. Elle a fait réchauffer de la ratatouille. Il restait du rôti de porc. Seigneur, merci pour vos largesses. Quand je serai dictateur, la ratatouille sera gratuite, laïque et obligatoire. Et du rouge.

Nous avons trinqué. J'aime le sourire de cette fille. Elle est sans défense, comme une tribu d'Indiens au moment de la conquête, et je vais lui coller la variole. Tu ne devrais pas te mêler de la vie des gens, tu le sais. Tu n'as pas le droit de...

« Ça sent drôlement bon, Claire.

— Je te sers?

— Volontiers. Et si tu en gardais pour toi? »

J'étais bien, mais... Au bout d'un moment, elle m'a demandé :

« Qu'est-ce qui ne va pas? Dis-moi.

— C'est cette histoire Madeleine. S'il y avait un contentieux précis, je saurais où j'en suis. Je sens que ça n'arrangerait pas mes affaires si elle apprenait que nous...

— Que nous sommes ensemble?

— Je n'osais pas le dire. Ce n'est pas facile d'être un chauviniste mâle, de nos jours. »

Elle s'est penchée pour m'embrasser.

« Idiot... De quoi as-tu peur?

— Entre autres, qu'elle me laisse choir pour cette histoire de guide. C'est étonnant ce qu'elle connaît bien ce pays.

— C'est vrai. Tu veux que l'on joue à cache-cache avec elle?

— Si ce n'est pas trop te demander, je préférerais.

— Ce sera plutôt drôle, non? Comment allons-nous faire? Les nouvelles vont vite, ici.

— Je ne sais que ça. Tu peux venir chez moi, le soir. Elle ne passe jamais la nuit. Je veux dire, pendant la nuit.

— Et si je veux te voir le jour?

— Voyons... Tu as une machine à écrire?

— Bien sûr.

— Je viendrai te porter des liasses de mon manuscrit à taper, ostensiblement. »

Elle a applaudi comme une gamine.

« Tu es un génie. Et le bruit de la machine?

— Ah! c'est vrai... Ils vendent peut-être des disques de frappe... Le 19ᵉ concerto pour Remington, d'Azertyuiop.

— Au diable... les gens n'ont pas l'habitude de défiler chez moi. Il n'y a guère que Moune, mais l'après-midi, la plupart du temps, elle est à Digne.

— Parfait. Tu sais, ce n'est pas facile de vivre sur une île déserte. Surtout en plein désert. »

Elle a ri. J'aime son rire, il a quelque chose de neuf, comme elle. Cette fille est fantastique. Pourquoi Pierre ne... Ce n'était pas le moment de poser ce genre de question. J'avais peur de devoir la prendre à mon compte... Pas aujourd'hui.

Elle m'a demandé à quoi je pensais :

« A la princesse de Lamballe.

— Tu as de nobles préoccupations. Je ne peux pas en dire autant. Il me faudrait un autre vélo. Je passerais volontiers au stade au-dessus, mais l'état de mon porte-monnaie ne me permet guère d'y songer.

– Tu veux que je te laisse la 204? L'ennui, c'est qu'elle commence à battre de l'aile.

– Non, tu en as besoin.

– Pas des masses. Les balades, c'est dans la 4 L que ça se passe.

– Ecoute, je vais demander conseil à Madeleine. Elle a l'esprit plus pratique que moi. Tu sais quoi?

– Oui?

– Nous allons faire un saut chez les Arnaud. Tu pourras leur parler de tes travaux, et me demander si tu peux venir les faire taper.

– Tu es un abîme de fourberie.

– Je ne fais que suivre tes conseils. »

Elle s'est levée, a commencé à ranger.

« Ne débarrasse pas. Embrasse-moi. »

J'ai retrouvé ses lèvres. Dehors, le chien grattait à la porte avec obstination. J'ai serré Claire très fort. Jésus, cette sérénité... Je ne me faisais aucune illusion. Quand on joue au petit soldat, on rencontre la guerre en chemin.

Un balcon, du soleil, rien qui presse. Tout va bien, camarade? Tout va. Nous sauverons les meubles.

Je ne vois pas le temps passer. J'ai trouvé mon rythme de croisière. Quand la dame du Clapas est disponible, nous traçons la piste. Je commence à entrevoir les structures de ce pays, son ossature, ses masses, à deviner sa respiration. Je m'en imprègne. C'est un tout. Sa première qualité, c'est le silence. Les gens d'ici ne parlent pas. Ou s'ils parlent, c'est d'abord pour ne pas dire certaines choses.

Je n'ai pas tout compris, loin de là. Je ne sais pas grand-chose. Je sème mes petits cailloux, comme le Petit Poucet. Je compte travailler à deux niveaux. Rien ne m'empêche de boucler un guide fonctionnel, un machin pratique, de quoi occuper deux semaines le parachutiste pressé. Je peux aussi prendre des notes pour un travail plus en profondeur. Quel genre? Justement, le genre reste à inventer. Je rêve à un bouquin total, immédiat, qui livrerait le pays, ce pays, tel qu'il est. Un livre en forme de coup de foudre.

Et si je me faisais un café? Plus tard. J'ai la flemme. Il faut prendre une casserole, de l'eau, inventer le feu. Tout ça pour quoi, finalement? Quand je serai dictateur, il y aura un percolateur dans chaque isba.

J'en ai parlé avec Madeleine. Elle aurait fait un

redoutable lieutenant de Tabors. Pour crapahuter, elle est parfaite. Je suis toujours partant, elle aime ça.

Avant-hier, je lui ai demandé de me déposer chez Claire, avec mes feuilles à taper. Elle m'a proposé de s'en charger. Je lui ai dit : pas question, elle en faisait déjà beaucoup pour moi. Mon astuce m'émerveille.

Côté Claire, c'est gagné. Elle m'accepte. Ce n'est pas si simple, pour moi. J'ai toujours eu peur. Je souhaite qu'on m'aime, je n'en supporte pas les conséquences. Pas de pièges, pas de liens. Je veux pouvoir mourir tranquille, sinon ce n'est pas une vie. Les filles, avec leur manie de s'installer, de vouloir vous faire des gosses et tout, c'est l'angoisse.

Je sais, il y a l'espèce. Bon, nous devons être dans les quatre milliards. Promis juré, dès que la barre tombera en dessous des deux cents, je m'y mettrai. Pas avant.

Avec Claire, il s'est passé quelque chose. Je me dis casse-cou, ce n'est pas possible, pince-toi. Chaque jour est un miracle de plus. Essaie de vivre, tu comprendras plus tard.

Alors, pas de café? Nope. Tant pis... Le whisky, à jeun, ça brûle. Le brave doit savoir s'imposer une souffrance nécessaire. Courage, ça tue le ver. Et la pomme avec.

La 204 a rendu son âme robuste à domicile. Elle a tout bonnement refusé de démarrer, un matin. L'embrayage a produit un bruit sinistre de dentier crucifié. J'allais pouvoir enfin réaliser mon rêve de toujours : élever des lapins dans une voiture.

Mon Viet-Cong en a, des lapins. De vulgaires lapins de choux, noir et blanc. Elle m'a donné un couple de petits. Ils grandiront. Pour le moment, ils colonisent les banquettes avec enthousiasme. J'en ai appelé un France, et l'autre Navarre, évidemment. France a quelque chose de délicatement féminin dans sa façon de replier ses oreilles. Je ne suis pas très sûr du sexe de Navarre.

J'ai placé une vieille couverture sur le toit de la 204, pour qu'ils n'aient pas trop froid. Je les bourre de croûtons de pain et de pissenlits. Au printemps, je les installerai dans un parc à bébé, que je déplacerai dans le pré.

Dis donc, c'est tout ce que tu fais, ce matin? Oui. Tant que je n'ai pas de café, je ne bouge pas.

Se posait un problème de véhicule. J'ai acheté un vélo demi-course. Un vélo rouge, bien sûr, pour qu'il se détache mieux sur le vert des prés.

Madeleine a fait des frais. Elle s'est procuré une Range-Rover d'occasion, un monstre haut sur pattes. Elle dit qu'elle en avait envie. J'admets. Cette voiture lui va. Quand nous roulons avec, ce n'est plus de la promenade, ça devient de l'exploration.

Elle a laissé sa 4 L à Claire. Nous sommes tous pourvus suivant nos besoins. Le socialisme est en marche. Tout va bien. Tellement bien que je me méfie. Ce n'est pas possible. Je vais te dire : ça finira mal. Tu sens cette odeur de tuile? Ne sois pas superstitieux.

Je me suis fait un café. Je ne l'ai pas bu. Pas envie. Je suis descendu voir mes pensionnaires. France et Navarre ont entrepris de ronger le skaï des banquettes, et de déguster le capitonnage. Bravo, les gars. Vous allez coucher sur quoi? Sur les ressorts? Vous êtes de drôles de lapins. En tout cas, je dois sentir la garenne. Chaque fois que je me rends à Saint-Javier, Frocoutas paraît décidé à me régler mon compte. Ce chien, s'il continue, je vais l'empailler. Enfin, quoi, non mais...

J'allais rentrer, quand un petit jeune homme s'est pointé avec un avis d'appel, de l'agence postale du Clapas. Une communication de Paris. Blitz, probablement? Je me suis donc rendu au bar. Le téléphone est sur le comptoir. J'ai pris un vin chaud avec Mimi. J'ai attendu. Qu'est-ce qu'ils pouvaient bien me vouloir? La Légion d'honneur? Remarque, la couleur du ruban irait avec ton vélo.

Un peu âcre, ce vin chaud. Mimi m'a demandé ce que je faisais de beau avec la dame du château, si ce n'était pas indiscret... Oh! que si, ça l'était... Diable, Madeleine ne veut pas que l'on parle du guide. Alors? J'ai expliqué que nous cherchions des fossiles. Des fossiles et des dépôts de munitions. La châtelaine en connaissait un rayon, question casse-pipe. Elle savait dégoupiller les obus, les roquettes, tout ça impeccable. Elle en faisait collection.

Mimi m'a paru inquiète. Nous allons voir les proportions que ça prend...

Le téléphone a sonné. Mimi m'a passé le combiné, sans s'écarter de façon exagérée.

Ce vieux Max. C'est qu'il m'engueulait, l'animal. Qu'est-ce que je foutais? Je prenais racine, dans les Basses-Alpes? Non, j'ai dit. J'en profite pour faire ma campagne électorale. Oui, c'est ça, député. A quel titre? A titre gracieux. J'allais tirer les Bas-Alpins du pétrin. Fini le mouton et l'abeille.

Mimi n'en perdait pas une miette. Ses yeux s'arrondissaient. Max a protesté :

« Arrête tes conneries. On n'a pas de temps à perdre, nous. Je te signale que Douglas part mercredi prochain pour le Liban. C'est pas le mauvais cheval, tu le connais. Si ça t'intéresse, tu as juste le temps de remonter pour t'occuper de ton visa. Je te fais une fleur en te prévenant. Le Liban, ça va redémarrer. Alors? »

Je ne sais pas, j'ai dit. Je me tâte... J'aurais dû manifester plus d'enthousiasme. Max a ricané :

« Qu'est-ce qui te prend? Tu joues tes prima donna?

— Des primae...

— Quoi, déprimé? Qu'est-ce que tu barjaques?

— Au pluriel, Max, si tu causes latin, tu dis : des primae. En deux mots : primae donnae. C'est pourtant simple.

— Va te faire sauter. »

Allons bon. Tu essaies de relever un peu un niveau lamentable, voilà ce qu'on te répond. L'animal a raccroché avec violence. Toute une série d'osselets se sont mis à claquer d'effroi dans mon oreille interne. Il faut une sacrée dose de patience, je vous jure...

J'ai fini mon vin chaud, passé au stade de vin froid dans l'intervalle. Mimi tirait une tête étonnante. Je sentais ses circuits grésiller. J'ai dit :

« Ce n'est rien, c'est un camarade, alors, on plaisante un peu, vous comprenez. Les Parisiens, ils ont l'air, comme ça, mais dans le fond, ils sont taquins.

Je ne sais pas si je l'ai vraiment rassurée. Qu'est-ce qu'il y avait de bon à midi? Du bœuf miroton. Avec des carottes et de la viande? Avec. Ah! Mimi... »

J'ai regagné rêveusement ma ferme, perché sur mon rouge destrier. J'avais changé. Avant, un coup de fil pareil et zap, dans les deux minutes qui suivaient, je traçais la route comme un stuka, sans hésiter.

J'avais toujours beaucoup d'affection pour le Liban, un aimable pays, mais j'étais bien ici. Cette réaction, c'était nouveau. Un reporter qui ne reporte plus, qu'est-ce que c'est? Autre chose... Je venais de changer d'être, sans m'en douter. J'étais devenu quoi? Va savoir... Un fanatique du lapin en stabulation close.

Ça m'a laissé un drôle de goût dans la bouche. Mais non, crétin, tu confonds. C'est le vin chaud. Reporter, j'aimais bien. C'était ma vie. J'avais vécu de drôles de moments, et... Personne ne te demande d'y renoncer, tu peux tout de même te payer un petit saut de puce de loin en loin, non? Ça dépend. Si tu tiens à Claire, laisse tomber tes puces, contente-toi de tes lapins... Tu crois? Si je lui en parlais? Elle va te dire de partir, elle ne souhaite pas être un boulet dans ta musette.

Il fallait que je réfléchisse. J'aime faire ça en marchant. J'ai pris les Patricia Highsmith, et je suis allé les rendre à Mado.

En approchant du château, j'ai vu de la fumée, quelques cendres qui voltigeaient. Tiens... J'ai trouvé ma partenaire au centre de sa cour, en train de brûler des papiers, armée d'un râteau. Je l'ai saluée d'un grand mouvement du bras.

« Alors, voisine, on fait disparaître les preuves?

– Exactement, voisin. »

Un moulon de cendres s'étalait. J'arrivais à la fin de l'opération. J'ai approuvé. On se laisse toujours trop envahir par les paperasses. Il faut savoir faire le vide. Quelques cartons s'empilaient. Elle a donné un coup de râteau sur une liasse de feuillets noircis. Une langue de flammes a fusé.

« Vous me rapportez mes livres?

– Oui, vous aviez raison, Highsmith, c'est excellent. Il vous en reste d'autres?

– Nous allons voir ça. »

Un dernier coup de râteau, et nous nous sommes dirigés vers sa forteresse. J'ai dit :

« Et votre chat? Je ne le vois pas.

– Nanar? Ça fait un moment qu'il a disparu, je commence à m'inquiéter.

– Il est peut-être allé guetter mes lapins.

– Vos lapins? Vous avez des lapins?

– Ben oui. Je me suis lancé dans l'élevage.

– Comment ça?

– J'en ai mis une paire dans la 204. Dès que j'aurai les moyens, j'essaierai la Rolls.

– Ah! Jean, Jean, quand donc finirez-vous de vous comporter comme un gamin?

– Enfin, Claire, je ne...

– Vous m'appelez Claire, maintenant?

– C'est un lapsus. Chaque fois que j'élève des lapins, je commets des lapsus. C'est mon côté freudien, il doit y avoir un rapport... »

Toujours aussi sombre, chez elle. Là aussi, il devait y avoir un rapport.

« Vous prenez quelque chose?

– Oui. Il vous reste de votre mirabelle?

216

– Bien sûr. J'ai des anchois frais, je vous fais un petit casse-croûte?

– Madeleine, vous comblez mes rêves les plus fous.

– Je ne crois pas. »

Elle avait un drôle de ton. Je me suis demandé si elle ne soupçonnait rien, question Claire. Appelle-la donc « ma chérie », pour faire bon poids. Quelle importance? Elle sait que je suis farfelu, je passe mon temps à le lui prouver.

Elle est revenue avec un plateau : toasts au pain de seigle, beurre, anchois et carafon de blanche.

« Je vais être obligé de vous augmenter, Madeleine.

– Je vous présenterai l'addition. »

Fameux, ces anchois. Une saveur...

« Au fait, Paris vient de m'appeler. Ils veulent que je file au Liban. »

Elle s'est figée :

« Oui?

– Vous comprenez, c'est mon métier. Dans ce genre de racket, vous ne pouvez pas vous faire oublier trop longtemps, les places sont chères. D'un autre côté, il y a ce guide... »

J'ai pris l'air du type indécis qui se demande laquelle des sœurs siamoises il va finalement épouser :

« J'hésite. L'ennui, c'est qu'ils veulent une réponse rapidement.

– Je vois. Une autre tartine?

– Par pure gourmandise. Vous me gâtez. »

Elle n'a rien dit! Cette fille, ses silences sont chargés comme des bazookas.

Nous avons dégusté nos amuse-gueule. Puis elle a dit :

« C'est peut-être inutile de faire des projets pour les jours qui viennent, dans ces conditions? »

Drôle de question. Où est le problème, elle n'a rien d'autre à faire?

« En effet. Je tâcherai de vous fixer le plus tôt possible. Vous savez, la vie... Le choix... L'incertitude... Nous ne sommes pas grand-chose...

– Arrêtez vos pitreries.

– Ne me demandez pas l'impossible. Je peux monter choisir d'autres livres?

– Je vous accompagne. »

Jeu de lumières. Pas possible, elle a fait du théâtre, avant de venir s'enterrer ici. J'ai retrouvé sa chambrette d'amour. Tiens, la machine était toujours là, une Hermès. Mais plus de feuillets. J'ai examiné les rayonnages.

« Que me conseillez-vous, du côté historique?

– Quel genre? Batailles, biographies, Mémoires?

– Plutôt des Mémoires.

– Prenez la comtesse de Boigne.

– Qu'est-ce qu'elle a fait de beau?

– Elle s'est exilée. Elle parle de l'Empire et de la Restauration. Elle a inspiré Proust... Vous pouvez essayer aussi les Lettres de la princesse Palatine... Vous verrez, c'était une nature.

– Merci. Quelques polars, je peux? »

Ah! il y avait du changement. J'ai trouvé, au mitan des polars, un très beau morceau de bois sculpté, comme on en déniche à Hong Kong. Les vandales de la Chine rouge désossent de vieux meubles et les débitent au prix du jade. J'y suis. Elle a mis ça à la place de sa série de livres rouges. Ils avaient disparu. Quelle importance? Elle n'a pas tellement de place, il faut bien qu'elle dégage l'ancien pour mettre du nouveau. Reçu 5/5. A part qu'ils étaient neufs, tes vieux livres. Et alors? C'est avec le neuf qu'on fait le vieux. N'importe quel antiquaire te le confirmera.

J'ai remercié la châtelaine. J'avais autre chose à penser. Cette histoire de Liban me trottait par la tête.

Il y a une solution : tu emmènes Claire. Bravo... Je venais de la trouver, je n'avais pas envie de la perdre. Je sais qu'il ne peut rien m'arriver. Pour les autres, je ne prends pas de paris. Ni de risques.

J'ai regagné ma ferme. Côté 204, France était en train de prouver sa flamme à Navarre. Ces pingouins-là, il allait falloir que je les débaptise. Facile, Navarre, je vais l'appeler Yvette. Et l'autre Gif? On ne peut rien te cacher...

JEAN s'y entend pour m'occuper. Il m'impose ce que je déteste le plus : une interminable veillée d'armes. Il joue avec moi le jeu de la franchise. Comme si je ne démasquais pas ses pauvres ruses...

J'ai essayé de me remettre à travailler. J'ai pris un plan très simple : un trublion débarque dans un village. Il gêne. Il est éliminé. Bien sûr, j'avais déjà traité le sujet. Pour le moment, je n'avais pas envie d'en aborder un autre. Le pire, c'est que je ne peux me réfugier dans l'écriture, je n'ai pas la tête à ça. C'est ma vie qui est en jeu, inutile de me leurrer.

Pas ma vie au sens physique, elle m'importe peu, mais ma vie dans sa profondeur. Après tant de gâchis, je ne souhaitais que le calme. Pouvoir vieillir avec dignité dans un endroit hors du temps, oublier l'absurde cruauté du monde grâce à la lente répétition de jours semblables. Juste une plage de présent entre un jeune chat et de vieux meubles. Je revenais de loin, je ne souhaitais plus aller nulle part.

J'ai rencontré Claire. J'ai cru me retrouver. C'était moi, telle que j'étais avant le massacre de mes espoirs, mon inexpérience, cette tendresse, cette fraîcheur, ce besoin de dévouement qui attirent irrésistiblement les vampires.

Je n'ai pas voulu que l'histoire se répète. Il fallait

que je fasse pour elle ce que personne n'avait tenté pour moi. J'ai décidé de la protéger. Je m'interposerais entre elle et les prédateurs. Ma vie ruinée deviendrait le rempart de la sienne.

L'ennemi ne vient jamais d'où vous l'attendez. J'espérais de francs salauds bien carrés, avec de gros sabots. L'ennemi se trouvait déjà dans la place. Ce n'était même pas un salaud. Pire : un inconscient.

Un pourri, c'est franc, c'est net, vous pouvez mettre le doigt dessus. Avec le Héros, j'étais désarmée. Il se débrouillait pour faire n'importe quoi. Des enfantillages. Il prenait des risques, c'était très bon pour son image, et ma Claire payait l'addition.

Ils s'étaient bien entendus, tous les deux. Lui avec ses raids suicidaires, elle son besoin de sacrifice. Ils se complétaient. Mais dans l'aventure, elle trinquait. Peu à peu, elle y a perdu ses plumes. Je n'ai pas attendu qu'elle y laisse sa peau.

Aurait-il jeté le citron, après l'avoir pressé? Si seulement... Claire était bien trop commode. Le jeu pouvait durer. Il fallait que quelqu'un se décide à tirer le trait final.

Voilà que l'histoire recommence, avec l'ami du défunt Héros... Il n'y a pas de hasard.

J'étouffe. Je vais prendre ma Range. J'ai repéré dans le lit d'un affluent de la Bléone, vers Champtercier, d'énormes galets blancs veinés de noir. De quoi paver ma cour. Dès qu'il pleut, je me retrouve en plein bourbier. Et j'ai besoin d'un bon travail de force.

J'ai traversé directement la rivière au Clapas, cela m'évite de revenir sur Digne. En arrivant vers la Tour, j'ai croisé ce type de l'asile. Ce n'est pas le méchant bonhomme. Dès qu'il a un moment de libre, il longe la route et fait le salut romain à chaque automobile qui passe.

Je me suis engagée dans la petite route qui monte vers le pic d'Oise. On le voit de loin. Il présente une forme de pyramide parfaite. J'avais compté sans le dernier orage. L'affluent est engorgé. J'aurais pu m'en douter. C'est vrai, je n'ai plus ma tête.

Pourtant, je croyais avoir bien joué, avec Jean. Ce n'est pas le Héros, c'est le modèle en dessous. J'ai même cru que c'était une marionnette, qu'il suffirait de le prendre en main. Je me suis trompée. Impossible d'avoir prise. Impossible de le prévoir. Il paraît vouloir ce que vous voulez, il abonde dans votre sens, il s'enthousiasme, il est parfait. Tout va très bien, sauf un petit détail : il n'est pas là. Vous croyez le saisir, il s'est déjà retiré. C'est une nature en cavale.

Cela ne me gêne pas. Ce qui ne va pas, c'est qu'il a touché à Claire. Je ne sais qui a pris l'initiative, aucun intérêt. Il a essayé de jouer au plus fin avec moi. Ses cachotteries me laissent indifférente. Ce qui me navre, c'est de voir Claire lui emboîter le pas comme si elle se défiait de moi. Je ne méritais pas ça.

Deux Mirage passent en hurlant au ras des collines. Ces messieurs de la base d'Orange brûlent leur contingent d'essence, et les brebis avortent. A moins qu'elles n'en aient pris l'habitude...

L'attitude de Claire m'a peinée. Oh! ils se sont crus très malins, avec leur histoire de feuillets à taper! Inutile qu'elle parle. Elle rayonnait comme une lampe d'opaline que l'on vient d'allumer.

C'est ma faute. Je me suis trompée dès le début, dès son arrivée. J'ai cru qu'il venait enquêter. Même pas... Il voulait faire un tour, c'est tout. Je n'aurais pas dû l'installer dans la place pour endormir des soupçons qu'il n'avait pas. J'en ai trop fait.

Faute de galets, je vais ramasser un peu de bois mort. Les pinèdes ne sont pas entretenues. J'ai pris mon couteau-scie. Je me souviens de nos soirées. Je faisais une flambée. Claire était là. Nous regardions jouer les flammes. Elle s'endormait contre moi...

Elle ne viendra plus, tant que l'Autre sera là. Je suis

désarmée. Je sais ce qui va se produire, je ne peux rien pour l'empêcher.

Je me suis roulé une cigarette. Il serait temps que je change de blague, le caoutchouc est complètement cuit. Je me demande si on en trouve encore. Le tabac a un sale goût.

Je pourrais raconter l'histoire. Notre ami Jean va s'attacher Claire. Le beau miracle, c'est couru d'avance. Une fois sûr d'avoir ferré le poisson, il va jouer au chat et à la souris. Il va lui ressortir son histoire du Liban. Il se lancera dans un numéro de conscience déchirée : « Je t'aime, tu le sais, mais le destin frappe à la porte... »

Il proposera de se sacrifier, de renoncer pour elle à la geste du coureur d'aventures.

Il partira, mais il aura offert son métier. Sans risques, il connaît Claire. La ballade de la fiancée qui attend le retour des Croisades va recommencer.

Ma Claire va attendre. Il reviendra. Il aura vécu sous les balles et les obus, toute cette quincaillerie dont les hommes se passent si mal.

Il reviendra et il repartira. La comédie va reprendre. Le personnage aura changé, pas le rôle. Claire va recommencer sa vie en marge de la vie, à rêver d'un homme véritable, qui soit là, sur lequel on puisse compter.

Elle n'a rien choisi, elle n'a pas eu sa chance. A peine le Héros mort, son ombre débarque. Elle s'attendra au pire. Chaque fois qu'une bombe sautera Dieu sait où, son cœur sera déchiqueté. Ce n'est pas juste. Personne n'a le droit d'imposer cette torture. Qu'ils y aillent, à leurs guerres, mais qu'ils ne laissent pas d'otages.

J'ai assez de bois. C'est une grosse voiture, d'accord, mais pas un camion. Aucune importance, je ferai deux voyages.

Tout n'est peut-être pas joué. Paris l'a rappelé. Rien ne dit qu'il accepte. Jusqu'à présent, il partait avec

Pierre. Seul ou avec un inconnu, cela va moins l'amuser. Ce qui lui manquait, c'est un point d'attache. Ici, il s'installe, le pays le séduit. Il peut en avoir assez de jouer avec sa peau. Attendons...

Tiens, la terre est retournée, dans ce coin. Des empreintes de sanglier. Pourquoi vient-il si près de Champtercier? Parce que c'est un héros. Il veut faire frémir sa pauvre laie. Il doit bien y avoir un marcassin pour espérer que, cette fois, papa va recevoir sa giclée de chevrotines.

Le pire n'est pas sûr. Jean va peut-être rester. Je suis prête à l'accepter. Je ne lui demande qu'une chose, c'est qu'il la rende heureuse. Il n'aura rien à regretter. Moi aussi j'ai été écrasée. Je ne le raconterai jamais.

Un grand vol de corneilles a traversé le ciel. Elles se dirigeaient vers Courbons, elles logent dans les ruines de la tour.

Je commence à connaître Jean. C'est un être immature, un timide. Il se cache comme il peut, soit. Il ne s'accepte pas. Il ne s'aime pas. Il se raconte des histoires. Faute d'exister il lui faut devenir quelqu'un pour les autres. Claire fait trop bien l'affaire.

J'ai peur. Même s'il s'installe à vie dans ses pantoufles, il peut poursuivre ce jeu pervers de nostalgique du baroud, prêt à repartir en piste. C'est trop facile. Surtout si à la longue la vie lui semble fade. Il va s'installer sans s'installer. Ou alors, l'aigreur et l'amertume, jouer au sacrifié...

Les femmes servent à cela. Les hommes rêvent. Ils n'ont rien dans le ventre. Il leur reste la possibilité de se marier, pour pouvoir dire à une malheureuse : « Ma douce, sans toi, sans la vie de larve que je te dois, je serais Livingstone. Ou Tarzan. Ou le Che. Je suis un minable par ta faute. »

Dieu nous préserve des héros. S'il en existe encore, qu'ils crèvent.

Je suis là, je ronge mon frein. Je ne peux rien dire, elle penserait que je suis folle. Je ne peux rien faire.

Rien pour le moment. A quoi me sert d'avoir les yeux ouverts? J'ai les mains liées.

Je suis lasse. Je croyais en avoir fini. Il n'y a rien à croire. La vie bégaie. Je ne baisserai pas les bras. J'attendrai.

J'ai rentré mon bois. Qui sait pour qui il va brûler? Je m'en veux. J'ai sous-estimé Jean. Son air absent m'a trompée. Il remarque tout. Il n'a rien dit. Il a dû constater l'absence des romans rouges. Il ne sait pas que ce sont les miens, il n'y a pas péril en la demeure. Ne t'y fie pas. Il enregistre, le travail se fait tout seul.

Qu'il parte, qu'il se fasse tuer, que l'on n'en parle plus. Elle prendra le deuil pour les deux. Elle les confondra dans un même regret. Elle se décidera enfin à bâtir sur un terrain stable.

Ce ne sera pas avec Christian. Je viens de lire à la mairie de Digne les bans de son mariage avec une demoiselle Lanthelme. Sans doute une collègue fraîchement débarquée. Il n'aura pas joué les inconsolables bien longtemps. Il n'a pas su mener sa barque. Il ne pouvait faire le poids, face au Héros. Personne, d'ailleurs, dans les parages. J'ai tenté tout ce qu'il y avait à tenter. J'ai attendu tant que j'ai pu. On ne peut lutter contre l'enfance.

Cette histoire n'en finit pas. Jean a su s'adapter au terrain. Il a pris un profil bas, joué les petits garçons. Vers les derniers temps, il arrivait au Héros d'en étaler.

Jean s'est mieux débrouillé. Il s'est contenté de suivre une ligne de pente. Je n'y ai vu que du feu.

Je lui laisse sa chance. S'il désire Claire, qu'il la prenne. Qu'il ne s'amuse pas avec. Je ne laisserai pas pourrir les choses.

Dans ma cour, j'ai aperçu Vévéo dans la lueur des phares. Ah! tout de même... Lui aussi prend le style baroudeur, ce doit être contagieux. Il s'est arrangé pour se faire effilocher la même oreille. Bien, Nanar, bien joué. Tu t'es battu contre quoi, cette fois, contre un tigre? Ma parole, tu t'es roulé dans du purin? Tu embaumes. Tu t'imagines que je vais te nettoyer? Je veux bien te donner à manger, pour le reste, débrouille-le-toi. Tant que tu seras dans cet état, tu coucheras dehors. Non mais, dites...

Tu protestes? Bon, tu peux aller devant le feu, c'est tout. Pas question de monter dans ma chambre. Ça me fait bien plaisir de te revoir, espèce de vieux tueur. Toi, au moins, tu te débrouilles tout seul.

Ces rongeurs... Gif et Yvette sont venus à bout du capitonnage des banquettes. Ils ont attaqué les garnitures des portières. Pourtant, je les gave de croûtons. Ce n'est peut-être pas la faim, c'est le désir de liberté. Le lapin est un être des lointains.

J'ai disposé sur le sol du hangar un tas de navets appétissants, une livre de carottes, un chou chinois, et je les ai libérés. J'ai installé une planche qui leur permet de regagner la 204 quand ils le désirent. Que souhaiter de plus? La télé couleurs? Arrivera ce qui arrivera. Lapins, sachez-vous montrer dignes de votre liberté.

Ils se sont dirigés sans hésiter vers le chou et les carottes. Je n'ai pas eu la patience d'attendre la suite. J'ai pris mon vélo rouge pour aller voir Madeleine.

Hier, j'ai rendu visite à Claire. Je ne lui ai rien dit. Je ne peux pas, je suis lâche. Il m'est impossible de faire souffrir quelqu'un. Tant que je ne serai pas décidé, je me tairai. L'ennui, c'est que je mens très mal. Claire ne va pas tarder à deviner, je ne me fais pas d'illusions.

Il faudrait pouvoir démultiplier à l'infini. Une vie pour popa, une pour moman, quelques-unes pour nos diligentes fiancées, une pour la patrie. Une vie tout court et rien, c'est pareil.

Une barre de nuages couvrait le ciel, du côté de Manosque. Elle ne bougeait pas. C'est ce qu'on appelle un front. C'est bien, les fronts. On sait qui est qui. J'étais en train de mener la guerre des partisans dans ma pauvre tête. Peut-être qu'en parlant à Madeleine, j'y verrai plus clair. Cette fille ne mâche pas ses mots.

En débarquant dans sa cour, j'ai aperçu un tas de bois. Elle était en train de scier les plus grosses branches. Elle ne m'a pas entendu arriver. J'ai été frappé par son air fermé. Si c'est mon futur départ qui l'émeut, parfait. Mado, tu m'avais caché ta passion...

« Alors, voisine, on prépare un méchoui?

— Non, c'est pour ma cheminée, faute de mieux.

— Comment ça?

— J'aurais voulu paver ma cour, avec des galets, vous savez, comme on en trouve dans tous les torrents. Mais les eaux sont hautes en ce moment.

— En cherchant bien, avec des bottes. Vous voulez que je vous aide?

— Pas la peine. Dans trois mois, j'aurai le choix. »

Elle a posé sa scie, s'est redressée, a mis ses mains sur ses reins, en se cambrant.

« Alors, Jean, vous êtes décidé?

— Toujours pas. Mon âme est la proie de la cruelle perplexité.

— Vous avez parlé à Claire?

— Pourquoi me demandez-vous ça?

— Tout bêtement parce que Claire est votre amie. Vous pouvez lui demander conseil. Ça sert à ça, entre autres, les amis.

— Je préfère en parler avec vous.

— Merci de votre confiance. Mais vous devez vous décider en fonction de vous.

— Si seulement je pouvais...

— Tenez, aidez-moi, prenez ce tas de branches, nous

allons faire une flambée. Dès qu'on s'arrête de bouger, on gèle. »

Nous avons regagné sa caverne. Elle a fait un grand beau feu en un tournemain. Je ne m'habituerai jamais à sa manie de l'obscurité. Elle est allée chercher la mirabelle.

« Servez-vous. Où en étions-nous ?

– Rien de spécial. Je vous disais que je vasouille. »

Elle a avalé une grande lampée d'alcool, puis s'est roulé une cigarette en puisant dans un paquet de tabac. Ensuite, elle s'est renversée dans son fauteuil. Le reflet des flammes jouait dans les poutres du plafond.

« Voyez-vous, Jean, votre choix me paraît simple. »

Elle en avait de bonnes. Je me suis étranglé avec ma mirabelle.

« Vous dites que vous hésitez entre votre métier et le guide que vous venez de commencer. Reprenez-moi si je me trompe.

– C'est ça.

– Je crois que vous avez mal posé les termes.

– Vous pouvez préciser ?

– Bien sûr. »

Elle s'est penchée, les coudes sur les genoux. Elle regardait les flammes. C'est dingue comme cet éclairage lui donne un visage d'homme.

« Mon petit Jean, le choix n'est pas entre le Clapas et le Liban. Ou entre un guide et un reportage. Ni même entre la vie et la mort. Vous le savez. Vous pouvez fort bien mourir ici, inutile d'aller au Liban. Et vous pouvez vivre n'importe où.

– Mais...

– Ne m'interrompez pas. Le problème est entre vous et vous. Si vous vous acceptez, vous saurez quelle vie vous convient. Sinon, vous ne chercherez qu'à meubler votre ennui, peu importe où, et avec qui. »

Elle a jeté le fond de son verre dans le feu. Une flamme bleue a jailli. Qu'est-ce qu'elle me chantait, avec ces histoires à la mords-moi le Freud mal digérées? Elle avait lu ça dans quoi? Dans le bulletin paroissial du Clapas?

« Je ne m'ennuie jamais, Madeleine.

– A d'autres. »

Elle m'a regardé. J'ai tenté de me défendre :

« Ecoutez, j'essaie d'être disponible. Je refuse de me résigner ou de m'enterrer quelque part. Je veux pouvoir disposer de moi à tout moment si jamais...

– Très bien. Si vous êtes aussi disponible que vous le prétendez, partez donc. Qu'est-ce qui vous retient ici? »

La vache... Tu ne me coinceras pas. Je lui ai fait mon sourire à la Fernandel.

« Je ne veux pas être l'esclave de ma disponibilité. Je refuse de partir sous prétexte que l'occasion s'en présente. Ce serait le contraire de la liberté. »

Elle a secoué la tête.

« Tout ça, ce ne sont que des mots. Je me répète : mettez-vous au net avec vous-même. Ou votre rôle d'aventurier en carton vous amuse encore, et il faut aller jusqu'au bout. Ou vous avez assez joué. Décidez-vous.

– Vous auriez fait un bon prédicateur.

– Il ne s'agit pas de moi. Je sais ce que je veux. »

J'ai repris de la mirabelle. Elle m'agace, cette espèce de pythonisse de province. Elle se prend pour qui?

« D'accord, Madeleine, d'accord. Il s'agit de moi. Ne tournons pas en rond. »

Elle m'a jeté un regard froid.

« Vous vous trompez. Il ne s'agit pas de vous. Allez donc au diable.

– Il s'agit de qui?

– Des autres. De ceux qui tiennent à vous. Des conséquences de vos actes. Pas pour vous. Pour ceux qui s'imaginent que vous existez. »

Elle s'est mordu les lèvres. De qui voulait-elle parler? De Claire? Ça ne la regarde pas. Cette histoire ne concerne que Claire et moi. Madeleine n'a qu'à prendre une chouette, si son chat ne lui suffit plus. Elle n'allait pas s'en tirer aussi facilement, ce coup-ci :

« Je vois mal de quel droit vous...

— Beaucoup de choses vous échappent encore, Jean. »

J'ai eu envie de parler de Claire. Qu'on en finisse. Et puis non. Je n'avais pas à la mêler à mes règlements de comptes.

« Enfin, c'est fou. Je viens vous trouver amicalement, parce que vous prétendez être mon amie, et vous m'insultez. »

Elle a souri. Un sourire amer.

« Un miroir n'a jamais insulté personne.

— Nous sommes en plein faux problème. Si j'avais désiré m'en aller, je ne serais plus là. Si je reste, c'est que j'en ai envie. Je ne suis pas rentier. Alors, de deux choses l'une : ou bien j'arrive à me débrouiller avec notre guide, ou alors il me faudra repartir sur le terrain. Je n'ai pas d'autre métier. »

Elle a repoussé une branche dans les flammes, d'un coup de tisonnier.

« Vous ne répondez rien?

— Je vous ai dit tout ce que j'avais à dire.

— Vous êtes fâchée?

— Pas encore. »

J'ai tenté d'arrondir les angles :

« Pour ma part, j'enterre la hache de guerre. Je peux vous dire que je ne me déciderai pas sur un coup de tête. De toute façon, si d'ici une semaine je n'ai rien répondu, ce sera comme si j'avais dit non. Quand vous voudrez me voir, faites-moi signe. Ne me dites pas que tout est fini entre nous, vous allez me briser le cœur. »

Elle m'a balancé un coussin à la tête :

« Toujours vos bouffonneries, hein? Sauvez-vous, j'ai à faire.

– Adieu, Madeleine. Vous représentez le lumignon de la conscience dans mes ténèbres intimes.

– C'est ça. Bon vent. »

Je suis reparti. Je ne me souviens même pas de ce qu'elle a pu me raconter. Si... Elle m'a parlé de Claire sans m'en parler. Elle a raison. Le seul problème, c'est Claire. Elle me prend pour quoi, à la fin? Un irresponsable, c'est vite dit. Qu'est-ce qu'elle se paie comme responsabilités, elle, dans sa forteresse enfumée? Tiens, c'est vrai, elle pourrait fabriquer des jambons, dans sa cheminée. Lou fumigas dou Clapas. La prochaine fois, je le lui dirai.

Avec ça, le guide est en panne. Au point mort, si tu préfères. Qu'il y reste. J'ai autre chose à penser.

Qui donc m'attendait devant chez moi, toute menue? Mon Viet-Cong. Ma bravounette fiancée de 14, avec une brassée de paperasses.

« Qu'est-ce qui vous arrive, noble fille de la jungle?

– Vos lapins, puis, je les ai vus traverser la route. A l'heure qu'il est, ils sont rendus dans les bois, vers la Bléone.

– C'est l'âme ancestrale qui a chanté dans leurs veines.

– Non, je ne monte pas, je ne veux pas déranger. J'ai plein de vieux journaux, dans mon grenier. Je me suis dit que ça peut intéresser M. le professeur.

– Merci, c'est gentil. »

Elle m'a tendu le paquet. J'ai feuilleté. Dis donc...

Il y avait de vieilles *Illustration*, d'avant-guerre. La Grande. Des *Match* d'époque. Des numéros du *Pèlerin*. Et des *Signal*, de la dernière.

« Vous avez raison, ça m'intéresse.

– Je les ai descendus pour allumer mon feu, puis... Si vous en voulez d'autres, vous me dites. »

J'ai fait signe que oui, énergiquement.

« Vous n'aurez qu'à passer, comme ça, vous choisissez. »

J'ai encore approuvé du chef.

« Pourquoi m'avez-vous parlé de drôles de cocos, l'autre jour?

– Je voudrais bien, mais en ce moment, mes poules, elles ne donnent plus guère. »

J'ai approché mon visage du sien. J'ai essayé de prononcer nettement les syllabes, au ralenti. Ah! les films muets...

« Non... Pour... quoi... vous... m'a... vez... dit... C'est... tous... de... drô...les de cocos? »

J'ai répété :

« Cocos... »

Elle a eu un petit gloussement. Ses rides se sont plissées :

« Ah! vous aussi, vous trouvez? Vous avez bien raison. On a accusé la petite, mais c'était lui, allez, c'était lui, je le sais bien... Je suis bien placée pour le savoir.

– Accusée de quoi?

– Me couper du bois? Vaï, c'est pas de refus, tant plus il y en a... Vous êtes bien brave, et pas fier, pour un professeur d'italien. »

Elle a marqué une pause. Sa bouche s'ouvrait et se refermait, comme un poisson mal luné. Elle a repris :

« C'est vrai que les Italiens, on en est pas privé, par ici... »

Elle a eu un geste de la main désabusé, a hoché la tête ensuite. Elle a regardé avec attention les alentours, m'a fait signe de me baisser. J'ai obtempéré. Elle m'a hurlé dans l'oreille :

« Méfiez-vous. Il n'y a pas que les tisanes... Cette femme, moi... »

Elle a encore fait un tour d'horizon, de son vieux regard de chien triste :

« Je vous aurais prévenu. »

J'ai hurlé, à mon tour :

« Quelle femme? »

Elle a eu son petit sourire goguenard. Presque coquettement, elle a haussé les épaules :

« Oh! si vous aviez vu ma mère, puis... Ça, c'était une femme... Dites, une assiette de soupe elle pouvait poser sur sa poitrine, quand elle avait bien serré le corset. C'étaient des vraies femmes, dans le temps... »

Au diable sa mère... Et si j'écrivais des noms sur un morceau de papier? Pas la peine. Tu vois bien qu'elle n'a plus toute sa tête. Elle est bien vieille. Son taux d'urée commence à grimper. Pour finir, ce sera le délire de la persécution. Tu verras, si tu traînes encore dans les parages, ce sera toi le drôle de coco.

Elle restait là, sans bouger, perdue dans son rêve.

Une larme lui est venue. Elle l'a laissée glisser au creux de ses rides :

« Quand on voit la vie qu'on a eue, et la récompense, des fois je me dis... Mais je ne veux pas vous ennuyer. Vous passerez pour les journaux, pas vrai? Si vous me voyez pas, cherchez un peu, je suis jamais bien loin. »

Elle m'a bien regardé. Elle a ajouté :

« Méfiez-vous... »

En s'éloignant, elle est passée devant la 204. Gif et Yvette avaient liquidé carottes et navets. Il ne restait que le chou, enfin, le trognon. Dommage. Ces lapins, j'aurais pu les dresser pour la garde. En faire des lapins tueurs, comme dans *Monthy Python*. Pauvre Viet-Cong. Elle a même parlé de tisane. Et après? Elle a lu le récit de la mort de Pierre dans *Le Provençal*. Son imagination faite le reste.

Et la tienne, d'imagination? Elle me dit que si ça continue, il risque de pleuvoir. Le front nuageux avance. Le temps s'est couvert. Ce pays, sans soleil, ce n'est pas la joie.

C'EST comme un printemps avant le printemps. Comme si Pierre n'était pas mort. Jean ne lui ressemble pas. Il appartient pourtant à la même famille, celle de ceux qui ne s'économisent pas.

J'ai commencé à tricoter un pull-over pour lui. Je lui en ai emprunté un vieux, jeudi soir, en prétextant que j'avais froid, pour avoir ses mesures. Je veux lui faire la surprise. J'ai trouvé de la très belle laine à Digne, rue de l'Hubac. J'ai préféré ne pas en demander à Moune, elle est curieuse comme une pie borgne.

J'aime bien tricoter. Je ne pouvais pas le faire pour Pierre, toujours fourré dans ses pays chauds. Frocoutas essaie d'emmêler mes pelotes. Ce chien est jaloux. Il a pris le pli de gronder chaque fois qu'il voit Jean. Quand je le mets dehors, il fait tout un train pour rentrer. J'ai tenté de m'en défaire, personne n'en veut. Il n'est bon pour rien, ni pour le mouton, ni pour la garde.

Jean a essayé de le séduire : « La démagogie sucrée, tu vas voir. Dans deux jours, il me mangera dans la main. »

Il a alterné tapes sur la tête, et morceaux de sucre. Frocoutas refusait les tapes, acceptait le sucre, et continue à grogner. Rien n'y fait. Il devient hargneux. Il aboie après les voisins. Pauvre bête...

Jean est passé hier. Nous avons écouté des disques près du feu. Je ne savais pas que l'amour pouvait avoir cette douceur calme. Je me suis endormie contre lui.

Quand je me suis réveillée, il nous a préparé du thé. Puis il m'a dit qu'il devait monter à Paris. Est-ce que j'avais besoin de quelque chose, dans la grande ville? De livres, de disques? Qu'il aille voir quelqu'un?

J'ai été prise de court. J'avais la gorge serrée. Il a vu mon regard inquiet, il m'a serrée dans ses bras, m'a demandé de ne pas m'affoler. Il lui fallait débroussailler cette histoire de guide, prospecter un éditeur, vérifier ce qui se faisait dans le genre. Inutile de travailler pour rien. Il devait mettre les choses au net avec l'agence, retirer de l'argent. Quitte à rester dans les Basses-Alpes autant s'en donner les moyens.

Je lui ai demandé combien de temps. Huit jours, tout au plus. Est-ce que je comprenais?

J'étais rassurée. J'avais eu très peur. Je le voyais repartir dans ses guerres. J'ai vu, en un éclair, sur une route blanche, Jean s'avancer en silence, une tache rouge au front. J'ai eu envie de lui demander de l'accompagner. Je n'ai pas osé. Il a sa vie, là-haut, ses habitudes, de vieux copains, sans doute une petite amie. Je ne veux pas le déranger. Plus tard, nous irons ensemble.

Pendant qu'il me parlait, il caressait un bois flotté que j'avais ramassé près de la ferme des Ferrand dans le torrent à sec qui descend d'Espinousse. J'aime sa façon de toucher les objets. On dirait qu'il les apprend. Ses mains ne restent jamais immobiles.

Il a posé le bois, m'a caressé les doigts. J'ai fermé les yeux. J'entendais les bruits du hameau. Deux femmes se sont installées, de l'autre côté de la place. Elles veulent monter un atelier de tissage. Moune leur a tiré les vers du nez. Elles envisagent de faire des tapis, des abat-jour de lampes, des tableaux en tapisserie...

Moune, ça la laisse sceptique. Ce genre d'articles de première nécessité, nous n'en manquons pas, dans la

236

région, depuis Aix en passant par Manosque. Jamais on n'a autant tissé. Elle leur a demandé à qui elles comptaient vendre? Il n'y a pas de passage, à Saint-Javier. De loin en loin, un Marseillais se trompe, il enfile notre route et se casse le nez sur le cul-de-sac... Elles veulent mettre un écriteau au croisement de Mézel.

En attendant, elles s'activent. Elles posent des serrures, elles rafistolent, elles sont toute la sainte journée à taper comme une colonie de piverts. Elles n'ont pas trop la cote. Deux femmes qui vivent ensemble, pensez... Et puis c'est peut-être le début d'une invasion. Une fois que les artistes s'installent, on n'est plus chez soi... Enfin, notre poulailler est en émoi.

J'ai raconté l'affaire à Jean. Il n'est pas contre. Cela me ferait des voisines. Qui sait, je pourrais peut-être leur faire cadeau de mon chien?

J'ai ri. Avec tout le sucre que Jean lui donne, Frocoutas ne va pas faire de vieux os. Il serait mieux chez les tisserandes. Deux femmes pour lui tout seul... Jean a parié qu'elles n'en voudraient pas. Pour le peu qu'il les avait vues, c'étaient de redoutables militantes. Une chienne, à la rigueur. Un chien, jamais.

« Et fais attention, Claire. Si elles s'aperçoivent que tu trahis ton sexe avec des mâles, elles vont t'avoir dans le collimateur. »

Il plaisante. Elles ont mieux à faire.

Il allait partir huit jours. C'est long...

Ces années, toutes ces années comme autant de feuilles mortes, que je n'ai pas vues passer. C'était toujours la même année. Elle ne faisait que changer de numéro. Le temps restait immobile. Et puis Jean est venu. Je reprends pied dans la durée comme dans un territoire neuf.

Il partait quand? Bientôt. Il fallait d'abord qu'il mette au point un synopsis pour son livre, et un premier chapitre. C'était l'affaire de trois ou quatre jours.

Il paraissait préoccupé. De quoi s'agissait-il? Il a soupiré : « De Madeleine. » Elle avait un comportement bizarre. Elle était très chic, très serviable et, en même temps, elle pouvait se montrer agressive, avec des sous-entendus déplaisants. Il avait l'impression qu'elle lui cachait quelque chose. Elle était jalouse, pire que Frocoutas. Enfin, voilà...

Il m'a demandé :

« Qu'est-ce qu'elle fabrique au juste?

– Elle marche beaucoup, tu sais bien. Elle lit, elle...

– Non. Qu'est-ce qu'elle écrit?

– Des romans policiers. »

La réponse m'a échappé. Je me suis mordu les lèvres. Je lui ai fait promettre de ne pas en parler. Elle tenait à ce que je garde le secret, elle ne veut pas être étiquetée en tant que gloire locale.

Il a juré qu'il serait discret. De quel genre de polar s'agissait-il? Je n'en savais rien. Elle ne voulait pas que je les lise, ce n'était pas mon genre...

« Ils n'ont pas une couverture rouge, par hasard?

– Oui. Elle écrit sous un pseudonyme. Attends... Dan Wild.

– Et ça se vend?

– Oui, je pense.

– Tu n'en as pas un sous la main, par hasard?

– Non, tu les trouveras facilement à Digne, d'autant qu'ils ont pour cadre la région, je crois bien. »

Jean a paru vexé. Elle aurait pu le lui dire. Il lui avait emprunté pas mal de livres. Tant qu'à faire, il aurait autant aimé lire les siens.

Je comprenais Madeleine. Ce n'était pas par modestie qu'elle se dissimulait. Plutôt par orgueil. Pour ne pas gêner son monde. Quand quelqu'un a fait n'importe quoi, de la mousse au chocolat ou un pangolin en contre-plaqué, il attend des compliments. Elle ne tenait pas à imposer ce type d'épreuve à ses proches.

Pour elle, ses romans sont des romans alimentaires. Pas du Stendhal...

Jean l'admettait. Pourtant, elle aurait pu faire une exception. J'ai objecté que si l'on commence, c'est le secret de Polichinelle.

Déjà sept heures... J'avais promis de passer chez Moune. Elle organisait une soirée pour moi.

Il s'est mis à rire. Elle m'avait trouvé un autre soupirant? J'en avais peur. Elle avait déniché au lycée un prof qui revenait d'Afrique, un ancien coopérant, très intéressant, paraît-il, un cœur à prendre, avec de l'argent de côté. Jean n'en pouvait plus.

« Sais-tu que le proxénétisme est interdit? Je comprends mieux... J'ai croisé Moune hier sur le Gassendi, elle avait l'air gêné. Pardi, elle ne voulait pas m'inviter. »

Oui. C'était une raison, mais... Autant que je le lui dise... Ce que Moune lui reprochait, c'était son attitude envers Jo.

Il est tombé des nues. Quelle attitude? Il ne comprenait pas. Il aimait bien Jo. Ce côté France sauvage des années 70, après-mai et biquettes, c'était extra. Il n'y a qu'à Digne qu'on trouvait encore ça. Il en redemandait. Un véritable voyage rétro, les soirées chez Jo.

Soit, mais... Voilà, Jo était habitué à davantage...

« Davantage quoi?

– Il aime qu'on l'admire un peu... »

Il estimait que Jean ne participait pas vraiment, qu'il se contentait d'observer, enfin, bref qu'il se comportait en Parisien.

Jean a poussé un hurlement de loup.

« Maman! Même ici! Même au cœur de la sauvage Bassezalpe, il fallait renvoyer l'ascenseur, se tenir par la barbichette, se dire : « Mec, tu es un mec formida- « ble », en chœur... Pas croyable! »

Je lui ai expliqué la situation : il n'était pas tout à fait un inconnu. C'était un journaliste. On voyait parfois son nom dans le journal. Il lui arrivait de côtoyer des gens connus. Les personnes comme Jo ont très peur de se sentir méprisées.

Jean comprenait. Tout de même, ça le choquait. Il trouvait ça inouï. Il n'était qu'un tout petit pigiste de rien qui tâchait de vendre sa salade au couteau, parce que c'est la jungle, et que personne ne te fait de cadeaux, jamais. Que personne ne partage. Que c'est une société qui marche au cumul. Quand un type est super-nanti, il est indispensable qu'il enfile sinécure sur sinécure. Quand tu n'as rien, ce rien, tu dois le défendre comme un fauve. Qu'est-ce que Jo s'imaginait? Que lui, Jean, vivait sur un lit de jasmin, avec des vierges pré-pubères en train de lui mordiller le gros orteil?

J'étais bien au chaud contre lui. Je l'écoutais râler. Je lui ai demandé de ne pas dramatiser. Il suffirait qu'il passe, un soir, qu'il fasse un geste. Qu'il demande quelque chose qui permette à Jo de se mettre en valeur. N'importe quoi. Les gens ont besoin de croire qu'ils existent. Rares sont ceux qui peuvent se dispenser de l'approbation des autres.

Il est resté silencieux un moment. Puis il a dit :

« Si j'avais su...

– Oui?

– Je débarquais en chômeur, analphabète et tout, et même pour faire bon poids, récemment libéré d'un asile. Le demeuré en béton.

– Tu n'aurais pas pu tenir le rôle. »

Alors là... Une fois, il s'était fait passer pour paraguayen, ça avait parfaitement marché. Aucun problème, il pouvait jouer les crétins admiratifs à merveille, chez Jo.

Je l'ai supplié de rester tranquille. Un autre soir, tant qu'il voudrait. Pas maintenant. Moune et Jo avaient été très chics avec moi, pendant tous ces moments où ça n'allait pas très fort. Ils croyaient me rendre service. Je ne pouvais pas leur faire un affront. Tant que je vivrais à Saint-Javier, il me faudrait rester en bons termes avec eux. Ici, les relations ne sont pas neutres. C'est déjà beau que les gens vous tolèrent. Sinon, ils peuvent vous rendre la vie invivable.

« Comment ça?

– Très facilement... »

C'est votre chien que vous retrouvez empoisonné. Ou les pneus de votre voiture crevés. Ou une pierre sur votre toit, qui casse vos tuiles, une nuit d'orage. Les moyens ne manquent pas. Vous pouvez passer les nuits à guetter, si ça vous chante, vous ne prendrez jamais personne sur le fait.

« Tu n'exagères pas un peu?

– Pas du tout. Je n'ai pas couru le monde, mais je connais bien ce coin. »

Ce n'était pas une région bâtarde. Les indigènes sont restés entre eux. Ils tiennent à ce que cela dure. Si vous les respectez, ils vous respecteront. Mais s'ils ont l'impression, à tort ou à raison, que vous leur manquez, ils ne vous manqueront pas. Ni le temps ni l'imagination ne leur feront défaut. Ils pouvaient aller loin. Il suffisait de lire les journaux, au moment de l'ouverture de la chasse. On y relevait régulièrement de tragiques accidents. Jamais le nom d'un responsable...

Jean a souri :

« Enfin, Claire, nous ne sommes pas en Sicile... »

La Sicile? Pour ce que j'en savais, il y avait des points de ressemblance. Dans les deux cas, il s'agissait de régions pauvres, à l'écart, peuplées de gens ayant une certaine conception de l'honneur. La Sicile, on en parlait beaucoup, dans les romans et dans les films. Les Basses-Alpes, à part Giono... C'est fameux, Giono, mais par moments, on se demande s'il ne confond pas un peu Manosque avec la Grèce antique. Puis il y a eu les films de Pagnol. Tout ça vous baigne dans l'accent du Midi et l'huile d'olive. La réalité est différente.

Jean a paru intéressé. C'était quoi? C'était un peuple sauvage, au sens noble du terme, dans un pays à l'écart. Ici, chacun est une île. Je ne pouvais pas en parler, ou très peu. Pourtant, j'étais là depuis deux générations, puisque mes parents s'étaient installés à Digne. Mais je restais une étrangère. Mes morts n'étaient pas enterrés ici...

Bon. Je devais me préparer. Nous nous sommes embrassés. J'ai eu du mal à le lâcher. Je n'avais aucune envie d'aller chez Moune. Il le fallait. Mieux vaut ne pas trop passer de temps avec Jean, je ne veux pas qu'il s'habitue à moi.

Décidément, j'étais installée dans le rôle de la fille à caser. Après ce coopérant, quoi d'autre? Un vétérinaire? Un employé de banque? J'avais l'impression de jouer aux petits métiers. Cela ne me gênait pas. Cette comédie me permettait de leur donner le change.

Je suis sortie. La nuit sentait la pluie. Au premier coup de froid, nous aurions un mètre de neige. Il faudrait prévoir des chaînes pour la voiture.

J'ai repensé à ce qu'avait dit Jean. Je sens que Madeleine m'évite. Je ne m'en inquiète pas, il lui arrive d'avoir de brusques accès de sauvagerie. Si elle continue de bouder j'irai la voir.

Je m'étais gardée de me mettre en frais. J'espèrais que le coopérant irait bientôt coopérer ailleurs. Cette clandestinité puérile n'allait pas durer des éternités. Dès que Jean se serait décidé à régler son contentieux avec Madeleine, nous pourrions nous voir au grand jour. Cette idée m'effrayait. C'était comme si, après des années d'immobilité, j'allais me retrouver en haut d'un col, devant une vallée inconnue. J'ai entendu des bouffées de musique venant de chez Moune.

DRÔLE de pays. Autant l'hiver est somptueux, avec des nuits à hurler, ruisselantes d'étoiles, autant le printemps s'annonce ronchon. Il pleut, il crachine, il vente. Faire du vélo dans ces conditions, ce n'est pas la joie... Je me demande si je ne devrais pas investir dans une vieille voiture. Surtout pas, tu n'entends rien à la mécanique.

Je regarde par ma fenêtre. Mes pies sont toujours là. Braves petites. J'ai repéré leur nid, dans le saule de l'autre côté de la route. Nous sommes en mars. Bientôt, j'aurai des bébés pies dans mon pré. C'est bien.

Je m'aperçois que j'ai commis une erreur d'identification. Je m'obstinais à appeler chêne vert le chêne blanc local, de petite taille, à feuilles curieusement persistantes. Le véritable chêne vert, c'est la yeuse à toutes petites feuilles vernissées, vert foncé. Dont acte.

Tu te rends compte? Tu devrais être quelque part, dans un œil de cyclope, à compter les coups. C'est vrai. Je suis toujours là, toujours indécis. Chaque soir je pense qu'au matin, je saurai ce que je veux..: Puis rien... Cet état brumeux ne me déplaît pas. C'est préférable aux regrets à tout prendre. Une fois fini ton guide, tu vas te lancer dans quoi? Aucune idée. Pour le moment, je me trouve bien. C'est une période de répit. Ça manque d'adrénaline. Au moins, en reportage... Ça aussi, à la longue, ça s'émousse...

Détente, donc. A part que tu as mis le doigt dans l'engrenage. Claire attend quelque chose de toi. Je sais. D'habitude, j'évite. Je ne fonctionne qu'avec des dulcinées qui ne s'incrustent pas. Comme Pierre... Cela n'a rien de caractériel. Ça vient des conditions de travail.

Je suis mal réveillé. J'ai fait des cauchemars. Quelque chose de sombre voulait m'écraser. Je me suis réveillé en sursaut, le cœur en déroute. J'ai entendu le cri de la hulotte.

C'est ce qui me convient, dans ce pays, des tas de petits riens qui sont la vie. Je ne vais tout de même pas téléphoner à Max pour lui annoncer que je reste à cause d'une hulotte...

Je me suis fait un Nes. J'ai horreur de ça, mais ça secoue. Il me semble que j'ai quelque chose à... Tudieu, je pense bien. Elle m'a mis une belle puce à l'oreille, Claire, hier soir. Ainsi, Madeleine écrit des polars... Et elle veut le secret. Il faut que je regarde de quoi il s'agit. Je n'ai pas des masses de clefs, pour cette fille.

Selon toi, il va pleuvoir ou quoi? Selon moi, tu ferais bien de mettre ton K-way. Bon, il te faut quoi, en ville? Le journal du Viet-Cong. J'aurais dû passer chez elle, récolter ses vieux magazines. Ce sera pour une autre fois. Et sinon? Oh! des olives noires amères, des abricots secs, des dattes. C'est ma période tutti frutti. Attention, camarade, tu vas t'obésifier dans ta sédentarité, si tu continues. Mais non, je vais reprendre mes marches.

Salut, noble vélo. Allons-y. Heureusement, c'est plat, jusqu'à Digne. Il n'y a qu'un ennui, ces saletés de voiture qui t'aspergent, au passage. Elles visent les flaques et elles accélèrent, ma tête à couper. Quand je serai dictateur, je ferai fusiller cent mille automobilistes chaque jour. Pour l'exemple. Avant, je leur ferai avaler dix litres d'eau de flaque. Avec une paille.

Dis donc, dictateur, tiens ta droite. Les escargots sont de sortie. J'essaie de les éviter. Il y a de magnifiques bourgognes. Tiens, un papi qui en ramasse. A noter : en mars, le Bas-Alpin se nourrit d'escargots.

J'ai remonté le Gassendi. On voit déjà des bourgeons sur les platanes. Dommage qu'ils les aient taillés aussi sauvagement. Ils leur ont laissé de gros moignons, ça ne ressemble plus à rien, et toute cette sève pour très peu de branches... Il va falloir les passer à la trayeuse. Encore un abruti qui ouvre sa portière sans regarder. Quand je serai dictateur... Tu supprimeras les portières? Un peu mon neveu. Pas de toits non plus. Au moins, les gars, pour rouler, il faudra qu'ils en aient envie.

Je vais réinventer la nécessité. Voilà ce qui ne va pas, dans les démocraties électives, le manque de nécessité. Dans les dictatures, au moins, tu peux rêver de tout, il n'y a rien. A l'Ouest, vu que nous croulons dans l'abondance, nous sommes parfaitement désespérés.

J'ai fixé mon vélo contre un poteau. J'aime bien la Maison de la Presse, on peut y feuilleter tranquille. J'épluche... Je regarde les noms sur les photos. C'est écrit verticalement, en tout petit, personne n'y fait attention. Ça permet de savoir qui a fait quoi, dans le métier. On trouve encore des photos de Pierre. On en verra toujours dans dix ans, comme ces lumières venues d'astres morts...

J'ai pris *Le Provençal, Paris Match, Time*, et je me suis lancé à la recherche des polars de Madeleine. ils me crevaient les yeux, une belle rangée, bien rouge, au mitan d'un rayonnage. Une demi-douzaine. Que choisir? Autant commencer par le premier. Ça s'appelle *L'héritage*.

La poisse, il se remet à pleuvoir. Au moins, chez les

Sahraouis... On fait quoi? On va au grand Caf, Sahraoui de mon cœur, attendre que ça se tasse.

J'ai commandé un chocolat chaud et un kir, et j'ai entamé mon *Héritage*. Je comprends pourquoi notre sœur Madeleine tient à garder l'anonymat. C'est une chronique de la vie quotidienne à Digne. Tout y est, le pollen des pins au printemps et les mœurs de l'indigène. Je n'ai aucun mal à reconnaître lou Clapas. Et l'histoire? Il s'agit d'un jeune homme aux prises avec une aventurière... A première vue, ce n'est pas vraiment du roman policier. C'est plutôt du vécu, avec psychologie à la louche, états d'âme... Il faut aimer.

Je laisse mon fourbi sur la table, et je retourne à la Presse. Zut, je n'ai pas pris des masses d'argent. Si je rachète du Wild, la route de la figue sèche sera coupée... Le devoir d'abord. J'en prends deux autres, *L'Attente,* et *L'Enjeu.* Je retourne retrouver mon kir, et allons-y.

Elle a du style, Mado, aucun doute. Un style qui lui va. C'est tout à fait elle, brutale, efficace. Elle travaille le lecteur à coups de poing. Pas de temps morts, elle ne te laisse pas souffler. C'est rapide, du beau travail.

Je me dis que c'est dommage, elle aurait pu faire mieux. Quoi donc? De la littérature? Pour une fois que quelqu'un se donne la peine d'écrire quelque chose de lisible, tu ne vas pas pleurer.

Je suis là depuis une heure ou deux. Des collégiens bavassent dans les coins. La serveuse au grand cœur vient me demander si je désire quelque chose. Je racle mes poches, je trouve deux francs. Je commande deux soucoupes de cacahuètes, et un verre d'eau. Je lui explique que je fais partie de la secte des adorateurs de l'arachide. Elle ne paraît pas convaincue. Peuple de peu de foi... Quand je serai dictateur... Tu leur feras bouffer des cacahuètes? C'est ça. Et rien d'autre.

Les histoires se suivent. Dans *L'Attente*, je retrouve le héros de *L'Héritage*, toujours aussi jeune, naïf et sentimental. La mauvaise aventurière vient le relancer. Heureusement, un ami tutélaire veille, et... Doux Jésus, j'y suis... Le jeune héros, c'est Claire. L'aventurière, Pierre. Et l'ami vigilant, Madeleine soi-même. C'est sans doute une transposition des événements de ces dernières années. Je crois que Madeleine n'a rien inventé, ou presque. Il faut que tu désosses ces merveilles. Tu vas prendre une feuille de papier, et noter ce que ça raconte.

Bien compris. Ça m'ennuie de retourner dans ma ferme chercher des sous, pour acheter les autres. Tiens, Moune vient d'entrer. Seigneur, merci pour votre sollicitude.

Je fais signe à Moune, qu'elle vienne s'installer près de moi. Elle vient. Brève hésitation : je planque les livres ou pas? Surtout pas.

Elle est bien, cette fille, elle fait très sain. On aurait presque envie de la violer dans un carré de brocolis. A condition d'aimer les brocolis. Pas moi, je ne suis pas un lansquenet, mais n'importe quel type normal... Elle est mieux que son Jojo. C'est vrai pour la plupart des couples. L'homme est le passif de la femme.

« Alors, Moune, tu es splendide, ce matin.

– Quel matin, Jean? C'est bientôt deux heures. Qu'est-ce qui te prend?

– J'étais en train de lire, je n'ai pas vu le temps passer. Tu connais ça? »

Elle jette un coup d'œil sur mes Wild.

« Oui. On en a pas mal parlé. Ça se passerait par ici. Certains disent qu'ils reconnaissent des personnages. Moi, tu sais... »

Geste de la main, pour indiquer que peu lui chaut.

« Et l'auteur, on sait qui c'est?

– On sait, seulement ce n'est jamais le même. C'est un auteur à roulettes. Régulièrement, on accuse un prof, puis il est nommé ailleurs, alors c'est le tour d'un autre.

– C'est peut-être quelqu'un du pays ?

– Je ne crois pas. Pas d'ici, en tout cas. Les gens ont autre chose à faire qu'à écrire des couillonnades. A mon avis, ce serait plutôt un retraité de Manosque, un Aixois ou un Marseillais. Un qui vient pour les vacances, tu vois ? Qui écoute les histoires et qui les raconte après. Tu lis ça pourquoi ? Ça t'intéresse ?

– Oui, il n'y a pas tellement de littérature sur le pays, alors...

– Je comprends, c'est pour ton fameux guide.

– Qu'est-ce que vous devenez, sur vos terres, Moune ?

– Toujours pareil, on fait aller. Les chevaux ont bien passé l'hiver. Denis veut partir faire le berger ailleurs. C'est dommage, parce que c'est le gros travailleur.

– Qu'est-ce qui lui arrive ?

– Nous avons eu un stage, cet été. Il a dû y rencontrer une fille.

– Il ne pouvait pas en trouver une chez vous ?

– Tu plaisantes ? Chez nous, les plus jeunes ont trois ou quatre fois vingt ans. Et les deux qui viennent d'arriver, je n'ai pas l'impression que leur genre, ce soit de courser les hommes. Et toi, Jean, on ne te voit plus.

– J'ai toujours peur de déranger, tu sais, je suis un grand timide...

– Allez va, ne raconte pas d'histoires. La vérité, tu veux que je te la dise ? C'est que nous ne sommes pas assez bien pour toi. »

Ça y est, c'est reparti... Je la fixe dans les yeux :

« Moune, là tu m'insultes. Ce n'est pas vrai. Seulement, vous êtes entre vous, je ne veux pas avoir l'air de m'imposer. Chaque fois que vous m'avez invité, je suis venu.

– Si c'est ça, c'est que tu es une grosse bête. Considère-toi comme invité en permanence.

– D'accord, Moune. Retiens bien ce que je te dis.

Une fois chez vous, je n'en pars plus. Vous serez obligés de me sortir à coups de fourche.

– N'exagère pas... Tu passes ce soir?

– Promis. Je te dirais bien de prendre quelque chose, mais je n'ai plus un sou.

– Tu veux que je t'en prête? Je sors de la banque.

– Volontiers, j'ai encore des courses à faire. »

Brave Moune. Elle s'envole. Elle est heureuse de nature. C'est le genre à se régaler au stalag, au goulag, n'importe où, camarade.

J'investis dans un sandwich rillettes-cornichons. Ah! La cuisine chinoise... Puis je retourne à la Presse, acheter le restant de mes Mohicans. En tout, cela m'en fait six. Je demande à l'employée de me les mettre dans un grand sac. Je ne tiens pas à m'afficher avec. Elle remarque :

« Il manque le dernier. Vous n'avez pas de chance. On me l'a juste acheté hier.

– Ah! bon... Il s'appelle comment?

– *La Mise à mort... L'Exécution...* Un titre dans ce genre. Nous l'avons commandé. On l'aura dans quinze jours. »

J'ai regagné ma ferme. Je m'y suis mis. J'ai dressé la chronologie des événements tels qu'ils apparaissent dans la saga magdalénienne. Pour ce que j'en savais, ça paraissait coller... Passons. Une fois le texte décrypté, quel est le message?

En 65, Madeleine s'installe au Clapas. Je crois que c'est la date exacte. A vérifier. Claire débarque en 73. Et Pierre également. C'est bien en 73 qu'il a commencé à descendre régulièrement à Digne...

Pierre exploitera de façon déplaisante l'attirance de Claire sans rien lui accorder en échange. Madeleine va se décider à sévir, mais Pierre repart vers de nouvelles aventures, après avoir fait frôler à la pauvre Claire la dépression. Fin du premier round.

Ensuite, en 75, Pierre aurait planté de la marijuana

sur un terrain appartenant à Claire. Sans la prévenir. Madeleine alerte les pandores, anonymement. Elle espère que Pierre, qui entre-temps est reparti, va trinquer. Claire, pour le protéger, se dénonce. Une enseignante qui cultive de la drogue, quelle horreur... Claire passe en jugement : prison avec sursis. Elle doit abandonner son poste. Sa carrière est brisée. Quand Pierre reviendra, elle ne lui dira rien... Fin du deuxième round.

Tu crois que Pierre aurait planté de la marie-jeanne? Je ne sais pas... A vérifier.

Nous retrouvons, en 78, Claire qui s'est mise à l'élevage des biquettes. Pierre manque lui coller une histoire de trafic d'armes sur le dos. Allons bon.. Madeleine désamorcera l'affaire à temps.

A cette époque, Pierre était en cheville avec des Basques. Il croyait tenir un scoop. Ça n'a pas abouti. A vérifier...

Enfin, Pierre, blessé, se réfugie chez Claire. Il souhaite monter une imprimerie. Pour l'aider, Claire vendra son troupeau. Faillite de Pierre, qui disparaît.

C'est vrai qu'il voulait s'installer un labo-photo, à ce moment-là. Est-ce qu'il... Je me demande...

Comment se fait-il que les lecteurs locaux n'aient pas vu qu'il s'agissait de Claire? La transposition... Ils cherchaient un jeune homme, pas une demoiselle. Oui.

Ça colle pour les dates, pour pas mal de détails. Ça s'emboîte.

Et ça ne va pas du tout pour le principal. Pierre n'était pas comme ça. D'accord, Claire, il venait la voir, il repartait, et... Mais il était incapable de lui faire subir la série d'avanies que raconte la mère Wild. Celle-là, la haine l'aveugle. Elle a dû affabuler comme un fou.

Tu ferais bien de te raser. Tu as plutôt une sale gueule. Et de planquer ces bouquins. Claire, ça va, j'ai pu passer en coup de vent lui expliquer que je travaillais à mon synopsis. Si Madeleine débarque, et qu'elle aperçoive son œuvre complète, ça va saigner...

Je suis sonné. Quelque chose ne cadre pas. Ou Pierre était... Etait quoi? Au mieux un inconscient, au pire une ordure, et il m'a bien eu toutes ces années. Ou alors Madeleine est douée pour les contes de fées. J'aimerais autant... Parce que enfin, s'il faut l'en croire, il ne l'a guère épargnée, cette Claire qui l'aimait... Il l'a repoussée. Il lui a fait perdre son métier, les contacts qu'elle pouvait avoir avec des gosses. Il a fait d'elle quelqu'un que l'on montre du doigt. Il l'a reléguée dans sa solitude. Il a manqué lui créer des ennuis sérieux, avec cette histoire d'armes. Pour finir, il la dépouille. Pas mal...

A part ça? Comment savoir? Le plus simple, c'est de demander à Claire. Tu lui dis quoi? Que tu as trouvé un manuscrit dans la Bléone? Non. Que tu viens de recevoir une lettre de Pierre et d'outre-tombe, qui t'explique la situation, et te prie de demander pardon à Claire.

C'est pas un peu gros? Même pas. Ça cadre avec la thèse du suicide.

Non, ça ne tient pas debout. Si cette histoire n'est pas vraie, Claire ne comprendra pas. Alors, tu lui racontes que tu as reçu une dénonciation anonyme? Et que tu veux savoir ce qui en est? C'est déjà mieux. Mais pas ce soir. Il faut que je réfléchisse. Parce que si ce n'est pas de la littérature, tu as intérêt à faire attention où tu mets les pieds.

Quand je me suis installée au Clapas, je m'étais juré de maintenir les voisins à distance. Ce n'est pas si facile. J'avais besoin d'informations, j'ai dû me faire des relations.

Ces temps-ci, la Mimi du café a décidé que j'étais la confidente idéale. Comme elle a embauché une jeune souillon, elle est davantage libre de ses mouvements. Elle trouve toujours un prétexte pour venir me conter ses malheurs, et ceux du village.

J'en connais déjà un bout par Moune. Les paysans sont de grands mélancoliques. L'extrait de lavande se vend de moins en moins. Le mouton n'est plus ce qu'il était. La sauge ne donne pas, ou donne trop, ce qui est pire. Dans l'économie rurale, le plus et le moins sont des signes aussi néfastes l'un que l'autre.

Les problèmes de Mimi relèvent de la ménopause. Elle prétend que son cœur saigne à cause de son neveu. C'est un jeune garçon de seize ans, à grosse voix, à l'air emprunté. Ses parents ont divorcé, il a servi de punching-ball entre eux. Ça ne l'a pas arrangé. Il est bloqué comme un canif rouillé, et regarde les filles avec l'air d'un condor en cage privé de charogne. Un jour, il va se jeter sur la première personne du sexe qui passera à portée. Dieu veuille qu'elle ait l'âge requis...

Mimi est un bon informateur. Il m'est difficile de lui dire : « Ecoutez, je travaille, ne me dérangez pas le matin. » Officiellement, je ne travaille pas. Je suis une toquée qui se contente d'acheter des meubles.

En ce moment, je n'ai guère d'attention à consacrer aux importuns. Mes affaires me suffisent. Je sens le danger s'approcher.

Tout est ma faute. C'est vrai, cela m'a fait plaisir d'être éditée, j'ai enfin trouvé cette reconnaissance que l'on m'avait toujours refusée. En même temps, j'ai voulu garder le secret. Je n'ai besoin de l'estime de personne. C'était une affaire entre moi et moi. J'étais heureuse de me prouver ma valeur. Je risque de le payer cher.

Je suis devant mon feu. Nanar me tient compagnie. Il vieillit. Ou alors, c'est ce printemps pourri qui ne lui convient pas. Si on frappe, je n'ouvrirai pas. Je dois réfléchir. Je n'ai plus une erreur à commettre.

Pourtant, j'avais fait le ménage. J'ai brûlé mes manuscrits, mon journal, tout ce qui pouvait témoigner. A quoi bon garder ce fatras? Ma mémoire ne m'épargne rien. Il a fallu que Jean survienne en pleine opération. Sur le moment, cela n'avait pas d'importance.

Le temps travaille pour lui. Drôle de garçon. Ceux de Saint-Javier le croient un peu timbré. Un Parisien. Un type tout juste bon à épater la galerie. Jo affirme qu'il est « calu », comme ces moutons qui ont un ver dans la tête et n'en finissent pas de tourner en rond. Il en est jaloux. Il ne supporte pas de ne pas être le seul coq sur son fumier. Moune l'aime bien, mais elle l'a rangé dans la catégorie des étrangers, autant dire des Martiens. Denis ne voit pas plus loin que le bout du nez de ses chèvres.

Et moi, pauvre imbécile, moi qui croyais comprendre... Je l'ai pris pour un de ces attardés affectifs qui s'attachent au hasard aux individus plus forts. J'ai cru qu'il était de la race de Pierre, un petit rapace. L'étage en dessous, c'est tout.

Pierre était volontariste, il n'arrêtait pas d'entreprendre, sur le dos des autres. Jean m'avait plutôt l'air d'un brin de lierre ne sachant trop où se fixer. Il suffisait de le diriger. Je le trouvais plus encombrant que dangereux.

Tu as entendu un loir dans le garde-meuble, Vénar? Laisse faire. Ne me dérange pas, je n'irai pas t'ouvrir.

Claire m'a trahie, sans penser à mal. Elle lui a raconté que j'écrivais des romans, des romans policiers.

Elle me l'a révélé avant-hier. Je m'étais décidée à aller la voir. Je pensais lui manquer. Je suis stupide. Elle est tout à son Jean, à son vieux rêve repeint de frais. Elle m'a parlé comme si nous nous étions vues cinq minutes auparavant. Ce n'est qu'incidemment qu'elle m'a avoué son indiscrétion. Je l'ai rassurée, je lui ai dit que ça n'avait aucune importance, et j'ai foncé à Digne.

Là aussi j'ai fait le ménage. J'ai acheté mon dernier livre à la Maison de la Presse. Est-ce qu'il en restait? Je voulais en faire cadeau... Une chance, c'était le seul. Dans les deux autres librairies, il n'y en avait plus. J'étais parée. Avant qu'ils se réassortissent, j'avais le temps de voir venir.

Je ne pouvais pas acheter tous mes livres d'un coup, ça les aurait mis en éveil. Il n'en faut pas plus, ici.

Tiens, les cloches... Quelqu'un est mort. Mimi me tiendra au courant. C'est peut-être la vieille demoiselle, celle d'en face ma ferme. Mimi m'a prévenue qu'elle disait pis que pendre de moi. Peu importe, elle n'a plus sa tête.

Je m'inquiète pour rien. Jean a plusieurs fers au feu, en ce moment, Claire, son livre, ses projets de reportage. Il ne va pas s'intéresser aux élucubrations de la vieille folle que je suis.

Il faut que j'aille chercher des bûches, le vent d'est s'est levé, la cheminée tire bien. Une bourrasque a déplacé les tuiles de mon bûcher, le bois va se tremper.

Vévéo m'a accompagnée, toujours digne. Il s'ennuie. Il n'a pas d'adversaires à sa hauteur dans les parages. Son oreille déchiquetée? Ce n'est pas dit que ce soit un chat.

J'ai regardé le ciel. De légères touffes cotonneuses dérivaient vers le Cousson. L'air sent le tiède. Ma vieille carcasse de maison est encore imprégnée du froid de l'hiver. Si le temps se maintient, j'ouvrirai bientôt les fenêtres.

J'ai placé un lot de bûches sur la brouette. Chaque fois, je débusque une collection d'insectes. De grandes araignées mauves enfouies dans des cocons, des cloportes, des scolopendres... Cette fois, c'était un scorpion engourdi. J'ai secoué le morceau de bois pour qu'il tombe. Nanar lui a envoyé un coup de patte sans conviction. La brouette grince, il faudrait...

L'idée m'a clouée sur place. Je venais de commettre la pire erreur possible, en allant acheter mon livre. Suppose que Jean en fasse autant, la vendeuse est capable de lui raconter ma visite. Allons, pourquoi veux-tu? Il suffirait qu'il pose une question...

J'ai rangé mes bûches, posément. J'ai détruit mon journal, je ne peux détruire mes livres. Ils ne m'appartiennent plus. Supposons que je sois Jean. Il vient d'apprendre que sa chère Madeleine écrit, ce qui est banal, et qu'elle s'en cache, ce qui est curieux. Que fait-il? Il décide de se rendre compte de quoi il retourne, évidemment.

Je n'ai plus qu'à vérifier. J'ai enfilé ma vieille peau de mouton, et go...

Très bien, la Range, mais pour traverser le Clapas, il faut viser juste. Je me suis trouvée, presque à la sortie du village, face à un Niçois qui venait de s'engager. Il n'avait qu'à reculer de vingt mètres, ce n'est pas la mer à boire. Je lui ai fait signe gentiment de passer la marche arrière. Certains hommes admettent mal que des femmes puissent tenir un volant. Nous avons donc engagé une partie de bras de fer. Il a refusé de bouger. J'ai pris un livre qui traînait sur la banquette, et je me suis plongée dedans. Au plancher, je garde une manivelle de cric à disposition. J'ai laissé mon vis-à-vis écumer.

Nous y serions encore si un tracteur, puis deux, ne s'étaient engagés derrière moi. Ils sont allés parlementer avec l'olibrius qui a obtempéré, sous peine de se retrouver avec son volant en guise de cravate.

A Digne, je suis passée directement à la Maison de la Presse. Je sais où sont rangés mes livres. Ils avaient disparu. Inutile de demander des détails.

Une vague de froid m'a envahie. Un bref moment, j'ai été incapable de bouger. Je suis allée prendre un café arrosé au France. Simple : je me remets dans la peau de Jean... Je viens d'acheter quelques livres, par curiosité. Ils racontent une histoire que je connais en partie. Il faut, pour le reste, que je demande confirmation. A qui? Pas à moi... Reste Claire.

S'il lui parle, que peut-elle lui dire? Peu de chose. Elle verra que j'ai utilisé des éléments de son histoire pour raconter les miennes. En général, les gens ne détestent pas que l'on parle d'eux.

Mais si Jean est tombé sur le dernier? Cela ne changera rien, je l'ai écrit avant. Au pire, il prouverait que j'ai de l'imagination, ce qui est bien le moins pour un romancier. La fiction précède la réalité, c'est connu. L'histoire de la Société générale, avec les truands qui passent par les égouts, était décrite par le menu dans une Série noire, avant qu'elle ne se produise. Si Jean a des soupçons, grand bien lui fasse, il devra s'en contenter.

S'il parle à Claire, c'est une autre histoire... Il n'aurait rien à lui dire, il lui suffirait de lui donner mon dernier livre. J'ai été folle de raconter cette histoire... Je ne pouvais pas prévoir que je la vivrais.

Et si j'allais m'expliquer avec ce petit monsieur? Je peux l'emmener en promenade n'importe quand... Si tu reviens seule, c'est pour le coup que les gens vont se poser des questions.

A sa place, je ferais quoi? J'essaierais de comprendre. Et ensuite? De me venger... Je ne le crains pas. Je l'attends. S'il veut me faire mal, c'est Claire qu'il ira trouver, pas moi.

Je ne peux plus me mettre à sa place, ce n'est qu'un homme.

Je vais avoir une belle histoire à raconter. Oui. En cellule... Il n'en est pas question.

Nous n'en sommes pas là. Il ne s'est rien passé. Un accident, la mort d'un étranger. Et une poignée de romans qui racontent n'importe quoi, comme n'importe quels romans. Toute coïncidence serait une coïncidence.

Finie la morosité au coin du feu, il est temps que je me réveille. Il ne faut pas que je quitte Jean de l'œil. Une chance, son vélo se voit de loin. S'il n'est tombé que sur mes premiers livres, rien n'est perdu. Comment savoir?

J'ai eu faim, d'un coup. J'ai commandé un hot dog. J'ai toujours un feutre, sur moi. J'ai fait un croquis sur la nappe en papier.

La ferme où vit Jean constitue le cœur d'un poisson dont le corps serait formé par les routes qui enserrent cette parcelle. La tête, c'est le carrefour Digne-Mezel. Le dos, la grande route du Clapas, le ventre, le petit chemin à dos-d'âne. Et la queue, l'endroit où les deux routes se rejoignent, à l'entrée du village, près de la distillerie de lavande.

Ne rêve pas. Jean sait forcément qu'il y a un dernier roman. Il voudra en avoir le cœur net. Il va tâcher de se procurer *L'Exécution*, si ce n'est déjà fait. Où donc?

Moune et Jo ne l'ont pas. Il ne va pas me le demander. Il n'a qu'un vélo, il n'ira ni à Manosque ni à Aix.

Machinalement, j'ai ajouté des nageoires et un œil à mon poisson. Le garçon s'est penché sur moi, il a constaté :

« C'est un poisson. »

Il avait tout de l'imbécile heureux. Il sentait l'ail mal digéré, un délice. Avec une femme seule, inutile de se gêner, il n'allait pas se faire un lavage d'estomac avant sa bouleversante déclaration.

Il s'appuyait du bras contre moi. Qu'est-ce qu'il attendait ? Que je m'allonge sur la banquette en meuglant d'extase ? J'ai ajouté des cornes à mon dessin. J'ai dit :

« C'est un poisson-bœuf, vous voyez ? Tous les poissons-bœufs sont cocus. »

Il s'est redressé. Il a grommelé :

« Si on ne peut plus plaisanter... »

Il s'est éloigné en se dandinant.

J'ai repris le fil. Enfin, j'ai essayé. A quoi bon ? J'ai le double des clefs de la ferme, autant aller vérifier.

J'ai examiné mon poisson. Il me fallait un endroit, quelque part sur le dos, où garer ma Range Rover. De façon à voir le cœur. Lorsque Jean saura, il ira soit vers la tête, voir Claire, soit vers l'autre bout, me demander des comptes. Il me faut donc un endroit d'où l'observer.

J'avais repris le contrôle de moi-même. Je ne me laisserai pas surprendre.

En attendant ? Je dois passer voir Claire. Un coup d'œil me suffira pour deviner s'il lui a parlé, ou non.

J'ai soupiré. La salle était peuplée de jeunes. Une garderie, une de plus, quelque part entre l'école et la caserne... De petites rides de drague venaient troubler la surface de l'ennui. Les malheureux essayaient de singer la vie d'ailleurs, sur d'autres planètes, à Paris, en Amérique... Dommage. Le printemps aurait dû leur mordre le cœur. La vie reprenait son offensive. Il faisait un temps à partir en guerre. J'en ai toujours voulu au monde entier d'être une fille. J'aurais aimé tenir un fusil... Je n'ai tenu qu'un rôle.

J'ai quitté le bar. J'ai retrouvé sous mon pied la puissance de ma Range. Je me suis sentie forte, à nouveau. La chasse commençait. Je connais mon métier et mon territoire. J'ai trop tergiversé au sujet du gibier. Il me restait à le forcer. J'ai fait rugir mon moteur. Mon cœur a bondi de joie. J'ai repris la route. Je savais où j'allais.

Il m'est venu une autre idée. Saleté de printemps, je déteste ces nuages bas, gris, qui se traînent au ras de la cime des saules, vers la Bléone. Bien la peine d'être dans le sud du sud, camarade... Il m'est donc venu une autre idée. Pas la peine d'affoler Claire. Je me suis inquiété un peu vite. Au fond, je suis fragile. A la première balle dans le cervelet, je crains de m'enrhumer.

Imagine que les livres de Mado ne soient que de la choucroute : un peu de journal intime, un brin de fiction, un doigt de vérité, et que tu sèmes l'alarme pour rien, tu aurais l'air malin. Avant d'entreprendre quoi que ce soit, il te faut lire le dernier.

Bien, chef... C'est dur de rompre ses relations quand on vit dans un sous-marin. Je n'étais pas retourné au Clapas chercher des bouquins. Si j'essayais la bibliothèque municipale? Tiens, c'est vrai.

Le vélo, c'est joli, mais s'il repleut, je vais être transformé en soupe. Bien fait, tu n'avais qu'à acheter un scaphandre. Et une planche à voile. Le sage s'adapte au climat.

Bien, la bibal. Proprette et tout. On y trouve les derniers bestou-sellous et autres incunables, et j'ai demandé à la préposée si par hasard elle avait du Wild. « Oscar? » elle a dit. Non, pas celui-là... Un livre plein de pages, avec une couverture rouge, et...

Elle m'a sobrement conseillé de consulter le fichier « auteurs ». J'ai cherché. En vain. Pas de Wild.

J'ai demandé le cahier des réclamations. N'y en avait point. Alors, celui des suggestions? Point non plus. J'ai fait remarquer que sans suggestions ni réclamations, pas de progrès possible. Autant rester à l'âge des cavernes.

Les rares personnes présentes, deux dames d'âge certain et trois vertes jouvencelles, commençaient à s'intéresser à ma dialectique. La préposée, en revanche, virait au rouge. Je l'ai saluée courtoisement, et vogue. Du coup, j'avais oublié de m'achalander en lecture.

A quelle porte frapper? J'ai pensé au commissariat. Ce devrait être normal de demander à ces messieurs de la police un roman policier... J'ai hésité. Je ne porte pas de casque.

Je suis alors tombé sur ce bon M. Durouve. Drôle de type. Je l'avais rencontré où, diantre? Sais plus... C'est un athlète hésitant, il ne sait trop que faire de sa grande carcasse, il rougit facilement et plane en permanence. A part ça, il est prof. Il se trouve aussi que c'est le père de Claire...

J'y suis : elle te l'a présenté au ciné-club. Sa fille et lui ont l'air de se trouver sur des planètes différentes. Ils se voient fort peu. Chacun poursuit son rêve dans son coin. C'est le secret des couples durables.

Nous avons parlé du temps. C'est un no man's land qui permet de prendre langue à pas de loup. C'est d'ailleurs ce que j'ai déclaré à M. Durouve, enchanté par cette formule. Il comptait la traduire en latin et la proposer comme thème de réflexion à ses élèves de terminale. Pourquoi pas? On a vu pire.

Il s'intéresse à la vie locale, bien qu'il s'en défende. Au fond, c'est un timide. Comme je le suis aussi, nous nous comprenons à demi-mot, tels des petits cochons dans un champ de confitures de mirabelle.

Je lui ai demandé si par hasard, il ne connaissait pas un auteur probablement local, qui signait Wild...

Oh! que si... Ce type, c'était l'Arlésienne. Tout le monde en parlait, personne ne le voyait. Lui, Durouve, avait eu des soupçons quant à son identité. Il pensait à ce prof gauchiste, Christian... Certains détails ne trompent pas. L'autre protestait de son innocence. Il prétendait n'avoir ni le temps ni le goût d'écrire de pareilles inepties.

En tout cas, lui, Durouve, possédait la série des Wild. Il m'a pris par le bras. J'avais un vélo? Aucun problème. Il l'a casé à l'arrière de sa Peugeot commerciale. Le mieux, c'était de passer chez lui. Il me prêterait ses polars et me ferait goûter de son vin de noix.

Nous avons franchi la Bléone, escaladé la colline, et pilé devant une énorme villa. Dis donc, le Durouve, il ne s'ennuie pas... Tu te trompes. Il s'ennuie si peu qu'il a pratiquement bâti sa maison lui-même, à l'en croire. Si la Rome antique avait connu la télé, à la place du Colisée et autres gadgets on trouverait des piles de vieux récepteurs. Les voix du silence... Chaque civilisation a les déchets qu'elle mérite. Passant par Reggane, le voyageur pensif tombe sur des collines de canettes de bière vides, laissées là par la Légion. La vraie, la nôtre, et... Qu'est-ce que tu chantes?

Mme Durouve n'était pas là. J'ai suivi mon sauveur au grenier. Il s'est aménagé un lieu de travail très agréable, un de ces endroits où l'on peut rester longtemps sans rien faire avec beaucoup de satisfaction. On y trouve des poutres, des divans, la collection complète des *Cahiers du cinéma*, une avalanche des écrits de Mlle Donnadieu, née Duras, et tout un secteur consacré à l'histoire locale.

J'ai repéré le rouge dos des Wild. Durouve m'a tendu *L'Exécution*, entre pouce et index, un peu comme l'oiseau Nestlé tenant un vermisseau dans son bec. J'en voulais d'autres? Non, merci. Celui-là, c'était parfait...

Il ne l'avait pas lu jusqu'au bout. On devine trop ce qui va se passer. Un livre, c'est comme un film. Ce qu'il faut avant tout, c'est un scénario solide. Et, si possible, un élément de surprise. J'ai approuvé.

J'ai jeté un coup d'œil sur ses autres bouquins. Ben oui... A un moment historique donné, tout le monde consomme la même salade.

Nous avons gagné la salle de séjour. On pourrait y jouer au football. On y trouvait même une cheminée. Durouve a fait une flambée, placé une bouteille sur une petite table, entre deux fauteuils de cuir. Nous nous sommes installés. De vrais pachas... Nous avons bu en mangeant des cacahuètes. On ne peut pas dire qu'il picore. Il les prend par poignées et les enfourne, c'est fascinant. Pas mauvais, son vin de noix. Ça aurait pu faire une excellente teinture, entre autres..

La façon dont les gens vivent m'a toujours sidéré. La pièce était remplie de meubles, de tapis, ça faisait très hall d'exposition. Comment peut-on s'enterrer vivant dans des trucs pareils?

Il y avait encore des livres, dans une armoire. De belles reliures en cuir. Je suis allé jeter un œil... Barrès...

Durouve estimait beaucoup Barrès. Il le trouvait supérieur à France, Anatole... Certes, certes.

Nous achevâmes de brouter nos cacahuètes. Parler chiffons? Je n'ai pas de lumières spéciales sur la tenue des zouaves pontificaux à Balaklava. J'ai donc pris congé, mon Wild sous le bras. Une chance, il ne pleuvait toujours pas. Ce n'est plus un printemps, c'est une grossesse nerveuse. J'ai réenfourché mon vélo. J'avais hâte de me plonger dans ma trouvaille.

Je n'ai pas été déçu. Cette fois, les noms étaient changés, mais j'ai retrouvé le même scénario.

Un gentil petit apiculteur s'occupe à traire bucoliquement ses mouches à miel. Il a, bien entendu, un ami fidèle qui veille sur lui. Ça, c'est la thématique Wild. Survient l'inévitable garce. Ce coup-ci, elle s'appelle Claudine. En deux coups de louche, elle ruine la vie de notre jouvenceau, comme de bien entendu. Et l'ami chevronné la liquide. Là, je me suis accroché. Tout y était, la tisane, le gaz, avec bouteille sous le hangar... Elle pousse, Madeleine. Comme Claudine buvait et se bourrait de Valium, l'exécution passe au bleu, rubrique suicide... J'ai soupiré. J'ai jeté le livre. Il a malencontreusement heurté la bouteille de whisky. Coup de chance, elle ne s'est pas cassée. Dieu existe, j'en ai profité pour avaler une solide lampée.

J'ai repris le bouquin, regardé l'achevé d'imprimer. Mars... Neuf mois presque avant la mort de Pierre.

Je suis resté prostré un long moment. J'en faisais quoi, de ma découverte? Ce n'était qu'une saleté de roman. Point. Qui ne racontait qu'une saleté de fait divers salement banal. L'accident suicide. Autant dire un accident de la circulation. Nous retombions toujours sur la transposition. Noms, lieux, sexes, tout était changé. Quant aux bouteilles de gaz sous les hangars, ça court les rues.

J'ai encore soupiré. Ça devient une manie. Continue, tu vas pouvoir t'installer gonfleur de montgolfière.

Une éternité ou deux avaient dû passer. Je tenais toujours cette saleté de livre à la main. Je l'ai balancé. Cette fois, il a atterri en haut de l'armoire. Qu'il y reste, il n'aura qu'à garder les moutons.

Au travail. J'ai cherché la feuille, celle commencée au Grand Café, où j'avais noté la chronologie des événements dans l'épopée de Mado. Impossible de mettre la main dessus. Ça ne m'étonne pas, je ne retrouve jamais rien. Il m'arrive de chercher ma tête, parfois, et... Aucune importance. J'ai quand même épluché les bouquins. Je planque tout dedans, astucieusement. Tu sais que la première chose que font les cambrioleurs, c'est de virer les livres, pour trouver l'argent? Je sais. Je planque et j'oublie.

Ta liste, tu la retrouveras un jour où tu ne la chercheras pas. C'est courant chez les mystiques. Ils cherchent leur vieille collection des *Pieds-Nickelés*, ils tombent sur Dieu.

Pas grave. Tout ça, tu l'as en tête. Tu reprends une feuille. Les bouquins? Facile, tu les as proprement cornés, et zébrés en marge. Et tu refais ta liste.

Ça m'a bien pris trois heures. Ce n'était pas du temps perdu. Cette fois, ça se tenait. Il y avait une cohérence interne, une nécessité. C'était beau comme de la balistique. Du rêve éveillé...

Je m'explique mal... Ça fonctionne à deux niveaux : le niveau réel, concret, pataugas et rase-mottes. Et l'autre, le niveau obsessionnel. On sentait progresser inexorablement la nécessité de tuer.

En fait, c'était de la littérature clinique. Ils laissent passer ça, dans les maisons d'édition? Ils en laissent passer d'autres. Si un éditeur lisait vraiment un livre, crois-moi, ça se saurait... Je tenais ma grenade, bien propre, au creux de ma main. Tu en fais quoi? Tu vas voir Claire, et tu dégoupilles?

Je ne sais pas. Je n'ai pas le droit. Pas le droit de lui raconter cette histoire de folie et de mort. Je devine dans quel état ça la mettrait.

C'est vrai. Mais l'autre cinglée est toujours là. Elle, ce n'est pas une grenade, c'est une mine, à chaque pas tu peux sauter.

Je le retiens, ton coin tranquille, l'endroit où il ne se passe rien. Tu pleureras un autre jour.

Tu vas aller trouver Claire. Tu ne lui parleras ni des polars, ni de tes soupçons. Tu reprends ton idée de lettre anonyme? Même pas. Tu lui dis que tu avais discuté, avec Pierre. Qu'il avait l'impression d'avoir des torts envers elle, pour différents motifs. Tu fais celui qui n'est pas au courant. Tu la laisses parler. Tu essaies d'amener au net cette histoire de marijuana, et celle du labo-photo. En douceur. Fais attention, ne lui mets pas martel en tête.

Si elle confirme, tu fais quoi? Je ne sais pas. Un arbre après l'autre.

Je ne m'étais toujours pas préoccupé du ravitaillement. Il fait nuit, il tombe des trombes. Dis donc, la mousson s'annonce sévère, cette année. Tu entends ce raffut? Et si je perdais l'habitude de m'approcher de la fenêtre en pleine lumière? Ne fabule pas.

J'ai faim. Les cacahuètes du sieur Durouve ne sont plus qu'un pâle souvenir.

J'ai inspecté ma cambuse. Rien. Plus l'ombre de la queue d'un maquereau, camarade. Fini, le pain d'épice. Terminé, le caviar rose. Dis-moi ce qu'il y a, ce sera plus vite fait. Il n'y a rien. Si : un pot de moutarde en grès, avec ce produit qui ressemble à du cataplasme granuleux. Slurp...

J'ai exploré un sac-poubelle. Victoire, il restait un vieux quignon aux yeux bleus. C'est pas des yeux, c'est de la moisissure. Avec votre or, nous forgerons l'acier victorieux. J'ai gratté à l'os et à l'Opinel. Je l'ai fait griller au gaz. Ça et une bonne couche de moutarde, c'était salement exquis. Je me suis régalé. Tu sais qu'un bon hareng de la Baltique, avec de la crème et des oignons... Toi, ta gueule...

Si tu allais t'inviter chez Madeleine? Avec cette pluie? Et tes dons de comédien?

Tu ne penses pas qu'elle s'en doute? Non. Aucune raison. Je ne l'ai pas vue depuis... Oh! depuis que je lui ai annoncé mon départ. Donc, elle n'est pas au courant.

Tu en es sûr? Parce que si elle te soupçonne d'en savoir trop long...

Camarade, tu perds les pédales. Comment veux-tu? Mado, elle a son chat, ses meubles, elle sait que tu pars. Si quelqu'un est tranquille, en ce moment, c'est bien elle. Ne la surestime pas, ce n'est pas une voyante.

Je comprends à présent pourquoi elle avait autant de mal à t'encaisser, malgré les apparences. Elle te prend pour une réincarnation de Pierre.

Tu sais ce que tu fais? Génial... Tu vois Claire d'abord. Ensuite, tu passes chez Miss Clapas, tu lui expliques que le devoir t'appelle et que tu pars, et qu'elle n'en dise surtout rien à Claire. Tu te planques à Digne. Non, c'est trop loin... Tu te planques ici. Tu attends. Dès qu'elle quitte le Clapas, tu t'introduis chez elle, pour...

Ça ne tient pas debout. D'une, tu ne peux pas rester dans ta ferme, sans provisions, sans véhicule, sans rien. De deux, tu sais ce qu'elle brûlait, l'autre jour? Tu crois qu'il s'agissait de son journal? J'en ai peur. Pourquoi? Parce que tu l'avais remarqué. Alors, elle se méfie? Pas forcément. Elle prend ses précautions. Du calme. D'abord Claire. Ensuite, nous improviserons.

J'avais encore faim. La prochaine fois, j'entreprendrai un guide gastronomique.

C'est fou comme Claire a changé. Sa joie de me retrouver m'a fait mal. M'a touché, aussi. Elle a couru vers moi dès qu'elle m'a aperçu. Je n'en mérite pas tant. Cette fille, j'y tiens. C'est vrai, je commençais à sentir naître quelque chose. Et là, c'est comme si un coup de gel venait de passer sur des bourgeons.

Je ne ressens plus non plus grand-chose pour Pierre. Je veux élucider cette histoire, mais il s'agirait d'un inconnu, ce serait pareil.

Claire marchait sur la route, à l'entrée du hameau. Je l'ai serrée dans mes bras. Elle m'a demandé ce qui se passait, je faisais, paraît-il, une drôle de tête...

Que lui dire? La famille, voilà. Je venais de recevoir de mauvaises nouvelles. Ça sert à ça, les familles. Comme je suis orphelin de père en fils, je me suis rabattu sur mon frère. Il allait mal. Il venait d'entreprendre l'ascension de la face ouest d'un platane, la plus rude, avec sa voiture. Le platane, ça allait. La voiture, c'était moyen. Mais mon frère...

Claire comprenait. Elle m'a demandé si je souhaitais marcher un peu, ou... J'ai choisi la marche. Le ciel venait de se dégager de ses édredons, autant en profiter. A dire le vrai, je n'avais pas le cœur à la tendresse.

Nous nous sommes retrouvés sur la route du cimetière. Ce coin commence à me peser. J'ai l'impression d'y tomber sur un reproche vivant, pas sur un ami mort. Mais l'endroit me permettait de placer la conversation sur Pierre.

Claire me tenait la main. Je la sentais tranquillisée, en plein nuage. Et ce nuage, c'était moi. Cette fille était amoureuse de l'amour. Il y avait maldonne sur la personne. Elle plaçait sa tendresse sur le premier épouvantail venu.

Tu caricatures un peu, non? Si. Mais il y a du vrai. Nous n'étions plus au même diapason, elle ne s'en rendait pas compte. J'aurais voulu pouvoir la retrouver, retrouver cet élan...

Plus tard. Après la guerre, nous rebâtirons nos foyers dévastés, camarade.

J'ai eu un coup de nostalgie. J'ai pris son visage entre mes mains, je l'ai embrassée. Elle sentait une odeur de bébé tiède, j'aurais voulu que le temps s'arrête, qu'une histoire simple puisse commencer. Je n'étais pas là pour ça.

D'un peu plus haut, nous avons vu Moune renforcer la clôture de son potager, avec des branches épineuses. Elle venait de lâcher ses saletés de chevaux, qui la regardaient faire, intéressés. D'un temps, je m'étais promis de l'aider. Commence par t'aider, on verra ensuite. On entendait la sonnaille du gros bélier du troupeau. Denis devait être derrière la colline, pas très loin. Au fait, il devait partir, non?

La pluie venait de creuser une ravine qui s'approchait du mur du cimetière. Courage, les gars, vous allez pouvoir vous évader.

J'ai remarqué :

« Cela fait un moment que je n'ai pas rendu visite à Pierre. »

Claire a dit qu'elle aussi. Excellente introduction. Nous nous sommes adossés au mur, en plein soleil. Les enclos des morts sont toujours bien exposés. Si le troisième âge, ce n'est pas forcément la joie, le quatrième vaut le voyage.

J'ai ménagé un silence. Puis j'ai placé mon discours. La dernière fois que j'avais vu Pierre, c'était à Paris. Il m'avait parlé d'elle. Il se faisait des reproches... Claire a avalé hameçon et flotteur.

« Quels reproches?

– Oh! à ton sujet, Claire, je ne comprends pas bien... »

Elle m'a répondu que c'étaient de vieilles histoires, que cela ne valait plus la peine d'en parler. Mais si, mais si... Je préférais comprendre, de façon à ce que les choses soient nettes.

J'avais l'impression de jouer dans un bon vieux film américain. J'ai choisi de me faire représenter par Paul Newman. Autant ne pas lésiner... Nous étions sur la colline, pas très loin du dénouement. Au juste, tu te colles dans quelle peau, Claire? Difficile à dire. Ce n'est pas un sex-symbol.

Donc, Paul (Newman) voulait comprendre :

« Il faut tout se dire, Claire, sinon... »

J'ai toujours été persuadé du contraire. Un couple, comme une nation, ne peut vivre que dans le mensonge. Mais Newman (Paul) tenait la forme. Remarque, au prix où on le paie... J'ai été convaincant. Il ne s'agissait pas de ternir l'image de Pierre. Seulement, la mienne ne coïncidait pas avec celle de Claire. Il valait mieux opérer une mise au point. Est-ce qu'elle avait eu quelque chose à lui reprocher?

Non. Elle, jamais. Les autres, oui. Surtout Madeleine. Parce que les gens s'étaient mêlés de ce qui ne les concernait pas.

Elle s'est lancée avec beaucoup de chaleur, comme en transes. Je la tenais toujours contre moi. Je la sentais se débattre, au fil du récit comme un poisson ferré qui lutte dans le courant.

Pierre, c'était quelqu'un de merveilleux. Il brûlait sa vie et sa vie le brûlait. Quand il voulait quelque chose, il ne calculait pas. Il n'y avait aucun écart, pour lui, entre un désir et sa réalisation. Il se moquait des conventions. Il avait besoin de défier son monde, de prouver qu'il pouvait aller plus loin. Il était généreux. Il prenait tous les risques...

Newman a demandé si cette histoire de marijuana... Eh bien oui. Il en avait planté, c'est vrai. Il ne l'avait pas prévenue. Parce qu'il avait oublié, ou qu'il n'était même pas sûr que ça pousserait. Il y avait eu cette dénonciation, les gendarmes sont à l'affût de tout. Pierre ne leur plaisait pas. Il déplaisait à pas mal de personnes. Certains auraient été ravis de lui coller cette affaire sur le dos. Cela signifiait le retrait de sa carte de presse. Autant le tuer tout de suite. Sans son travail, Pierre était un homme mort.

Alors, elle avait dit que c'était elle. Ils n'ont pas pu prouver le contraire. Ça les a gênés, parce que ses parents sont très estimés. Tant pis. Ça leur apprendrait.

Elle avait préféré quitter l'enseignement, on n'en finit pas de vous montrer du doigt, dans les petites villes. Les légendes y sont tenaces. Elle avait pris ces corrections de devoirs par correspondance. Par moments, elle regrettait ses gosses, mais...

Je la sentais tendue, véhémente. Elle faisait partie de ces filles dont la soif de sacrifice n'a pas de bornes. J'aurais pu m'en tenir là. J'ai tout de même parlé du projet de labo...

Oui, Pierre avait eu cette idée, une très bonne idée. Il connaissait mal les conditions locales. Il ne lui avait rien demandé. Elle l'avait aidé. Si elle avait eu besoin de quoi que ce soit, il aurait agi de même. A l'époque, elle avait un troupeau de chèvres, en commun avec Madeleine. Elle avait vendu les biquettes sans regret. Ces bêtes, on s'y attache, soit. Mais elles vous mangent tout votre temps, et vous finissez par...

Newman a dit :

« Par devenir chèvre... »

Elle a ri. Je l'ai sentie se détendre. Elle m'a serré très fort. Elle m'a chuchoté que j'étais merveilleux. Ça n'était pas l'impression que je me faisais. J'avais la bouche amère. Pour moi, Pierre était en train de mourir. De mourir vraiment...

Le film était fini. Je devais me ressaisir. Décrocher en douceur, et aller faire le point une bonne fois... Une bonne fois, vraiment?

J'ai embrassé Claire sur les paupières. Je l'ai remerciée de sa confiance. Elle pouvait compter sur moi. J'avais autant envie de débiter ces pauvretés que de me pendre. Il le fallait. Je tenais à Claire, à ma façon tordue. Je lui devais une revanche. J'aurais voulu la savoir heureuse. Nos projets ne coïncidaient pas.

Il fallait que je rentre. J'avais du travail. Je repasserais demain, sans faute. N'importe quoi... J'étouffais.

J'ai dévalé la colline comme un fou. Au virage suivant, une racine dépassait, je me suis ramassé une magnifique gamelle. Ça, c'est quand Paul Newman prend la rafale en pleine fuite, à deux pas de la liberté. La liberté est toujours à deux pas, la vache...

Rien de cassé. Si, le genou viandé... Ça me lançait, il était en train d'enfler comme un cadavre au soleil. Ça t'apprendra, pauvre con. Rien du tout, je peux marcher. La douleur, je la traite par le mépris. Elle n'a qu'à en faire autant.

J'étais venu à pied ou en vélo? Bonne question, je ne savais pas, je ne sais plus comment je vis. A vélo... Tu vois ce tas de ferraille rouge? Je vois. Je suis rentré dans le plus pur style *Aucune bête immonde*.

La poisse, manquait plus que ça... Et qui donc m'a intercepté, sur mon dos-d'âne? Lou Viet-Cong. Elle a constaté mon état. Ben oui, Dien-Bien-Phu, c'était pas de la tarte... Elle m'a fait signe d'attendre, a trottiné jusque dans ses repères, en est revenue avec une fiole. Elle m'a dit :

« Prenez ça. Vous vous faites la compresse pas trop serrée, puis... Demain matin, ça sera tout bleu, le mal sera parti. Rentrez vite, mon pauvre monsieur, rentrez vite... »

J'ai escaladé mon escalier au ralenti. Le héros revient dans sa plantation. Les hordes de Sherman ont ravagé la Georgie. Elles ont dû finir ton whisky, par la même occasion... Saletés de Yanks... J'ai retiré mon jean. Mon genou avait l'aimable bonhomie d'une patate hollandaise, en plus tuberculeux. Une compresse, hein?

Je me suis goupillé une installation sanitaire avec des mouchoirs imbibés de baume du Viet-Cong. Ça sent fort, ce machin. Doit y avoir du camphre.

Je me suis installé dans mon fauteuil, une couverture sur les genoux. Tu as ton compte, ce coup-ci...

C'est dur de perdre un camarade. Pierre, je l'ai senti proche, d'un coup, pour la dernière fois. Celui que j'avais connu. Le Pierre toujours prêt à foncer. L'ami qui m'avait entraîné dans les plus chouettes balades de... Je lui ai dit adieu.

Restait l'autre. Un drôle de salopard, un maquereau, une ordure qui abusait jusqu'à l'os de la confiance et de l'amour d'une chic fille sans défense. Le pourri. Il savait ce qu'il faisait. Il a retourné Claire sur le gril, année après année. Il ne s'est pas contenté de la laisser sécher sur pied, dans l'espoir sans cesse remis et l'attente inutile. Il l'a exploitée, dépouillée. Il lui a retiré son travail, ses élèves qu'elle aimait, son troupeau de biquettes...

Pourquoi? Parce qu'elle s'y prêtait? Merde, c'est peut-être une raison, ce n'est pas une excuse. Qu'un pauvre type fasse ça, c'est banal. Les minables ont besoin de torturer, pour se prouver qu'ils existent. Pas Pierre. Il avait de quoi se défouler sur le terrain. Et plus rien à prouver, depuis longtemps...

Je ne comprends pas. Les deux Pierre ne collaient pas ensemble. Et après? Additionne-les, divise par deux, tu auras une moyenne...

Pas si vite. Je laissais des plumes, dans l'histoire. Je

croyais aux rôles. C'était simple, la vie, pour moi : chacun son rôle. On ne le choisit pas forcément, mais on le joue. Le rôle de l'élève, de l'honnête laboureur, de la ménagère, du truand... La société ne fonctionne que comme ça. Le bonhomme de base joue sa partition, il y croit ou il fait tout comme. Il y a des asiles pour les autres.

Pierre, pour moi, c'était le baroudeur. Le type qui risque sa vie comme on respire, pour rien, pour des photos, un reflet, un visage... Un mirage. Il m'avait appris à jouer à ce jeu. A vivre sous un autre voltage.

Et voilà... Entre deux raids, il s'amusait à torturer la meilleure des filles, comme un débile de village torture un rat pris au piège. Je ne comprenais toujours pas. Ce Pierre-là, j'avais envie de lui casser la gueule. Je ne serais jamais reparti avec lui. Il m'avait bien eu.

Dis donc, il aurait pu être sous-marinier. Question cloisons étanches, il en connaissait un rayon.

Tu aurais dû te poser des questions, non ? Vous ne vous quittiez jamais. Vous n'arrêtiez pas de vous téléphoner. Vous étiez inséparables, sauf quand il disparaissait dans ses Basses-Alpes. Rideau. Pas une fois il ne t'a proposé de descendre avec lui. Ça ne te faisait pas tiquer, ce domaine réservé ?

Pas vraiment. Je n'aime pas déranger. Je me sens toujours de trop. Je dois me faire pardonner d'exister. Je trouvais formidable que ce type m'accepte, le reste du temps. Alors, s'il avait besoin de se garder son ballon d'oxygène, parfait. Je ne pouvais pas deviner...

Tu pouvais t'interroger. Quand quelqu'un ne te montre pas quelque chose, tu sais ce que ça signifie ? Crétin... Qu'il le cache. Et s'il le cache, il y a forcément une raison. Mauvaise, en général.

D'accord, tu es le plus fort, tu as tout compris. Des amis, je vais te dire, j'en ai très peu. Je ne les juge pas. J'accepte tout d'eux. Tant qu'ils veulent. Jusqu'au bout. Ce n'est pas un exploit de me tromper. Quand je m'en aperçois, terminus. C'est mort.

Pierre était mort. Je n'avais même pas de quoi arroser ça... J'ai toujours dit que tu n'étais pas à la hauteur. A la hauteur de quoi? Merde, arrête tes conneries...

Je me suis mis à chialer, d'un coup, ça a crevé, je n'en pouvais plus. J'ai pensé à Claire, à ce massacre... Finalement, Pierre avait gagné. Il avait ce qu'il voulait. Il était bien sur sa colline, sous la terre, le salaud...

Je me suis levé. Pourriture de genou... J'ai appuyé mon front contre la vitre glacée. Tiens, le froid est revenu... Il revient chaque nuit, sais-tu. Nous sommes en moyenne montagne. La buée a couvert les vitres. Avec ça et mes larmes, j'étais paré. J'ai vu vaguement quelque chose d'orange trembler dans le ciel. Cela s'appelle la lune.

J'ai posé mon front contre le verre froid. Ça m'a fait du bien. Je me suis calmé. Tu veux que je te dise? Pierre, ce n'était jamais qu'un homme. Il n'avait pas trois mètres de haut. Ce n'était ni Tarzan ni Jésus. Ce n'était qu'un pauvre bougre qui tâtonnait dans le noir. Nous en sommes tous là.

Bravo pour l'oraison funèbre. Tu as fini? On peut applaudir? Ne me parle plus de Pierre. Je n'aime pas les bourreaux. Il n'avait même pas l'excuse d'avoir une guerre sur les bras. Juste ou injuste, ma Patrie, va te faire foutre. C'est pour son compte qu'il...

Les guerres ne se livrent pas seulement dans les steppes. Ça se passe surtout dans la tête... Je sais. Je sais tout. J'en sais trop. Les excuses, ce n'est pas mon rayon. Si tout le monde rejette la faute de tout sur tout le monde, la vie devient n'importe quoi. Alors? Le message? Tu vas t'inscrire à « Légitime défense »?

S'agit pas de ça. J'ai perdu un ami. Point. Laisse les morts avec les morts. Il reste un héritage. Il reste Claire. Elle voulait vivre. Elle voulait un enfant. Elle a eu un cadavre.

Et Madeleine. Son enfant, elle l'a. C'est Claire. Elle l'a défendue tant qu'elle a pu. Jusqu'au bout. Elle a pris tous les risques. C'est vrai. Elle s'est bien battue. Comme une mère. Comme un tigre.

Alors? Tu en fais quoi, de tout ça? Elle a tout de même tué ton copain, non? Oui. A part que ce n'est plus mon copain... Elle a fait ce que j'aurais fait à sa place.

L'histoire est finie? Tu pourrais lui décerner une médaille, à ta Madeleine. Pas celle des tireurs d'élite. Celle du Gaz de France.

Je te trouve rapide. Tu es sûr que c'est une blanche agnelle, cette fille? Qu'elle n'a agi que pour le bien de Claire?

Tu peux me dire ce que ça lui a rapporté? Côté fric, rien, au contraire. La question n'est pas là. Claire, elle l'aimait de quelle façon? Elle ne rêvait pas de la digérer pour son compte?

Je n'en sais rien. Je ne veux rien savoir. Je vais te dire : je suis crevé. Pierre, c'est classé. Pour Madeleine, je n'ai pas à juger de la pureté de ses intentions. On aime toujours pour de mauvaises raisons. Seuls comptent les résultats. Elle a protégé Claire.

Certes. C'est le plus sûr moyen d'étouffer quelqu'un. N'exagère pas. Claire n'est pas une grosse. Elle a un métier, elle est adulte. Elle...

Elle était surtout l'enjeu. Et tu...

Demain. Je n'en peux plus. Comment faut-il te le dire? S'il le faut, je m'expliquerai avec Madeleine. A présent, je peux. Mais d'abord, il faut que je récupère. Ciao.

JE suis restée contre le mur du cimetière je ne saurais dire combien de temps. Pierre était là. Jean allait revenir. Je sentais leur présence comme si l'un était le prolongement de l'autre, comme si je les confondais, comme si Pierre était de nouveau parmi nous. J'étais bien. Je ne voulais pas mettre de mots sur ce miracle.

Denis m'a tirée de ma torpeur. Il passait avec son troupeau. J'ai entendu sa voix :

« O Claire, tu rêves? »

J'ai dit que oui. J'avais beaucoup corrigé de copies. Je m'étais assoupie un peu.

Il a plaisanté :

« Il ne faut pas travailler comme ça, ça fatigue. »

J'ai repris :

« Lavorare stanca. »

Il a eu l'air surpris.

« Pourquoi tu me parles italien? »

Je n'allais pas lui raconter Pavese. Avec Jean, j'aurais pu. Avec Pierre, bien sûr. Pas avec Denis. On peut lui parler des mammites des chèvres. C'est très important les mammites. Et du moment où l'odeur vient aux jeunes boucs. Et des maladies des agneaux. J'aime bien parler de tout cela. Je parle aussi une autre langue.

277

Je ne voulais pas le gêner. Je lui ai demandé :

« Tu comprends l'italien?

– Forcément, puisque je comprends le provençal. Seulement je ne le cause pas. »

Il ne m'en avait jamais dit autant. Denis, c'est le décor. C'est un garçon qui ne peut vivre que dans sa colline. Comme moi, peut-être... Nous sommes redescendus ensemble. Une fois sur la placette, les bêtes se sont dirigées vers la gauche, vers l'étable. Il m'a demandé :

« On te voit, ce soir?

– Non, j'ai une course en ville.

– Bon, alors, salut. »

Je venais de lâcher une bourde. Tout est fermé, le soir, à Digne. Donc, pas de courses. Je passerai voir mes parents. Nous étions mardi, j'avais toutes les chances du monde de les trouver.

En rentrant chez moi, j'ai vu Frocoutas terré dans un coin, tête basse. Il n'est pas venu me faire fête. C'est mauvais signe.

Je n'ai pas eu à chercher longtemps. Par terre, j'ai retrouvé mon pull, mon beau pull, le pull de Jean, en charpie. J'ai ri comme une folle. Ce chien sait reconnaître ses ennemis.

Frocoutas a pris un air interloqué. Il s'est risqué à agiter la queue. Je l'ai regardé sévèrement. Enfin, j'ai essayé. J'aurais dû lui donner deux ou trois tapes. Ça n'aurait pas ressuscité mon pull. Pas question de le défaire pour récupérer la laine, il était tout mâchuré.

« Vilain jaloux. »

Il a piqué du museau. Si je continue à voir Jean, il faudra que je me débarrasse de cette sale bête. Comment cela, si je continue?

D'un coup, j'ai eu froid. Jean m'avait semblé... Ah oui! son frère... Il a une façon de raconter les choses en plaisantant, on ne sait jamais s'il parle sérieusement. Cette histoire de frère, je n'y crois guère. Il ne me ment pas, mais... Il est peut-être jaloux de Pierre. Quelque chose m'échappait. Sans doute quelque chose qu'il ne pouvait pas me dire.

Il avait essayé. Il m'avait posé des questions sur ces vieilles histoires. Je n'allais pas m'attarder à remuer le passé, je voulais passer chez papa-maman pas trop tard. J'ai préparé la pâtée du chien, et j'ai filé.

La 4 L est encore imprégnée de l'odeur de Madeleine. Ce n'est pas une odeur de femme. C'est celle de quelqu'un qui va sur les routes. Elle sent le tabac gris et le grand large.

Mes parents finissaient leur repas. Ils dînent tôt, pour pouvoir s'installer tranquillement devant la télé. Le drame, c'est qu'ils n'ont pas les mêmes goûts. De temps en temps, maman décroche, elle va voir l'émission de son choix sur un petit récepteur en noir et blanc, dans sa chambre. Papa ne cède pas. S'il cédait, il quitterait la maison pour aller marcher comme un fou n'importe où. Maman ne souhaite pas qu'il prenne la mort, comme elle dit. C'est donc elle qui se sacrifie. Mais pas en silence.

J'ai accepté des pêches au sirop. Maman est une fanatique des conserves maison. Je n'avais pas mangé. On ne peut penser à tout. Je ne l'ai pas dit à maman, elle m'aurait grondée. Elle s'imagine que j'ai douze ans, je crois. Elle persiste à me donner de vigoureux conseils à propos de tout et de rien, ce qui agace papa. Il lui suggère de me ficher la paix, et c'est reparti, ils s'engueulent comme du bon pain. Ils n'arrêtent pas.

Maman, c'est la vague qui revient inlassablement. Elle peut ressasser n'importe quoi sans se lasser. Papa, c'est le roc. Il supporte en silence. D'un coup, il se change en volcan, il explose, il explique à ma pauvre mère qu'elle n'est qu'une imbécile, qu'elle l'a toujours été, et qu'il y a fort peu de chances pour que cela change.

Ils s'adorent. Sans leur cirque, je ne sais ce qu'ils deviendraient.

Papa m'a posé la question rituelle :

« Alors, quel bon vent? »

Il n'écoute jamais la réponse. Il essaie de placer une histoire qui vient d'arriver à un de ses collègues. Il en rit tout seul. Maman lui coupe la parole pour s'inquiéter de mon état, de mon travail, de mes activités. Papa proteste :

« On ne s'entend plus.

– Mais Roger, c'est toi qui parles toujours », proteste maman.

Indignation de Roger. Je connais le processus. Il boude, il n'a plus envie de raconter. Il va s'installer devant le feu. Je le suis. Maman dit :

« Puisque c'est comme ça... »

Elle rêve de vengeance. Aller se coucher? Ce serait elle la plus punie. Elle contre-attaque en mettant la télé, pas vraiment à fond, juste assez pour nous assourdir. Roger menace de passer le poste par la fenêtre, et elle avec. Protestations de maman :

« Pas devant ta fille! »

Arrivés à ce point, avec papa, nous éclatons de rire. Maman se calme. C'est la séquence habituelle de leur émission préférée : en famille ce soir.

La paix revenue, papa est allé chercher sa liqueur de salsepareille. J'aime beaucoup le nom. Quant à la chose, mon dieu, elle a une saveur un peu rude. Néanmoins, je la hume avec ferveur. Roger rayonne. Il est très fier de ses productions.

Maman se risque à critiquer :

« Ecoute, Roger, je me demande si elle n'est pas un peu trop forte...

– Colle-la dans un arrosoir d'eau bénite, et n'en parlons plus. »

Le conflit va-t-il rebondir? Maman choisit de traiter son époux par le mépris. Je ne sais si c'est plus efficace, en tout cas c'est plus reposant.

Papa se frappe le front :

« Ah! j'allais oublier! Il est passé ce jeune, tu sais, le

Parisien, celui qui s'est installé dans la ferme de ton amie Madeleine... »

Je ne dis rien. Jean, chez mes parents? Pourquoi donc?

« Figure-toi, je l'ai trouvé à la Presse. Il cherchait un de ces romans policiers de notre écrivain fantôme. On ne me retirera pas de l'idée que c'est ce Christian. Oh! il est fort, il se défend bien... »

Maman proteste :

« C'est un malappris, oui, un dégoûtant. Attends que je le coince, il ne l'emportera pas en paradis. »

Papa hausse les épaules :

« Ta mère est givrée, ma fille. Ce n'est pas nouveau, mais ça s'aggrave. Avant, elle se contentait de se prendre pour le centre de l'univers. Maintenant, elle fait le détail. Elle donne dans la folie de la persécution... »

Du coup, maman se retire dans sa chambre en claquant toutes les portes qu'elle rencontre. C'est l'avantage des grandes maisons. Je remets papa sur rails :

« Tu me parlais de quoi, au juste?

— Je te parlais de quelque chose, moi? Avec ta mère, pour suivre une idée, tu as intérêt à l'attraper à deux mains... Ah! oui, le Parisien du Clapas. Remarque, il a l'air bien brave. Un peu dans la lune, on dirait... Cet après-midi, on s'est croisés. Il cherchait la dernière élucubration de ce Wild. Naturellement, il ne l'a pas trouvée. Je lui ai passé mon exemplaire. »

Qu'est-ce que Jean peut bien avoir à faire avec un roman policier? Pour son guide? J'ai eu un soupçon... Et s'il s'agissait de Madeleine? Elle m'a demandé de ne pas lire ce qu'elle fait.

« Tu l'as lu, ce livre, papa?

— J'ai essayé. Ce n'est pas mon genre. C'est de la bouillie pour les chats. »

Du couloir émerge une protestation. Ma mère passe la tête :

« De quel droit tu dis ça puisque tu ne l'as pas lu?

– Je n'ai pas besoin de voir la face cachée de la lune pour savoir à quoi elle ressemble.

– C'est malin. Quand on prétend avoir une opinion, on la motive honnêtement, ou on se tait. »

Je profite d'une accalmie :

« Ça m'intéresse. J'aimerais bien le lire, pour voir. »

Papa soupire :

« Ma fille, je ne l'ai plus. »

Yvette triomphe :

« Mais moi je l'ai. »

C'est une de leurs manies. Ils ont chacun leur Proust, leur Teilhard de Chardin, leur Aragon. Ils ont besoin de leurs spécimens personnels, comme un soldat de ses armes individuelles.

Je demande :

« Tu peux me le prêter, maman?

– Tu te souviens que j'existe?

– Ne sois pas injuste.

– Je ne suis pas injuste. Je laisse cette spécialité à ton père. »

Papa lève les yeux au plafond. Saint Roger, Vierge et martyr... Ce soir, il joue bien, il a un public. Maman réapparaît, un livre rouge à la main :

« Tiens, le voilà, il s'appelle retourne... »

Je regarde le titre : *L'Exécution*.

Roger se penche, la bouteille à la main :

« Encore une petite larme, ma fille?

– Je te remercie, non. Elle est très bonne, mais je dois conduire. »

Maman se lance dans des considérations sur les accidents d'auto, inévitablement. Papa prend son mal en patience. Il se ressert.

« Roger, tu bois trop.

– Figure-toi, ma chère Yvette, que ce n'est pas ce que je bois qui me soûle. »

Deuxième retraite de maman, indignée. J'en profite pour lever le camp. Papa me raccompagne jusqu'à la voiture :

« Ça m'a fait plaisir de te voir, petite.

– Je reviendrai, papa. A bientôt. »

Je lui souris. J'essaie de ne pas paraître trop impatiente.

Après le pont, dans la ligne droite, je brûle un feu rouge. Coup de sifflet. Je me range sur le bas-côté. Une voiture de la gendarmerie s'approche, se gare derrière moi. Un gendarme descend, s'approche lentement, sûr de lui. Je baisse la vitre. Il se penche. Il a une haleine tiède, fade. Une haleine qui sent l'ennui et la nourriture trop riche. En place pour le quadrille.

« Alors, ma petite dame, on brûle les feux ? »

Je le fixe, en prenant l'air perplexe :

« C'est vrai, monsieur. »

Il a marqué un point. Il pousse son avantage :

« Et pourquoi on les brûle, les feux ?

– J'ai confondu ».

Alors là, il ne suit plus :

« Comment ça, vous avez confondu ? Vous ne reconnaissez pas le rouge du vert ?

– Si. Mais je ne roule pas beaucoup. Alors j'ai l'habitude de passer quand c'est bon pour les piétons, vous comprenez ? »

Il n'en croit pas ses oreilles. Il est ravi. Il pourra donner à ses collègues une preuve de l'insondable incapacité féminine :

« Vous confondez, hein ? Vous ne pensez pas que c'est dangereux, ça ? Vous savez ce que ça coûte de brûler un feu rouge ? »

Je fais signe que non.

« Ça coûte le retrait du permis, pas moins. »

Il m'ennuie. On ne va pas passer la nuit sur cette histoire. Pas la peine de se gêner. Je baisse la tête. Je laisse couler une grosse larme, sans effort. Mes débuts de comédienne...

Le gendarme ne sait plus où se fourrer. Il en bredouille presque :

« Ecoutez, ne vous mettez pas dans ces états. C'est pour votre bien que je vous le dis. Les accidents, ça existe. Nous, on est là pour essayer... »

J'écoute. J'attends la conclusion. La voici :

« Pour cette fois, ça ira. Mais faites attention. En voiture, le rouge, c'est pour s'arrêter. »

Il ne m'a même pas demandé mes papiers. Je lui fais un grand sourire. Il paraît pensif. Je m'éloigne avant qu'il ne se ravise.

J'ai autre chose en tête. Pourquoi Jean ne m'a-t-il pas parlé de ce livre? Et si c'est un des livres de Madeleine, pourquoi ne s'est-il pas adressé à elle, tout bêtement? Tiens, la ferme du chien fou... La route passe sous un viaduc, et...

Je me cramponne au volant. Ce coin est très souvent verglacé. Je le sais. Il faut négocier le virage en douceur. Là, j'ai foncé. Je sens la 4 L partir en glissade. Qu'est-ce qu'il faut faire, dans ces cas-là? Freiner? Je vois des phares, en face. Je tire un coup de frein. La voiture heurte le mur du viaduc, ricoche, glisse de nouveau. Je me retrouve en sens inverse, le capot vers Digne...

J'ai dû donner un coup de tête dans le volant. Pas eu le temps d'avoir peur. Rien de cassé... Ça s'est passé comme au cinéma. J'entends une galopade sur la route, qui se répercute sous l'arche du viaduc. C'est un paysan. Il est plus affolé que moi :

« Dites, vous m'avez fait une brave peur. Qu'est-ce qui vous a pris? Vous n'êtes pas d'ici ou quoi? Vous n'avez rien? »

Il joue aux vingt questions, on dirait. Je le rassure. Tout va bien. C'est le verglas. Je n'ai jamais été aussi bien.

Il insiste :

« Vous êtes sûre? Parce que des fois, on a le choc, et

on le sent pas sur le coup. Vous devriez faire deux pas sur la route, on sait jamais... »

Au fond, si ça peut lui faire plaisir, à cet homme...

J'ouvre la portière, je descends de voiture, et...

SALE nuit. Je me suis débattu contre mon ombre. Contre des cauchemars... Ça n'en finissait pas. Au matin, je ne me souvenais plus de rien. Je ne retiens pas mes rêves.

Sauf un, toujours le même. Un soldat dont je ne vois pas le visage est en train de garnir un chargeur de M 16. Je vois passer les balles, sous son pouce. J'en reconnais une. C'est elle qui viendra à ma rencontre un jour. Peut-être au Pérou. Pierre disait que la guérilla s'y développe bon train, une guérilla maoïste, animée par les paysans sans terre... Peut-être au Salvador. Peu importe. La liste des pays où la chasse est ouverte est longue.

Je ne suis pas frais. Pourtant, je n'ai rien bu hier soir. Tu vois, tu progresses. Tu peux avoir la gueule de bois à jeun, c'est avantageux. Je me sens pâteux. Faudrait que je me réveille...

Que dirais-tu d'une bonne longue marche pour éliminer les toxinasses? Je ne dirais rien. Je me préparais à souffrir en silence.

On va où? Je ne sais pas. On y va sans vélo. Tu as des sentiers plein les collines, juste après le carrefour de Saint-Javier. Tu peux couper à travers la taïga, si ça te chante.

Il est quelle heure? A peine dix heures. C'est parti.

Au croisement, une voiture s'amenait. J'ai traversé devant elle en courant. Une manie. Deux secondes gagnées par-ci, quatre par-là, ça finit par faire un septennat.

Un plaisir, la marche. Surtout à pied... J'ai trouvé un bon sentier. Il musardait comme un petit fou en franchissant des ravines. Un sentier de berger? Je ne crois pas. Ce n'est pas une draille, il n'y a pas de traces de moutons.

Neige en novembre, Noël en décembre... Avant, les gens passaient beaucoup par les collines. Il y avait autant de sentiers que de pores sur la peau.

Je respirais à fond. Je n'arrive pas à me lasser de l'air d'ici. Faudra en remplir un jerricane. Je me demande pourquoi les gens parlent tellement de racines. C'est de l'air qu'il faudrait parler.

Tu sais que ton sentier va vers le Cousson? Cette blague... Le Kilimandjaro, c'est plus à l'est.

Branche le pilote automatique, on va causer. A quel sujet? Tu sais bien... Le petit livre rouge. Je croyais que tu devais aller t'expliquer avec Madeleine?

J'irai. Rien ne presse... Tiens, on trouvait des olive-raies, par là, dans les temps... C'est envahi par les ronces. L'agriculture manque de bras. Tu débroussail-leras une autre fois. C'est moi que je devrais débrous-sailler... Je n'arrive pas à m'y faire...

A Pierre? A cette nouvelle image que tu as de lui? Si ce n'était que ça... Tu peux me le dire, j'ai compris.

Je suis en train de m'apercevoir que... C'est dur, hein, l'évidence? Oui... Pierre et moi, au fond, c'est pareil. Si tu le traites de salopard, tu peux te retourner le compliment. Tu es en train de recommencer exac-tement ce qu'il a fait avec Claire. Tu lui promets la lune. Tu dis que tu restes. Puis tu pars... Oh! un rien, juste un saut à Paris, le temps de régler tes affaires...

A Paris, tu vas tomber sur une urgence. Pas si

urgente, mais on te dira qu'on ne laisse pas tomber les copains. Tu n'attends que ça. Tu repartiras.

Tu reviendras. Claire va repasser à la moulinette comme avant...

Doucement, je ne l'exploite pas. Pas encore. Ça viendra. Tu ne le feras même pas par besoin, tu le feras par ennui. Pour voir jusqu'où peut aller ton pouvoir. Un pouvoir que l'on n'exerce pas n'existe pas. Tu verras.

Sauvage, le secteur. Il doit y avoir du sanglier. Pas forcément. Ce n'est pas une zone de chênes.

A propos de sanglier, plus ça va, plus je comprends Madeleine. Ah oui! la solitaire... Elle a saisi tout de suite, quand elle t'a vu débarquer. Pourquoi a-t-elle été sympa avec toi? Parce qu'il vaut mieux avoir l'ennemi à sa main. Elle connaissait l'ornière. Elle savait que tu plongerais.

J'y ai mis le temps. Certes... Tu ne pouvais pas non plus brûler les étapes, il fallait que Claire se réveille. Ensuite, c'est allé tout seul, le rôle t'attendait.

Je n'ai rien vu, rien compris... Ça t'arrangerait. Ce n'était pas un rôle désagréable. Le coin te plaît. Claire est belle. La course de relais continue.

Quant à Madeleine, je trouve bien qu'elle se batte. Elle défend ce qu'elle aime, c'est l'essentiel. Se battre pour sa peau, ses idées, son territoire, peu importe, mais se battre. Pierre a eu droit à une mort douce, ce n'est pas si mal... Il y a pire, comme vengeance, si tu penses à la vieillesse, au cancer, à cette angoisse quotidienne de vivre.

Intéressant. Il n'y a plus de sentier. Ça grimpe. On fait quoi? On suit à flanc. Vers Digne? Non, en redescendant tu risques de tomber sur de la propriété privée. J'en ai marre de mordre des bergers allemands.

J'ai soif. Suce un caillou, pense à Nouméa. C'est idéal, ici, entre deux expéditions, pour te débrancher complètement. A Paris, on tourne en rond. Ici aussi, mais...

Surtout, tu peux quitter ta défroque. Ça fait un bien énorme. Pour ça que Pierre ne tenait pas à ce que tu viennes. Tu lui rappelais le bon temps.

Il commence à y avoir des à-pics. Essaie de descendre... Puis non, ce coin n'est pas mal, je vais souffler un moment.

Qu'est-ce qu'on fait? Surtout pas un bilan, style 1er Janvier, entre l'Alka-Schweitzer et les bons sentiments.

Si, justement. C'est de ça qu'il s'agit. D'Alka? Arrête de fuir. Tu vois où ça a mené Pierre? Avec ou sans Madeleine, un jour ou l'autre il devait se planter. Il y courait les yeux fermés. Tu suis le même chemin, mon camarade. Je sais. Alors?

Ça se soigne. La fuite se prouve en fuyant, c'est facile. La santé, c'est plus ardu. Il faut s'accrocher. Tu n'as pas envie d'essayer? Alors il faut arrêter de tricher.

D'abord, mettre les choses au net. Tu dois parler. Avec Claire. Ne pas lui dire seulement ce qu'elle a envie d'entendre. Lui expliquer ce que tu es en train de me raconter. Dégonfler ton personnage. Tu n'es pas un héros. Tu es un minable incapable de prendre ses responsabilités. Tu as besoin d'aide...

Pas si vite... Qu'est-ce que c'est, là-bas devant? Une cabane de chasseurs, pour l'affût. Ton désert n'est pas si désert... J'en étais où? Tu faisais mon autocritique.

Oui. Je reviens aux symptômes. La fuite, c'est un signal. Exactement comme un furoncle. Mais la cause?

Oh! c'est en grande partie la facilité. C'est plus facile de rêver sa vie que de se cramponner. Tu peux toujours dire : c'est la faute à popamoman quand j'étais petit, ce n'est pas récupérable. Ou alors, tu fais un effort de volonté. Tu demandes du secours. Seul, tu ne t'en sortiras pas.

Il commence à faire frisquet. Ça souffle, ici. Tu es parti à peine couvert... J'essaie d'avoir ta peau par surprise. Si on allait jeter un coup d'œil à la cabane?

Pas bête, le type. Il n'a pas mis de cadenas. Il a doublé l'intérieur avec du carton goudronné. Il fait tiède, là-dedans... Tiens, une grive en bois... Un pot de glu, qui a séché... Une vieille couverture. Ça ferait un poncho extra. Tu as vu, par cette meurtrière? Oui, c'est un chemin charretier. La civilisation nous cerne.

Comprends. Je ne te dis pas : adieu la vie, adieu l'amour, tu entres en religion. Frère Jean du Clapas... Il ne s'agit pas de ça. Il s'agit d'un minimum d'honnêteté. De t'expliquer. D'arrêter de raconter des histoires à toi et aux autres. Puisque ce pays te plaît, Claire aussi, tu essaies.

Ça t'amuse toujours autant de repartir sous de quelconques tropiques à la recherche de la balle de tes rêves? C'est bien de cela qu'il s'agit? Si tu veux à tout prix te liquider, pourquoi laisser faire le travail par quelqu'un d'autre? Tu n'es pas assez grand? Alors, si tu vis, tu vis.

Ça te tente d'essayer, ou pas? Je crois que oui. La balade, avec Pierre, ça allait encore. On arrivait à se raconter des histoires. Seul, ça ne passe plus. Si ça m'amusait, je ne serais pas là. Nous sommes début avril. Depuis des années, je n'étais jamais resté quelque part cinq mois d'affilée. Tu vois? Ici, je ne m'ennuie pas. Je crois qu'à peine parti, je regretterai.

C'est long de s'expliquer. Plus long que de prendre un billet d'avion...

Claire m'attire. En même temps, je sens que je vais lui faire une saloperie. Je me sens coupable... Va la trouver. Qu'au moins une fois dans ta vie une fille soit autre chose qu'un portemanteau pour ta culpabilité. D'accord?

Tu crois qu'elle comprendra? Si un crétin comme toi a compris, pourquoi pas elle? Dis-toi que rien n'est acquis. Il faudra te bagarrer tous les matins. Tu auras encore des fourmis plein le cœur. Il vous faudra en discuter. Je peux essayer...

Reste Madeleine. Dis donc, tu l'as échappé belle. Elle attendait de pouvoir te juger sur pièces. Jusqu'ici, elle n'a rien à te reprocher. Tu étais là. Tu n'as pas bougé. Tu as tenu un profil bas. Merci papa.

Elle te guette au tournant. Si tu chausses les bottes de Pierre, elle ne te ratera pas.

Tu crois? Je crois qu'elle ne patientera pas aussi longtemps qu'avec lui. Quand tu lui as dit que tu montais à Paris, tu as dû mettre le compteur en marche...

N'exagère pas. Elle ne sait rien de mon rapport à Claire. Elle en sait davantage que tu ne l'imagines.

La nuit tombe. Tu as entendu? On aurait dit un bruit de pas. On rentre? Mon genou me fait mal.

Alors, Madeleine? Je vais chez elle en chemise et la corde au cou? Ce n'est ni la maman de Claire, ni ton tonton. Si Claire est heureuse, si tu es correct, tu n'auras pas à t'en faire pour la châtelaine du Clapas.

Concrètement, je vais vivre comment? Bonne question. Si tu as envie de vivre avec Claire, il vaudrait mieux ne pas rester à trois kilomètres d'elle. Soit. Seulement, je n'arrive pas à dormir avec quelqu'un. Du moins quelqu'un de vivant. Surtout dans le même lit.

Ça peut s'arranger. On trouve des descentes de lit, à présent. Tu en offriras une à Claire. Ecoute, ce n'est pas le diable. Le lit conjugal n'est pas une obligation. Ni le lit jumeau. Tu comprends? Le tout, c'est de voir ce qui coince. Toutes les solutions sont possibles, à condition d'en parler.

J'ai envie d'être gentil avec elle... Ça y est, ça lui reprend. Monsieur veut réparer. Ne sois pas gentil. Essaie d'être naturel, ça suffira.

Et si je souhaitais me balader? Tu n'es pas assigné à résidence. Qui t'empêche de voyager avec Claire? Elle n'est jamais sortie. Tu pourrais revoir avec elle les coins qui te plaisent. Enfin, une partie. Je n'ai pas envie de lui offrir un gilet de chez Cacharel. Pare-balles. Pour son anniversaire... Au juste, c'est quand? Aucune idée. Tu crois qu'elle en a un? Renseigne-toi.

J'étais plus près de la route que je n'imaginais. Plus on tourne en rond, plus on reste sur place. Tu as vu ce coucher de soleil? Regarde ce nuage, un vrai dragon. On dirait un calendrier chinois.

Revoilà ton carrefour, ta petite route. Et ton inévitable Viet-Cong. Elle trottine encore, à ces heures? Un Viet-Cong ne s'arrête jamais. Jusqu'à la victoire finale. Qu'est-ce qu'elle te veut? Ton genou?

« Ça va, madame Viet-Cong. Je traîne la patte parce que j'ai beaucoup marché.

— Vous venez de loin comme ça, puis...?

— Oh! juste un tronçon de la piste Ho-Chi-Minh...

— Allez, vaï, je n'ai pas si bonne mine. Je me fais du souci.

— Vous venez d'apprendre la mort de Mao?

— Ne parlez pas si fort, je ne suis pas sourde. C'est juste mes oreilles qui bourdonnent. Vous revoulez un peu de baume pour votre genou? »

Je fais signe que non. Je dis :

« Je vous scie du bois?

— A mon âge, je n'ai plus envie d'y aller au cinéma. Je regarde même plus la télé. C'est toujours du pareil au même... Des guerres, des inondations... »

Elle paraît inquiète. Elle recommence son manège de regarder à droite, à gauche. Elle me tire par la manche dans son chemin, met sa main en écran devant sa bouche, me hurle :

« Faites entention... »

C'est reparti. Je joue le jeu :

« Attention à quoi? »

Elle m'entraîne un peu plus loin.

« Je ne devrais pas vous le dire, puis... Je vous le dis parce que vous êtes bien brave, pour un professeur, bien correct. Faites entention à celle du Clapas. »

Je hausse les sourcils. Elle continue.

« Le soir où ça s'est passé, je l'ai vue sortir de la ferme de ce pauvre monsieur. Soi-disant il était seul. Je l'ai vue, moi, comme je vous vois. »

Je la regarde en silence.

« Pourquoi je n'ai rien dit? Ça ne se fait pas. En plus, ils me prennent pour une vieille folle, ça leur apprendra. Vieille, je le suis. Mais je ne suis pas folle. Méfiez-vous qu'il vous arrive quelque chose... »

J'essaie de rire :

« Pourquoi voulez-vous, madame Viet-Cong? »

Elle hausse les épaules :

« Tout le monde le voit, quand vous allez au hameau. Elle la première. »

Elle me fixe. Elle a un petit ricanement :

« De chez moi, je vois tout. Je vois le croisement en plein. Je connais qui va, qui vient. Je sais combien de temps les visites elles durent, ne vous faites pas de souci. Elle aussi, elle sait. Vous ne la voyez pas passer. Vous autres, vous croyez tout connaître, de vrai, vous ne savez rien. Moi si... Le soir, puis, il y a sa grosse voiture qui s'embusque là en face... »

Elle fait un geste du bras. Une écharpe de brume s'est levée, je ne vois rien.

Elle est bien gentille de me prévenir pour Pierre. Que cent bouches s'ouvrent, que cent fleurs s'épanouissent... Un peu tard, mais l'intention y est. Quant au reste, elle déraille. Elle doit voir Madeleine partout.

Je la remercie :

« Je me méfierai, madame du Viet-Cong. J'aurai la prudence de la taupe cruelle. Ne vous inquiétez pas, l'enclume qui m'écrasera les orteils n'est pas encore fondue.

– Vous avez bien raison... Et vos journaux, vous passez quand? »

Ah! c'est vrai...

« Demain, dès l'aube, à l'heure où blanchit la campagne, je reviendrai... »

Elle secoue la tête :

« Demain, c'est pas possible, pourquoi mon neveu il veut que j'aille passer la visite à l'hôpital. C'est ma jambe. J'ai du mal. Je ne sais pas d'où ça peut venir, puis... »

Cette fois, il fait sombre. Où sont mes ciels d'hiver?

« Bon, camarade, je vous remercie. A bientôt... »

Elle hoche la tête. Sa petite silhouette recroquevillée se fond dans la pénombre. Elle en a mis du temps, pour Pierre. C'est vrai... Qui te dit qu'elle ne rêve pas? Bizarre, son hostilité envers Madeleine... Pas tellement. Un Viet-Cong se doit de diviser son univers en catégories dialectiquement pures : le blanc et le froid, le noir et le cru, les bons et les méchants... Comme Madeleine est étrangère, c'est une bonne méchante.

Et moi? Toi, tu es la victime. Il en faut une, puisqu'il y a un méchant.

En parlant de victime, tu viens de passer la journée dans les bois, et il n'y a rien à manger. Pour changer... Ah! si, des spaghetti... Sans beurre et sans sauce, ça te va?

Tu es sûr qu'il ne reste rien de rien? Attends... Oui, un vieux tube de mayonnaise. D'époque... L'a pas l'air très frais, ton tube. Moi non plus. Et hop, spaghetti mayonnaise pour tout le monde, c'est ma tournée.

Je parie que Frocoutas mange mieux que toi. Sûr. Ce chien, un jour, je lui pique sa gamelle.

J'ai entendu un bruit de moteur. Ça venait de la gauche, de la grand-route, donc... Tu vois des phares? Je ne vois rien. C'est le syndrome du Viet-Cong qui te gagne, citoyen... Fais attention... Ces spaghetti ne m'attirent définitivement pas... Si je commençais une grève de la faim?

J'ai guetté deux soirs de suite, dans ma Range. Rien. Il n'est pas sorti, ou alors je ne l'ai pas vu. Hier, sa chambre est restée dans le noir un long moment. Cela ne signifie pas grand-chose. Il lui arrive de rester allongé sans allumer. Puis il a éclairé. J'ai vu sa silhouette par la porte-fenêtre du balcon. J'ai attendu qu'il s'écarte. Je suis partie sans mettre les phares. Je crains qu'il ne reconnaisse mon véhicule, à contre-jour. On voit fort peu de Range-Rover dans les parages.

Il faudrait que je sache où il en est.

Ce matin, j'ai pris un chevalet, une palette, quatre tubes de couleur et une toile à demi peinte. Je me suis installée légèrement en contrebas de la petite route qui aboutit chez lui. J'ai peint... J'ai rajouté du bleu à un coin de ciel qui n'en manquait pas... J'avais laissé mon véhicule à 400 mètres, sur l'aire de la distillerie de lavande.

Vévéo-Nanar est passé me voir. je suis encore sur son territoire. Il m'a fixée en fronçant le museau. Il ne comprenait pas. Puis il s'est mis à guetter, un peu plus loin dans le pré, devant un trou de taupe, parfaitement immobile. Nous avons continué chacun notre faction.

Jean n'a ouvert ses volets que vers dix heures.

Personne n'était venu me déranger. Cette portion de route ne sert pratiquement plus. Les gens des trois ou quatre villas voisines m'ont repéré. Pour eux, je suis une originale. Je peux commencer une carrière de paysagiste sans problèmes.

Il valait mieux que personne n'examine ma toile de trop près. Je l'ai faite de chic, d'après une carte postale du Cousson. D'où je suis, je le vois, encore une chance, mais ni sous le même angle ni sous le même éclairage. C'est du figuratif non figuratif. Et les gens font très attention aux détails...

Jean n'a pas lambiné. Deux minutes plus tard, il dévalait son escalier. Il a laissé son vélo. Je n'ai pas bronché. Ce serait amusant d'avoir une explication sur le motif. Il s'est éloigné vers Digne. D'où je suis, j'aperçois un tronçon de la route de Mézel, je n'ai pas vu la tache de son blouson.

J'avais tout mon temps. Il marcherait un bon moment. Il part toujours pour trois ou quatre heures, au moins.

J'ai regagné la Range avec mon attirail que j'ai déposé à l'arrière. Nanar n'a pas bronché. J'ai pris les clefs de la ferme dans la boîte à gants. Je m'y suis rendue à pied, en coupant par le pré. La route est en remblai, à cause du dos-d'âne. J'étais hors de vue de chez la vieille demoiselle. Je m'en méfie, elle passe son temps à m'espionner.

L'appartement était fermé à clef. C'est nouveau, d'habitude il laisse ouvert et s'en vante. Il a dû oublier que j'avais les doubles... Je suis entrée. Surtout, ne rien déplacer.

Jean n'est pas du genre à se ruiner en frais de décoration. Il resterait vingt ans ici, il laisserait en l'état. Il ne restera pas vingt ans...

Les livres n'avaient pas bougé. Toujours les mêmes, à première vue. Le bureau était impeccable. Trop. Pas un papier ne traînait. Bizarre, il est plutôt brouillon...

C'est un de ces affreux bureaux, recouverts de plastique imitation acajou, avec deux tiroirs. J'ai regardé attentivement s'il n'avait pas collé un bout de scotch, ou coincé un morceau de papier qui tomberait en ouvrant. Rien.

J'ai ouvert le premier tiroir. Le fouillis habituel. Quelques lettres, un carnet de chèques B.N.P., des boîtes de cartouches pour stylo, la tache bleu sombre d'un passeport, un paquet d'enveloppes. On voyait le bois blanc du fond. Je n'ai touché à rien.

J'ai ouvert le second. C'était à peu près le même foutoir. Des aérogrammes neufs, un bloc de papier-avion, une enveloppe rouge « Nouvelles frontières ».

Je l'ai ouverte. Elle contenait un billet Bangkok-Rangoon, valable un an. Jusqu'en septembre prochain. Je l'ai replacée soigneusement.

Tiens, le fond de ce tiroir était tapissé de papier-journal. J'ai glissé la main dessous. J'ai trouvé une feuille de papier-machine, pliée en deux. Je l'ai dépliée. J'ai compris.

Il y avait une série de noms, en abrégé. A côté, un chiffre. Puis des numéros. Et une brève note : « Herbe : A vérif... ». « Labo... A vérif... »

Les noms, c'étaient les titres de mes livres. Les chiffres, ceux des années correspondantes. Les numéros, ceux des pages qui l'intéressaient. Les bouquins ne devaient pas être loin.

Où peut-on cacher des livres? Avec des livres... Les couvertures des miens se voient de loin...

J'ai remarqué que les bouquins n'étaient pas tout à fait collés contre le mur. Il m'a suffi d'en faire basculer un, mes polars étaient là, à plat, alignés. Manquait le dernier. J'ai vérifié sur la feuille. Non, il n'en parle pas.

De toute façon, il avait le tableau complet. Le dernier n'ajouterait que la touche finale. Il n'était plus temps de se raconter des histoires.

J'ai décidé de les laisser, pour le moment. Plus tard,

il faudra qu'ils disparaissent. Mieux valait garder la feuille. Jean est brouillon, il se dira qu'il l'a perdue.

J'ai eu une inspiration. Je me suis dit... C'est trop bête, pourquoi pas? Il lit toujours dans son fauteuil d'osier, face à l'armoire... J'ai pris la chaise, je suis montée dessus. J'ai exploré le sommet de l'armoire à tâtons. Il y avait une couche de poussière. Et un livre. Le bon... La poussière m'a fait éternuer. J'ai reposé le livre.

Je n'avais pas mis dix minutes. Je suis ressortie. J'ai refermé soigneusement. Les gens d'en face savent que je suis la propriétaire. Quant à la demoiselle, elle ne traînait pas sur la route, elle ne m'avait pas vue.

Vévéo montait toujours la garde. Il s'est dirigé vers moi. Nous avons regagné ensemble la maison.

Inutile de prendre mes exemplaires pour vérifier. J'avais compris. J'ai brûlé la feuille, soigneusement, dans la cheminée. Jean doit réfléchir. Puis il agira. Dans quel ordre? La police? Claire? Moi?

Nanar a commencé à protester. D'accord, mon chat, d'accord. Un reste de poulet froid, ça te dirait? Je ne te donne pas tout, tu es capable de t'en coller une indigestion. Je n'avais pas faim.

Je me suis servi un verre de blanche. Je ne suis jamais aussi en forme que lorsque la tempête approche. L'allégresse me gagnait. Je me sentais comme un moteur qui a trop longtemps tourné à bas régime, et qui va pouvoir s'en donner à fond... Jean était encore bien jeune...

J'étais en train de me faire un café quand on a frappé. Jean? Déjà? J'ai pris le tisonnier. Il a une lourde poignée de laiton. Je l'ai placé debout, contre le dossier d'un fauteuil, la pointe en haut.

Je suis allée ouvrir. C'était Moune, très excitée. Elle adore les drames. Elle m'a dit :

« Tu ne sais pas?

J'ai fait signe que non.

« Je rentre d'en ville. On m'a appris, au lycée. Claire a eu un accident, hier soir.

– Où ça?

– En revenant de Digne, sous le pont du train des pignes. »

Je connais l'endroit, il est dangereux. J'aurais dû prévenir Claire.

Moune a continué :

« Elle est à l'hôpital. Ce n'est peut-être pas trop grave. Je n'ai guère de détails. J'ai juste voulu te prévenir.

– Je te remercie. Tu prends une tasse de café? »

Elle m'a regardée, un peu déçue. Si elle s'attendait à une crise d'hystérie, il faudra qu'elle repasse.

« Non, je dois me sauver, je suis très en retard. »

Elle est partie. Je me suis assise. Les coups vous viennent toujours d'où vous ne les attendez pas.

J'ai pris mon café. Je suis repartie. L'hôpital est à l'entrée de la ville, une fois franchie la Bléone, pas très loin de la villa des parents de Claire. Heureusement que Moune était passée. Je ne suis pas quelqu'un de la famille, je n'existe donc pas. Et ces temps, je n'ai rien à faire en ville...

J'ai demandé à la réceptionniste. Ce n'était pas l'heure des visites. Je désirais des nouvelles de mademoiselle... Brusquement, le nom de Claire m'a échappé. Je suis restée là, parfaitement stupide, une demi-minute. La fille me regardait, en pianotant du bout de ses ongles peints, avec cette parfaite indifférence des gens pour qui la douleur des autres n'est qu'un décor.

J'ai vu des chênes blancs par la fenêtre. J'ai dit :

« Mlle Durouve.

– Elle est entrée quand?

– Hier soir.

– Hier soir, je n'étais pas de service. Attendez... »

Elle a consulté un cahier, en suivant les lignes du doigt. Elle a relevé la tête :

« Il faut demander à l'infirmière-chef. Vous prenez ce couloir. Deuxième porte à gauche.

– Vous ne pouvez pas me dire de quoi il s'agit?

– Voyez l'infirmière-chef. »

J'ai eu envie de la tuer. De l'écraser... Je l'ai regardée. Elle a piqué du nez dans son registre. J'ai pris le couloir. Deuxième porte à... L'infirmière-chef avait tout de la brave femme, ridée comme une reinette, couperosée comme un marchand forain. Elle devait biberonner sec. J'ai reconnu cette race qui n'a plus rien à perdre et plus rien à prouver. Une sœur. Son bureau empestait le tabac froid et les pastilles de menthe. La menthe cachait mal une odeur de rhum bon marché. J'ai dit :

« C'est au sujet de Mlle Durouve.

– Vous êtes une parente?

– Une amie.

– Sa mère est auprès d'elle en ce moment.

– C'est grave?

– Oui et non. Fracture du rocher. Elle est inconsciente, pas dans le coma. A part ça, rien de cassé. »

A part ça...

« Dans ces cas-là, le malade peut se réveiller à tout moment. Dans cinq minutes ou dans huit jours, vous comprenez?

– Je peux la voir?

– Il n'y a pas grand-chose à voir. Nous avons laissé entrer sa mère parce que... »

Geste de la main éloquent, genre Gibbs.

« En principe, les visites ne sont pas admises. Si le chirurgien passe, je vais me faire engueuler. Soyez gentille, téléphonez plutôt. Je vais vous donner mon numéro. Appelez-moi le matin, à partir de huit heures.

– Excusez-moi, je ne pourrais pas au moins parler à sa mère?

– Elle? Tant que vous voulez. Je vais vous la chercher. Attendez-moi là. »

Elle est revenue deux minutes plus tard avec Mme Durouve. Je la connais peu. Je crois qu'elle me jalouse, qu'elle n'apprécie pas l'influence que, d'après elle, j'exercerais sur sa fille. C'est ce genre de femme qui pratique la vie de famille à la fois comme un apostolat et comme un sport de combat. Nous n'avons rien à nous dire. Elle s'imagine toujours qu'une croqueuse de diamants va lui arracher son époux. Je préfère me tenir au large.

Elle est apparue, les yeux brillants. Le malheur excite les gens en les poussant sur une scène imaginaire. Elle a choisi de jouer la complicité :

« Ah! ma pauvre Madeleine, je l'avais toujours dit... Claire est tellement tête en l'air. Elle aurait mieux fait de rester chez nous, hier soir. Mais mon mari... Elle était passée nous voir, elle m'a même emprunté un livre... »

Elle s'est tamponné le coin des yeux avec un mouchoir. J'ai laissé couler le premier flot. Puis j'ai demandé :

« Comment est-elle?

— On dirait qu'elle dort. Elle a juste une petite bosse sur le front, ils s'en sont aperçus parce qu'elle saignait de l'oreille, alors ils l'ont... »

Mouchoir. Deuxième vague...

« Est-ce que je peux faire quelque chose?

— Je ne crois pas... Attendez... Si... C'est-à-dire qu'ils ont laissé la voiture sur place, dans la cour d'une ferme, vous savez, à côté de ce pont. Je n'ai pas pu y aller, mon mari travaille. Si vous pouviez jeter un coup d'œil, voir si elle n'a pas laissé traîner ses papiers...

— J'y vais tout de suite, je reviens. Vous serez encore là?

— Je ne bouge pas. »

J'ai repris la Range. Direction le pont. La 4 L était là, tout le côté droit éraflé.

Claire n'a pas de sac. J'ai pris les papiers de la

voiture dans le vide-poches. Rien d'autre? Si, sa cape, sur la banquette arrière. Par acquit de conscience, j'ai regardé le tapis de sol. J'ai vu la tache rouge. Encore ce livre...

J'ai mis les papiers de Claire dans ma poche, enfermé le livre dans la boîte à gants de la Range. Je suis revenue. J'ai restitué cape et papiers à Mme Durouve. Non, il n'y avait rien de nouveau. Claire semblait se reposer... Mon amie l'infirmière-chef m'a retenue un moment. Elle m'a dit :

« Ne vous faites pas de souci. On lui prend sa tension régulièrement. Si jamais, au pire, on la trépanerait... Pour diminuer la pression. »

Je ne voyais rien. Je ne voulais rien voir, et surtout pas des détails de ce genre. Qu'ils fassent leur métier. Je n'avais pas fait le mien.

Je suis rentrée en roulant au pas. J'étais tendue. Je me suis retrouvée dans ma cour sans me rendre compte de rien. Je... J'ai craqué.

Des années que je n'avais pas pleuré. J'avais oublié la saveur des larmes. Je me suis mordu la lèvre pour ne pas hurler. Au moins, qu'on ne m'entende pas...

C'était arrivé... Ils avaient fini par y arriver. Je me croyais dure. Je pensais que je pourrais m'interposer! Et...

Je savais. Je savais tout, dès le début. Je n'avais pas voulu en parler à Claire. Je devais la prévenir. Je devais lui dire : « Tu n'as rien compris. Tu peux toujours les aimer, ces types. Tu peux même t'imaginer qu'ils t'aiment... Ils n'aiment personne, ils n'aimeront jamais personne parce qu'ils ne s'aiment pas. Pourquoi crois-tu qu'ils font leur métier de mort? Qu'ils sont toujours fourrés chez les morts? Tu t'imagines les faire changer? Ils ne peuvent pas changer, Claire. Ils sont déjà morts. Ils ne peuvent que t'entraîner avec eux. Réveille-toi. »

Je n'ai rien fait... Je savais, et je n'ai rien fait, bête

brute que je suis... Le froid des larmes mordait mes joues.

La crise est passée. J'étais en chien de fusil, près du foyer, la tête dans les cendres, sur la pierre tiède. Tu vas être propre, ma fille.

Je reprenais possession de moi-même. C'était encore Jean le plus dangereux, avec son côté irrésolu, déchiré. Mon dieu, ce besoin de démolir qu'ils ont... Ils ne peuvent pas vivre sans détruire? Pourquoi s'en prendre aux femmes? Pour nous confondre avec leur mort chérie? Est-ce nous qui avions changé?

J'ai pris une poignée de cendres. C'était doux, léger. Je ne voulais pas laisser la fatigue s'installer. Pas maintenant.

J'ai senti quelque chose de râpeux sur ma joue. Vévéo-Nanar était en train de me lécher. Finalement, tu as l'air comme ça, mais tu es un bon chien... Je l'ai pris dans mes bras. Il a daigné se laisser caresser.

J'étais de nouveau sur terre. J'avais faim, très. J'ai ouvert un bocal de rillettes. J'en ai donné une portion à Nanar. Tu vois, chat, la vertu est récompensée. J'ai mangé le reste à la pointe du couteau, sans pain.

Voilà. Jean avait été plus rapide que moi. Il avait parlé à Claire. Il lui avait conseillé de lire ce livre. Pour qu'elle en tire elle-même ses conclusions? Peu importe. La psychologie de Jean ne m'intéressait plus. L'heure de comprendre était passée.

Il avait raté son coup. Mme Durouve me l'avait dit : Claire venait seulement d'emprunter le livre. Elle ne l'avait pas lu... Et maintenant, et maintenant...

Ils avaient joué avec sa vie. Je ne sais si elle s'en sortira. Je sais ce qui me reste à faire.

Le brouillard de l'attente s'était dissipé. Je me sentais merveilleusement en forme. Je venais de franchir la ligne. Jean m'attendait, de l'autre côté. Il aimait la guerre? Il l'aurait.

Dis donc, cette faim, camarade... Et si je mangeais une vache? Il y a justement tout un escadron de ces bucoliques engins dans mon pré. D'où vient que tu te laisses prendre de court comme ça? Du fait qu'avant, j'avais la 204, pour faire mon marché. Le vélo, c'est la famine.

En plus, je suis crevé. J'ai définitivement trop marché. Remarque, c'est diététique. Tu vas être beau comme un fier Sicambre, si tu n'en meurs pas avant.

Sans blague, j'ai faim... Il me semble que j'avais des tas de trucs importants à régler... Ça peut attendre. Je vais faire un saut chez la grande Mimi.

Du soleil, un bol de café au lait, de la tartine beurrée... Que désirer de plus?

Ça va mieux. Tiens, notre Mimi arbore un de ces hématomes que le vil peuple désigne sous le nom d'œil au beurre noir. Qui plus est, elle l'affiche avec fierté, comme une décoration. Ach, l'amour...

J'en étais où? Tu avais décidé, dans une crise déambulatoire, de t'installer par icitte. Ça me revient. C'est pas mal, comme idée. Je devais en parler avec Claire... Le message c'est que, si je montais à Paris, j'en profiterais pour m'engager à la Légion, ou quelque

chose dans ces eaux... Et elle allait craquer. C'est
ça...

Tu sais que ton guide est en digue-digue? Celui-là, je
l'avais oublié. Je vais m'établir un plan de vie solide,
tu vas voir. Un homme sans plan de vie est un poisson
sans bocal.

Pour en revenir à la Légion, quoi de mieux? Il y a
toujours une adjudante sympa pour décider ce que tu
te dois de faire, et même la cadence voulue. Ça
simplifie drôlement ta vie sentimentale. L'initiative
commence à me pomper. Décider de son existence
minute après minute, à la longue, c'est épuisant. Les
esclaves ne connaissent pas leur bonheur.

J'ai repris une grande tasse de café. Au diable la
parcimonie. J'étais bien... Ah! le soleil... Il faudrait
que je fasse un reportage sur les chevaux de mine, ça
devrait marcher, avec *La Vie des bêtes*.

Tu oublies que tu dois rester dans le secteur... Soit.
Qu'ils creusent leur mine jusqu'ici.

En parlant de mine, je vais appeler l'agence. Il y a
longtemps que je n'ai pas eu de nouvelles.

La grande Mimi m'a fait le numéro et m'a passé le
combiné. J'ai eu Max. Ça tombait bien, il comptait
m'appeler. Ils avaient deux sujets à me proposer.
René-Jules partait au Japon, pour un magazine féminin. Si ça m'intéressait...

Il y a six mois, je ne dis pas. Mais à présent... J'ai
dit :

« Je vais voir. Et le deuxième?

— Le Salvador.

— Eh, les élections sont finies...

— Justement. Mangin s'y rend pour une série sur la
Croix-Verte. »

Tiens... J'ai demandé :

« Tu crois vraiment que ça intéresse quelqu'un, la
Croix-Verte?

— Ça ne vaut pas un clou.

— Alors, pourquoi tu me le proposes?

– Parce qu'il est temps que tu te remues le train, taré. Tu fais quoi? Tu vas aux asperges ou aux escargots?

– Ah! Max, ton humour caustique me manquait.

– Sérieux, nous, on veut bien te signaler des coups, mais... Décide-toi. On n'a pas que ça à faire.

– Ecoute, Max, je te rappelle demain. Ça va?

– OK. Quand tu veux.

– Merci pour tout. Et la bise à Pacha. »

Max m'a suggéré un exercice qui, sans être réellement acrobatique, supposait une souplesse que je n'ai plus, hélas... La grande Mimi m'a fait payer. Je suis retourné prendre mon soleil.

Saleté. Un nuage se prélassait juste devant. Quand je serai dictateur, je les exporterai. Nous aurons un régime musclé et ensoleillé.

Tu sais quoi? Blitz ne te rappellera plus. Tu étais le copain de Pierre. Ils voulaient bien te faire encore une fleur. Mais c'est fini. Il aurait fallu que tu tournes avec un autre...

J'ai eu envie de voir Claire, très fort. Ça m'a fait plaisir. Le plus dur, c'est de ne rien désirer. J'avais besoin de sentir Claire près de moi. De toucher sa main... Tu es mûr pour *Parents*, un reportage sur les biberons.

Comment faire pour garder cette envie? Je veux dire une envie de rester au lieu de... Heureusement, je n'étais pas parti.

L'agence n'a plus besoin de toi. Des largués prêts à se barrer n'importe où, ça court le pavé. Claire a besoin de toi. Ça fait toute la différence. Tu as besoin de ce besoin.

J'ai repris mon rouge vélo. Au fait, qu'est-ce qu'elle offrait à midi, Mimi? Des alouettes sans tête. Charmant... Je vais inviter Claire, et peut-être Madeleine. Nous nous réconcilierons autour d'un vol d'alouettes. On dit des paupiettes aussi, non? Ça me rappelle quelque chose... Ah! oui. Quand j'étais petit, j'étais paupiette de la Nation...

A l'aller, j'avais oublié de jeter un coup d'œil sur la résidence de l'amie Mado. Tu n'as pas de tête... Cette fois, j'ai ralenti. Rien. Fermé. Pas de Range. Le chat montait la garde sur le seuil.

J'aurais voulu faire un cadeau à Claire. Un de ces bracelets méos, en argent tressé, qu'ils bricolaient sur les Hauts Plateaux, avec une ou deux piastres. D'un temps, on en trouvait pour presque rien, à Luang-Prabang, au moment où le Pathet Lao a pris le pouvoir. On en trouve toujours. Chez les antiquaires.

J'aurais dû en garder un. J'ai la manie de ne rien conserver. Si tu possèdes des choses, tu te fais posséder par elles.

Tu peux te coller un ruban rose dans les cheveux. Dans ton genre, tu n'es pas mal, comme cadeau... Tu as vu ce vol d'étourneaux? J'ai vu. On dirait une draperie. A part que ce sont des corneilles. Elles vivent par ici. Ce doit être revigorant d'être corneille... Regarde où tu roules et tiens le guidon, tu veux?

J'ai contemplé le paysage de l'œil de celui qui est là pour rester. C'était pratiquement le même. Qu'est-ce que tu attendais de spécial? Je ne sais pas... Un paysage sympa devrait adresser un clin d'œil au nouvel autochtone. Pas le paysage bas-alpin. C'est un dur.

Ils commencent encore un chantier, à l'entrée de Saint-Javier. Ils ont aplani un coin de terrain pour y entasser des parpaings bien gris. Curieux, cette sclérose en plaques. Moune va être furieuse. Elle est conseiller municipal, non? Elle n'a qu'à faire classer son secteur zone verte, interdit de construire et tout. Quand je serai..., les résidences secondaires, hop, rasées... A leur place, je ferai planter des arbres de la dictature. Des néfliers.

J'ai débouché en pleine place. Sur la maison en face de l'église, un écriteau m'a tiré l'œil : A VENDRE.

Déjà? C'était chez les deux artisanes. Qu'est-ce qu'elles artisanaient au juste, celles-là? Sais plus.

Chez Claire, fermé. Bon. Pour une fois que je venais lui offrir un cœur tout neuf... Les fiancées ne sont plus ce qu'elles étaient.

Alors, Frocoutas, bon chien-chien, tu viens me voir, hein, bestiole hypocrite? Tu as faim? Retourne à l'état sauvage. Les loups se débrouillaient encore pas mal, il n'y a pas un siècle. Remarque, tu n'as pas vraiment une dégaine de loup... Je t'achèterais bien un litre de rouge, mais il n'y a pas de commerce, dans ce hameau sous-développé.

Je suis passé chez Moune. L'était pas là non plus, la sale bête. L'exode rural se durcit, à Saint-Javier.

Les chevaux, par contre... Un d'eux venait de défoncer le barrage protecteur du potager, et s'enfonçait à pleins paturons dans les semis. Bien joué, noble conquête. Qu'est-ce qu'il... Il n'y a encore rien de sorti. Enfin, rien de grandiose. Des promesses, tout au plus... Je l'ai observé. Moune avait laissé sur des bâtons les sacs de graines vides, pour baliser ses plantations. Le cheval dégustait ces sachets, qu'il happait d'une lèvre gourmande. Un papivore...

Et si Claire était au cimetière? Peu probable. Allons voir.

J'ai coupé par les prés. Jo avait remis ses ruches à neuf. Enfin, quelques-unes... C'est bien de faire des tas de choses, finalement, du mouton, du cheval, de l'abeille... Ça me dirait.

Tu crois? Ce qui me plaît, c'est de lire ce genre de folklore dans un bouquin style Robinson-écolo. Le faire ne m'amuserait guère. J'aime contempler, pas intervenir.

Ça me paraît mal barré, pour ta dictature. Pas du tout. Quand je serai Grand Timonier de 1re classe, les jours pairs la population mâle regardera son nombril. Et les jours impairs, celui de la population femelle. Et vice versa... Et la production? Qu'elle crève. La consommation avec.

Au cimetière, personne. Je suis entré. Pierre était toujours là. Tu sais que tu as une belle vue, camarade? Je me suis demandé où on me collerait, le moment venu. Ce qui serait bien, ce serait un trou dans les collines, une petite grotte, près d'un lit de torrent... Tu t'installes là, avec whisky, Valium et un carnet pour prendre des notes. Tu choisis un soir d'automne doux... Tu attends. Tu entends le cri déchirant des hirondelles... Quand vient la nuit, tu refermes l'entrée de ta grotte avec quelques gros cailloux. Tu allumes une bougie, et...

Au-dessus du Cousson, un oiseau de proie tournait lentement. Un vieux bouquet achevait de se décolorer sur la tombe de Pierre. Tiens, il n'y avait pas d'inscription. Juste une petite plaquette, avec son nom, et deux dates. Même pas son métier.

Il faudra que j'en parle à Claire. Pourquoi ne pas graver quelque chose? Si un gosse balançait la plaquette...

Ça ne lui aurait pas déplu. Pierre n'avait pas envie d'être épinglé quelque part, comme un papillon dans une collection. Cette plaquette, ça rimait à quoi? Je l'ai prise, je l'ai jetée dans les broussailles, de l'autre côté du mur.

J'aimais bien cette idée de grotte finale. Avec un peu de chance, au printemps, une hyène nettoierait tes os, proprement...

D'où sors-tu, toi? Je ne l'avais pas vu... Un hérisson s'était caché derrière la tombe. Il venait de dérouler sa tête, et me fixait avec curiosité. J'aime bien les hérissons.

Je te libère, mon beau? D'un côté, ici, tu es tranquille. Ça manque peut-être un peu de paupiettes...

Je l'ai libéré. Ne descends pas vers chez Moune, un de ces crétins de chevaux te marcherait dessus.

A force, il n'est pas loin de midi. Personne n'est

rentré. Dès que tu dépends des autres, tu commences à perdre du temps.

Quel temps? Tu n'en fais rien. D'accord. Mais ce n'est pas une raison.

J'ai encore faim. Et toujours très envie de voir Claire. C'est comme si les deux faims se confondaient. Claire me manque en creux. C'est bête... Nous n'avons pas partagé grand-chose. Juste une espèce de clandestinité débile, à cause de l'autre grande folle...

Fini, je vais vivre au grand jour. En attendant, je retourne chez Mimi.

Je laisse un mot sur la porte de ma fiancée? Je n'ai rien pour écrire. Tu peux t'ouvrir une veine, non? Cela se faisait, dans le temps. Les gens utilisaient davantage les produits de base.

Alors, Frocoutas, âme en peine? Si au moins tu étais un perroquet, tu pourrais faire la commission.

J'avais envie de parler à quelqu'un. Je m'imagine toujours que je suis fait pour vivre seul. Rien de plus faux. On ne peut vivre seul qu'à deux. Sinon, ce n'est plus de la solitude, c'est la débâcle.

Au Clapas, Mimi m'a soigné. Il y avait une tablée de routiers, de bons zigs débonnaires. Légers et tout. Ils lui ont demandé qui lui avait fait son cocard. Mimi était drôlement flattée. Un nommé Arthur a même lancé l'hypothèse qu'elle se l'était collé toute seule, pour faire croire qu'elle avait un amoureux.

Mimi l'a remis vertement en place. La joyeuseté volait bas. On se serait cru dans un film franchouillard.

Je n'avais plus tellement faim. Si. Techniquement, ça ne passait plus. Claire était peut-être partie à deux pas, faire un tour... Ou alors, avec Madeleine...

C'est vrai, Mado... Je suis sorti prendre mon café sur la terrasse. C'est surélevé. Sur la gauche, on voit le monument aux Morts, à 300 mètres, et l'entrée du château.

J'ai pris un second café. J'avais le temps. Des

prélassaient dans le pré. De temps en ... ... un d'eux piquait un brin de galop... J'ai vu la ...ange tourner, bien au large, et pénétrer dans la cour. Madeleine était seule.

Tu sais quoi? Tu vas aller lui parler, une fois pour toutes. Si tu dois vivre ici, autant régler ça. Le passé est mort. Vous êtes condamnés à vous entendre.

Tu penses pouvoir t'expliquer aussi nettement? Bien sûr. Tu dis ce que tu sais. Ce que tu veux. Vous vous mettez d'accord, comme des grands. Pas la peine que Claire soit dans la course. Il était une fois un accident, et basta. Tu ne veux que du bien à Claire. Madeleine peut déposer son couteau au vestiaire. Tu ne lui fais aucun chantage. Tu la laisses en paix, elle vous laisse en paix. Nous boirons un bon coup de blanche, et nous toperons.

Et si elle n'est pas d'accord? Pourquoi veux-tu? Tout ce qu'elle cherche, c'est le calme. Toi aussi. Tu es sûr qu'il s'agit du même? Oui. Pour Claire. Pour son bonheur. Pour le meilleur, jusqu'à ce que la mort nous sépare. Crois-moi, il faut parler. Si Pierre avait parlé...

Je me suis levé. J'étais content. Je m'étais enfin décidé.

L'AUTOMNE est doux, cette année. J'ai emmené le troupeau dans la combe, après la dernière grange. Il y a un passage boueux à franchir. J'ai fait attention, les agneaux nouveau-nés sont encore maladroits.

J'ai un bon chien. Je l'appelle Chien. Frocoutas a disparu, pendant mon absence. Chien, c'est Jo qui me l'a donné. Il· m'a laissé aussi la plus grande partie de son troupeau. Pour le règlement, rien ne presse.

Il n'a plus la foi. Tant qu'il s'est agi de mettre les choses en train, ça l'intéressait. A présent, non. Il ne semble pas avoir de projets de rechange. Il parle de prendre un travail en ville. Depuis le départ de Denis, il se sent seul. Son caractère a changé.

Je me suis assise à l'orée du petit bois de pins. J'ai apporté un grand sac pour ramasser les pignes et du bois mort, et aussi un panier pour les champignons. Il n'a pas beaucoup plu, ils devraient quand même commencer à sortir. Moune m'a dit qu'on trouvait des sanguins, par ici. C'est encore tôt. Mais des petits-gris, oui.

Madeleine s'occupe des fromages. Elle s'y entend. Elle peut tout faire. Je me demande ce que je serais devenue sans elle. Je me fatigue vite. Je n'arrive pas à me concentrer, depuis mon accident. J'ai préféré abandonner mes corrections.

...se étrange, la mémoire... Je garde un ...très net : je me revois descendre le sentier du ...etière, je ne sais plus quel jour au juste. Ce sentier, je l'avais descendu tant de fois...

Je descends ce sentier, c'est tout. C'était après la mort de Pierre, bien sûr...

Je me suis réveillée à la clinique. Maman était là. Oh! mon dieu, ma mère... J'ai fermé les yeux, paniquée, j'avais l'impression d'être en faute. L'infirmière lui a dit quelque chose à l'oreille. Quand j'ai ouvert les yeux une deuxième fois, Madeleine me regardait. Elle m'a souri. Elle n'a rien dit. Elle m'a pris la main.

Plus tard, on m'a expliqué. J'étais restée inconsciente huit jours après cet accident.

J'étais en voiture, j'ai heurté le mur du pont de chemin de fer, en revenant de Digne. Je veux bien. Je n'ai rien enregistré. Je ne savais même pas que je conduisais la 4 L de Madeleine. Je n'ai rien dit. Je n'ai pas protesté, je ne voulais pas aggraver mon cas. Je voulais sortir, j'ai dit oui à tout.

Ils m'ont gardée en observation. Le docteur était gentil. Il portait une petite barbe blonde striée de poils blancs qu'il avait la manie de lisser, et des lunettes sans montures. On aurait dit un docteur dans un film. J'avais l'impression de vivre un film. Ce caractère de netteté et d'irréalité, en même temps...

Ils m'ont fait passer un électro-encéphalogramme. Le docteur m'a commenté le tracé. Il n'en était pas mécontent. C'était, paraît-il, un tracé normal, du moins après le genre de choc que je venais d'encaisser. Il me faudrait prendre des précautions en sortant... Pas de soleil, pas de mer, surtout pas de plongée. J'ai ri. Je n'avais pas l'intention de partir faire du sport sous-marin aux Antilles. Inutile qu'il s'inquiète.

La première fois que je me suis levée, j'ai eu un malaise. Le sol manquait de consistance. Je voyais deux images, deux lits, deux premières marches d'escalier. Tout était double.

Le docteur m'a rassurée. C'était de la diplopie, cela passerait. Est-ce que je n'avais pas mal à la tête? Pas du tout. J'aurais dû?

Ah! bon... Il était content. Il m'a dit que j'avais beaucoup de chance... Si on veut. Le bruit me gênait. La lumière aussi. Avant, je supportais une ampoule nue. A présent, j'ai l'impression de recevoir un coup de poignard dans les yeux. Pour les sons, c'est pareil. Je les ressens comme une agression dès qu'ils sont un peu forts.

Il m'a dit de ne pas m'inquiéter, mon seuil de tolérance avait baissé. Je n'avais qu'à éviter les boîtes... Je vivais où? A Saint-Javier? Aucun problème, là-bas.

Il était bien, ce docteur, vraiment. C'est vrai, j'ai vécu seule trop longtemps. C'est mon caractère. Je ne pourrais pas vivre autrement.

Déjà un an, presque, depuis la mort de Pierre. Je m'en souviens. C'est très ancien, très loin, quelque part dans une autre vie. Ce que j'étais... Romantique? Peut-être... En tout cas, complètement en dehors du réel. Je pense à Pierre comme à un jeune frère que j'aurais perdu...

Quand je suis sortie de l'hôpital avec mes deux images, Madeleine est venue s'installer avec moi. Heureusement que Frocoutas n'était plus là. Ce chien était trop jaloux pour tolérer des intrus.

Tout s'est passé très vite...

Mon sac de bois est plein. Les champignons, ce sera pour une autre fois. Je n'aime pas perdre le troupeau de vue. Vingt biquettes et trente moutons, c'est du travail. Je reconnais toutes les chèvres, chacune a sa personnalité. Je me trompe pour les moutons, ils se fondent dans la masse.

Oui, tout s'est passé très vite. Le château de Madeleine a brûlé, une nuit. Elle était ici. De Saint-Javier, nous avons vu une lueur, personne ne s'est dérangé, je ne sais pourquoi. Je ne comprends toujours pas le comportement des gens. Les pompiers ont eu beaucoup de mal. Nous avons entendu les sirènes de ceux de Digne, j'ai demandé à Madeleine :

« Tu veux aller voir ? »

Elle m'a dit que non.

Nous y sommes allées le lendemain. Il restait les murs, comme sur une image de guerre. Dans le village, ils ont eu très peur, à cause des flammèches qui retombaient.

On n'a jamais su ce qui s'était passé. Madeleine était assurée, surtout pour ses meubles. Elle a racheté la maison des deux artisanes, en face de chez moi.

Je suis heureuse de la savoir si proche. Elle m'a toujours tout donné, elle ne m'a jamais rien demandé.

Je pense à un de ces vieux sujets de dissertation qu'il m'arrivait de corriger régulièrement : « Se changer soi-même plutôt que l'ordre du monde... » Pour moi, cela n'a aucun sens. Je n'ai pas bougé. L'ordre du monde non plus. Rien n'a changé. Madeleine est ma voisine, c'est tout et c'est bien. J'ai retrouvé mes biquettes. Je suis heureuse.

Je repense à ce gentil docteur. Trois mois après l'accident, j'ai passé une visite de contrôle. Il était content de mon fond d'œil. Ce que je lui ai raconté sur ma mémoire ne l'a pas surpris. Il paraissait amusé. Il m'a dit :

« Que voulez-vous, on occulte ce qu'on peut... »

Je n'ai rien dit. Il a repris :

« Mes confrères psy préféreraient dire : « On censure. »

Je n'ai pas réagi. Il me tendait une perche. Je n'avais rien à dire, rien à censurer. Je ne demanderais pas mieux que de retrouver cette partie de mon passé restée quelque part dans les limbes, près de la pile d'un pont, qu'est-ce qu'il s'imagine? Je ne voyais pas où il voulait en venir, avec ses sous-entendus.

Il m'a demandé si nous pouvions déjeuner ensemble, un jour. J'ai rougi. Je n'ai pas de robe convenable. Je ne suis plus vraiment capable de parler, avec les gens.

J'ai bredouillé je ne sais quoi. Il a dit :

« N'en parlons plus. Vous avez mon numéro. Appelez-moi si quelque chose ne va pas. »

Tout va bien. Ma vie a retrouvé son cours. Je n'attends rien. Avant? Je crois que les autres attendaient pour moi. Je ne sais pas. La vie reprend. La vie, c'est ce petit agneau qui tète sa mère en lui donnant de grands coups de front. C'est ce potager que nous allons ensemencer bientôt.

Madeleine a acheté un grand morceau de terrain, en dessous du hameau. De cette façon, elle est sûre qu'ils ne construiront pas tout contre nous. Elle va planter des peupliers en écran, pour échapper aux nouvelles résidences de parpaings. C'est bien. J'aime voir les feuilles ruisseler dans le vent.

Nous planterons un verger. Des abricotiers, sans doute pas. Nous sommes trop haut, à Saint-Javier. Mais des pommiers et des cerisiers, oui. Au printemps, nous serons dans les fleurs...

Jo a liquidé ses chevaux. Il n'a eu aucun mal à s'en défaire. Les chevaux, c'est une folie, en ce moment, tout le monde en met partout.

Madeleine compte acheter un tracteur. Je ne l'ai jamais vue aussi active.

Un chevreau s'est approché. Je lui ai tendu un brin d'herbe. Je l'ai attrapé. Il était tout tiède, tout bon chaud contre moi. Il s'est débattu, il a protesté, la chèvre est venue, elle n'avait pas l'air menaçant. Elles sentent que je les aime. J'ai lâché le chevreau. Il a bondi comme un ressort.

Il m'est venu un autre souvenir. Une récitation du

temps de l'école. C'était moi qui récitais le mieux. Les paroles disaient : « Avril est un mois cruel... »

Je trouvais ça très beau. Je ne sais plus de qui c'est. J'y pense parce que mon accident s'est produit en avril... C'est amusant. Tout est allé mieux à partir de ce moment-là, je ne saurais comment l'expliquer. Avant, ma vie avait quelque chose de confus, d'indécis, comme si j'étais entraînée par des courants différents. A présent, tout est en ordre, je me sens au calme. Je le dois à la présence de Madeleine. A un moment, je l'ai sentie s'éloigner, je ne sais pas pourquoi. C'était avant mon accident. Elle m'est revenue. Elle ne me quittera plus. Près d'elle, rien ne peut m'arriver.

Elle m'a demandé deux ou trois fois si j'aimerais voyager. Surtout pas. Ce n'est pas la peine d'aller chercher le malheur. Je veux voir pousser nos arbres et grandir nos chevreaux.

Le jour baisse. Cette année, nous avons eu un printemps merveilleux.

Nous allons monter une basse-cour et un pigeonnier. J'aimerais aussi des canards. Il faudrait installer une mare, ce n'est pas un gros travail.

Nos fromages se vendent bien. Madeleine les porte au marché. J'ai pensé à installer un écriteau, au croisement, à la place de celui des filles, avec une inscription : SAINT-JAVIER, FROMAGES DE CHÈVRES.

Il nous faudrait quelqu'un, une fille pour m'aider à garder. A deux, c'est trop de travail. Certains jours, j'aimerais bien accompagner Madeleine au marché. Elle est d'accord. Elle va chercher.

J'ai revu maman. Je n'y tiens guère. Elle me fatigue. Elle dit que les gens ont beaucoup parlé, après mon accident et celui de ce Jean. On l'a retrouvé, sur la route de Manosque, allongé sur le bas-côté, son vélo près de lui. Une voiture a dû le renverser et prendre la fuite. Ce genre d'accident se produit tous les jours. Il a sans doute été tué sur le coup... C'est arrivé pendant que j'étais en clinique... Je me souviens à peine de ce garçon. Si on ne m'en avait pas parlé, je ne saurais presque rien à son sujet. C'est comme une silhouette dans la brume...

Maman prétend que ces accidents, ça a fait toute une histoire. Elle exagère. Cela n'a rien fait du tout, les gens se sont contentés de parler. Ils parlent... Ils s'ennuient, alors ils racontent n'importe quoi.

Je n'ai pas demandé à maman ce qu'ils ont bien pu inventer, cela ne m'intéresse pas. Pour moi, il ne s'est rien passé.

DU MÊME AUTEUR

Chez le même éditeur :

RETOUR À MALAVEIL.
LE CHEMIN DE REPENTANCE.

Chez d'autres éditeurs :

LA VIE FINIRA BIEN PAR COMMENCER, *Gallimard.*
LA SOUPE CHINOISE, *Gallimard.*
CHRONIQUES POUR UN COCHON MALADE, *Gallimard.*
N'OUBLIEZ PAS LA LUTTE DES CLASSES, *Gallimard.*
LES MATINS CÉLIBATAIRES, *Gallimard.*
AVEC DES CŒURS ACHARNÉS, *Gallimard.*
LES AMÉRICAINS SONT DE GRANDS ENFANTS, *Flammarion.*
DEMAIN LA VEILLE, *Denoël.*

IMPRIMÉ EN FRANCE PAR BRODARD ET TAUPIN
58, rue Jean Bleuzen - Vanves - Usine de La Flèche.
LIBRAIRIE GÉNÉRALE FRANÇAISE - 14, rue de l'Ancienne-Comédie - Paris.

ISBN : 2 - 253 - 03657 - 9   ◈ 30/6050/6